士講座 編

みんな
欲しか

2025
年度版

税理士

簿記論の教科書&問題集 1

損益会計編

はじめに

近年、インターネットの普及にともない、世界の距離は凄まじいスピードで近くなりました。文化、経済、情報はもとより、会計についても国際財務報告基準（IFRS）などによりひとつになりつつあります。

その目的はただひとつ「幸福」になることです。

しかし、そのスピード感ゆえに、たった数年後の世界でさえ、その予測が困難になってきていることも事実です。このような先の読めない不確実な時代において重要なことは、「どのような状況でも対応できるだけの適応力」を身につけることです。

本書は、TACにおける30年を超える受験指導実績に基づく税理士試験の完全合格メソッドを市販化したもので、予備校におけるテキストのエッセンスを凝縮して再構築し、まさに「みんなが欲しかった」税理士の教科書ができあがりました。

膨大な学習範囲から、合格に必要な論点をピックアップしているため、本書を利用すれば、約２カ月で全範囲の基礎学習が完成します。また、初学者でも学習しやすいように随所に工夫をしていますので、日商簿記検定２級レベルからストレスなく学習を進めていただけます。

近年、税理士の活躍フィールドは、ますます広がりを見せており、税務分野だけでなく、全方位的に経営者の相談に乗る、財務面から経営支援を行うプロフェッショナルとしての役割が期待されています。

読者のみなさまが、本書を最大限に活用して税理士試験に合格し、税務のプロという立場で人生の選択肢を広げ、どのような状況にも対応できる適応力を身につけ、幸福となれますよう願っています。

TAC税理士講座
TAC出版　開発グループ

本書を使った税理士試験の**合格法**

Step 1　学習計画を立てましょう

まずは、このChapterにどのくらいの時間がかかるのか（①）、1日でどこまで進めればよいのか（②）、2つのナビゲーションを参考に、学習計画を立てましょう。また、Check List（③）を使ってこれから学習する内容を確認するとともに、同シリーズの財務諸表論とのリンク（④）を確認しましょう。簿記論と財務諸表論を並行して学習することで、理論・計算の両面から、より効果的に学習ができます。

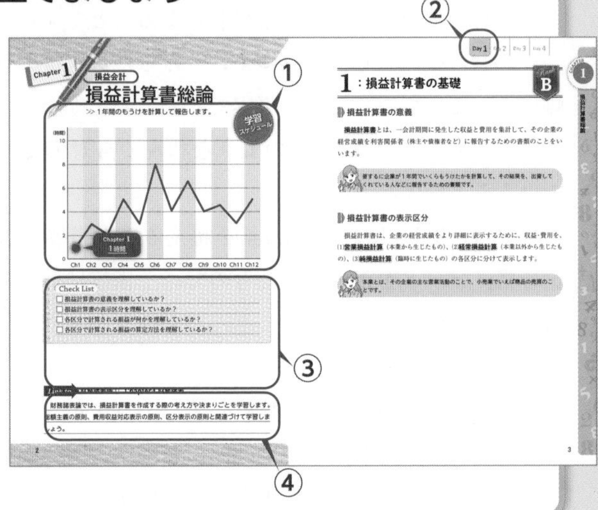

Step 2　「教科書」を読みましょう

▶は重要論点です。例題（⑤）も多く入っていますので、試験でどのような問題を解けばよいのかをイメージし、実際に電卓をたたいて、解きながら読んでいくと効果的です。また、多くの受講生がつまずいてきたちょっとした疑問や論点については、ひとことコメント（⑥）と会話形式のスタディ（⑦）に、発展的論点はプラスアルファ（⑧）としてまとめてあるので、参考にしてください。

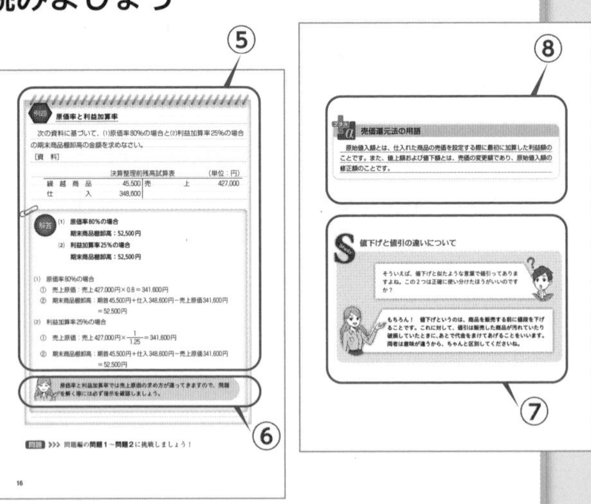

Step 3 「問題集」を解きましょう

ある程度のところまで教科書を読み進めると、問題集へのリンク（⑨）があるので、まずは基礎（⑩）問題から確実に解いていきましょう。会計知識は本を読むだけでは身につきません。実際に手を動かして問題を解くことが、知識の吸収を早めます。解き終えたら、出題論点や学習のポイント（⑪）を参考に、どの程度まで理解して解けていたか、確認しましょう。

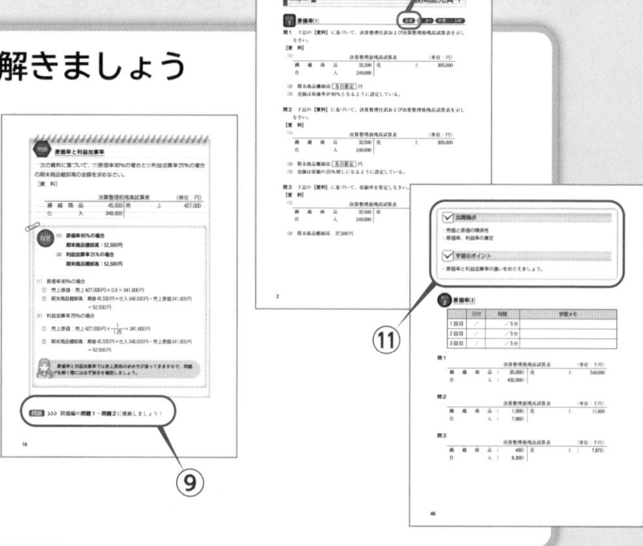

Step 4 復習しましょう

本書には、Point（⑫）やChapterの終わりにまとめ（⑬）を入れていますので、問題を解いて、知識が不足しているなと感じたら、そのつど、振り返るようにしましょう。また、問題集の答案用紙はダウンロードすることもできますので、これを利用して最低3回は解くようにしましょう。その際、解説についているメモ欄（⑭）に、ミスしたところや所要時間を記録し、正確にすばやく解けるようになっているかについて、チェックしましょう。

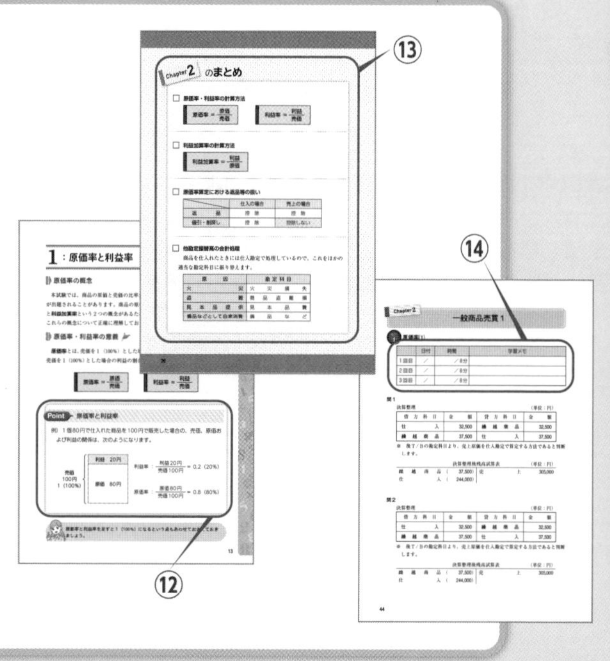

Step Up 実践的な問題を解きましょう

①おすすめ学習順

本書の学習が一通り終わったら、本試験に向けて、実践的な問題集を解いていきましょう。おすすめの学習順は、解き方学習用問題集（「簿記論 個別問題の解き方」「簿記論 総合問題の解き方」）で現役講師の実際の解き方を参考にして自分の解き方を検討・確立し、「過去問題集」で本試験問題のレベルを体感することです。

②各書籍の特徴

「簿記論 個別問題の解き方」は、中レベルから本試験レベルのオリジナル個別問題を収録しており、簿記論の試験全範囲を網羅しています。一般的な解説ではなく、「実践的な解き方」「具体的な解答手順」「解答の思考過程」を詳細に解説しています。

「簿記論 総合問題の解き方」は、基礎・応用・本試験の総合問題を収録しており、現役講師がどのように総合問題を解いているのかを実感しながら、段階的に基礎レベルから本試験問題までの演習ができるようになっています。

「過去問題集」は、直近５年分の本試験問題を収録しており、かつ、最新の企業会計基準等の改正にあわせて問題・解説ともに修正を加えています。時間を計りながら実際の本試験問題を解くことで、自分の現在位置を正確に知ることができます。

論点学習

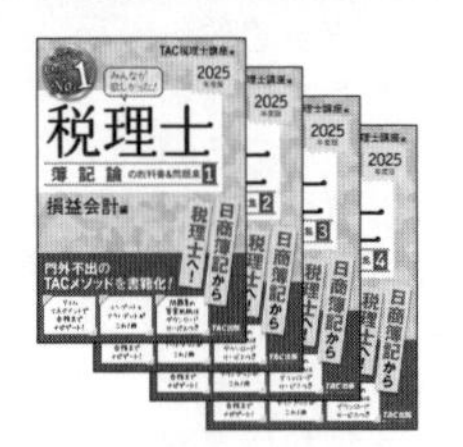

Step Up

解き方学習

過去問演習

Level Up 問題演習と復習を繰り返しましょう

①総論

解き方学習用問題集で、どのように問題を解くのかがわかったら、さまざまな論点やパターンの問題を繰り返し解いて、得意分野の確立と苦手分野の克服に努めましょう。苦手分野の克服には、間違えた問題（論点）の復習が必須です。

②個別問題対策

本試験の第１問・第２問は、会計基準の知識を問う問題や構造的な個別問題が出題されます。
「みんなが欲しかった！税理士 簿記論の教科書＆問題集」の問題集部分を繰り返し演習するのでも十分ですが、「個別計算問題集」ではさらに様々な形式やレベルの問題を収録しています。本書と併用することで、論点網羅も含めて本試験対策は万全です。

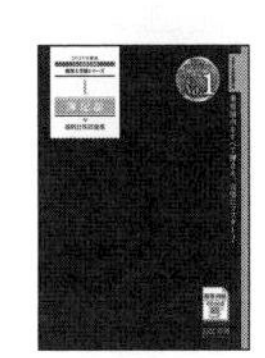

③総合問題対策

本試験の第３問は、個別論点を組み合わせた総合問題形式で出題されます。
「総合計算問題集」には「基礎編」と「応用編」があります。「総合計算問題集 基礎編」は、総合問題を解くための基礎力の養成を主眼とした書籍です。一方、「総合計算問題集 応用編」は、本試験レベルの問題に対応するための答案作成能力の養成を主眼とした書籍です。

本書を利用して簿記論・財務諸表論を**効率よく学習するため**の「スタートアップ講義」を税理士独学道場「学習ステージ」ページで**無料公開中**です！

カンタンアクセスはこちらから ⇨

https://bookstore.tac-school.co.jp/dokugaku/zeirishi/stage.html

税理士試験について

みなさんがこれから合格をめざす税理士試験についてみていきましょう。
なお、詳細は、最寄りの国税局人事第二課（沖縄国税事務所は人事課）または国税審議会税理士分科会にお問い合わせ、もしくは下記ホームページをご参照ください。
https://www.nta.go.jp/taxes/zeirishi/zeirishishiken/zeirishi.htm

国税庁 ≫ 税の情報・手続・用紙 ≫ 税理士に関する情報 ≫ 税理士試験

☑概要

税理士試験の概要は次のとおりです。申込書類の入手は国税局等での受取または郵送、提出は郵送（一般書留・簡易書留・特定記録郵便）にて行います。一部手続はe-Taxでも行うことができます。また、試験は全国で行われ、受験地は受験者が任意に選択できるので、住所が東京であったとしても、那覇や札幌を選ぶこともできます。なお、下表中、受験資格については例示になります。実際の受験申込の際には、必ず受験される年の受験案内にてご確認ください。

受験資格	・会計系科目（簿記論・財務諸表論）は制限なし。 ・税法系科目は以下のとおり。 所定の学歴（大学等で社会科学に属する科目を１科目以上履修して卒業した者ほか）、資格（日商簿記検定１級合格者ほか）、職歴（税理士等の業務の補助事務に２年以上従事ほか）、認定（国税審議会より個別認定を受けた者）に該当する者。
受験料	１科目 4,000 円、２科目 5,500 円、３科目 7,000 円、４科目 8,500 円、５科目 10,000 円
申込方法	国税局等での受取または郵送による請求で申込書類を入手し、試験を受けようとする受験地を管轄する国税局等へ郵送で申込みをする。

☑合格までのスケジュール

税理士試験のスケジュールは次のとおりです。詳細な日程は、毎年４月頃の発表になります。

受験申込用紙の交付	４月上旬～下旬（土、日、祝日は除く）
受験申込受付	４月下旬～５月上旬
試験日	８月上～中旬の３日間
合格発表	11 月下旬

☑試験科目と試験時間割

税理士試験は、全11科目のうち5科目について合格しなければなりません。5科目の選択については、下記のようなルールがあります。

	試験時間	科　目	選択のルール
1日目	9：00～11：00	簿記論	会計系科目。必ず選択する必要がある。
	12：30～14：30	財務諸表論	
	15：30～17：30	消費税法または酒税法	税法系科目。この中から3科目を選択。ただし、所得税法または法人税法のどちらか1科目を必ず選択しなくてはならない。また、消費税法と酒税法、住民税と事業税はいずれか1科目の選択に限る。
2日目	9：00～11：00	法人税法	
	12：00～14：00	相続税法	
	15：00～17：00	所得税法	
3日目	9：00～11：00	国税徴収法	
	12：00～14：00	固定資産税	
	15：00～17：00	住民税または事業税	

なお、税理士試験は科目合格制をとっており、1科目ずつ受験してもよいことになっています。

☑合格率

受験案内によれば合格基準点は満点の60%ですが、そもそも採点基準はオープンにされていません。税理士試験の合格率（全科目合計）は次のとおり、年によってばらつきはありますが、おおむね15%前後で推移しています。現実的には、受験者中、上位10%前後に入れば合格できる試験といえるでしょう。

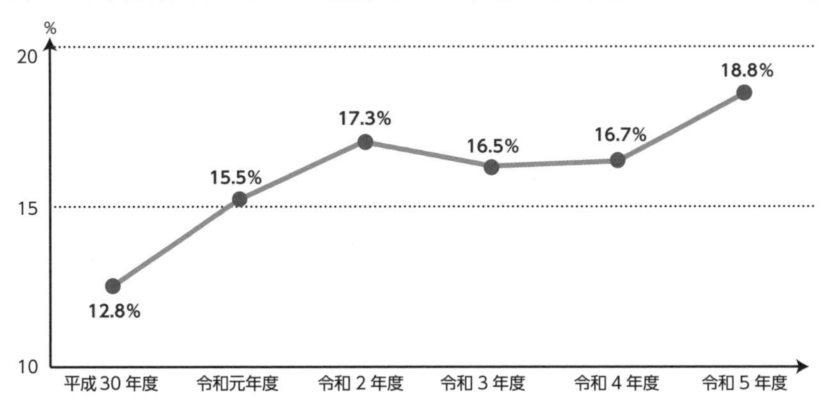

☑出題傾向と時間配分について

税理士試験の簿記論は３問構成です。一方、試験時間は２時間であり、全部の問題にまんべんなく手をつけるには絶対的に時間が足りません。そこで、戦略的な時間配分が必要となります。

	第１問	第２問	第３問
配　点	25点	25点	50点
主な出題内容	会計基準の知識を問う問題や構造的な問題	会計基準の知識を問う問題や構造的な問題	資料の与えられ方が独特な総合問題

では、どのように時間配分をすればよいでしょうか。ここで、配点に注目してみましょう。上記のとおり、第１問と第２問は25点、第３問が50点です。過去の出題傾向を見ると、配点が高い問題ほど解答箇所が多く設定され、点数の差がつきやすいといえます。

したがって、１点でも多く点数を取る（合格点に近づく）ためには、配点の高い問題に多く時間をかけ、１問でも多く正答する必要があるといえます。

そこで、配点が２倍の第３問には倍の時間をかけ、かつ、１問あたり最低でも30分は確保するという戦略から、簿記論の時間配分は、以下のようにするのがよいでしょう。

第１問	第２問	第３問
30分	30分	60分

ただ、これは一つの目安です。簿記論の問題の難易度は一定しておらず、上記の時間配分通りにいかないということが、起こりえます。

仮に、難易度の高い問題が出た場合は、第３問に60分かけるというスタンスだけは崩さないようにすれば、必要最低限の点数は確保できるでしょう。

目次

試験合格のためには、基礎的な知識の理解のもと、網羅的な学習が必要とされます。しかし、試験範囲は幅広く、学習を効率的に進める必要もあります。目次の★マークは過去10年の出題頻度を示すものです。効率的に学習する参考にしてください。

出題頻度（過去10年）	
★★★	4回以上出題
★★	2～3回出題
★	1回出題
—	未出題

損益計算書総論

ここでは、損益計算書の総論について学習していきます。

損益計算書のひな型については、まずは、３つの区分の意味と各区分で計算される利益が何かという点をおさえておきましょう。

Chapter 1

損益会計

損益計算書総論

≫１年間のもうけを計算して報告します。

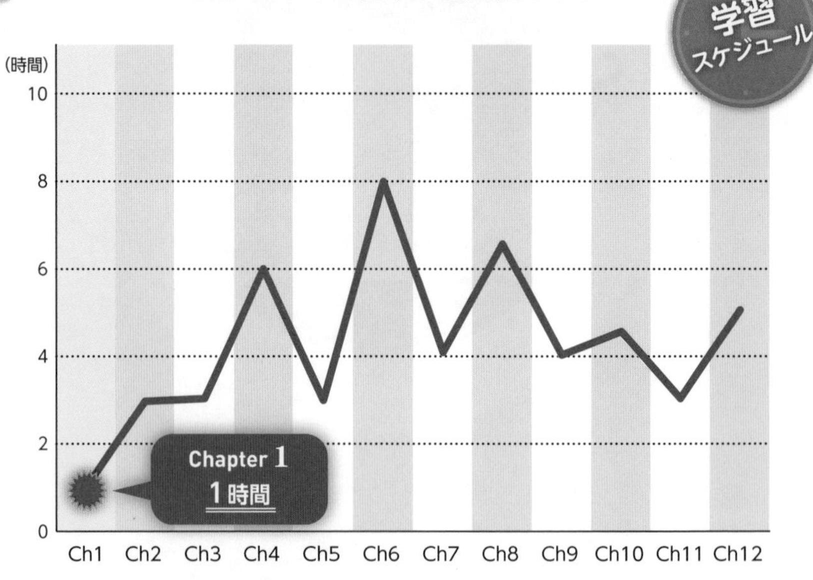

Check List

- □ 損益計算書の意義を理解しているか？
- □ 損益計算書の表示区分を理解しているか？
- □ 各区分で計算される損益が何かを理解しているか？
- □ 各区分で計算される損益の算定方法を理解しているか？

Link to 財務諸表論① Chapter4 財務諸表

財務諸表論では、損益計算書を作成する際の考え方や決まりごとを学習します。総額主義の原則、費用収益対応表示の原則、区分表示の原則と関連づけて学習しましょう。

1：損益計算書の基礎

損益計算書の意義

損益計算書とは、一会計期間に発生した収益と費用を集計して、その企業の経営成績を利害関係者（株主や債権者など）に報告するための書類のことをいいます。

要するに企業が１年間でいくらもうけたかを計算して、その結果を、出資してくれている人などに報告するための書類です。

損益計算書の表示区分

損益計算書は、企業の経営成績をより詳細に表示するために、収益・費用を、(1)**営業損益計算**（本業から生じたもの）、(2)**経常損益計算**（本業以外から生じたもの）、(3)**純損益計算**（臨時に生じたもの）の各区分に分けて表示します。

本業とは、その企業の主な営業活動のことで、小売業でいえば商品の売買のことです。

2：損益計算書のひな形

損益計算書のひな形

実際の損益計算書（報告式）のひな形は次のようになります。

損　益　計　算　書

㈱水道橋産業　　自X2年4月1日　至X3年3月31日　　(単位：円)

Ⅰ　売　　上　　高		500,000	①営業損益計算
Ⅱ　売　上　原　価			
1．期首商品棚卸高	50,000		
2．当期商品仕入高	300,000		
合　　　計	350,000		
3．期末商品棚卸高	50,000	300,000	
売 上 総 利 益		200,000	
Ⅲ　販売費及び一般管理費			
1．広 告 宣 伝 費	20,000		
2．減 価 償 却 費	40,000	60,000	
営　業　利　益		140,000	
Ⅳ　営 業 外 収 益			②経常損益計算
1．受取利息配当金	3,000		
2．有 価 証 券 利 息	7,500	10,500	
Ⅴ　営 業 外 費 用			
1．支　払　利　息	1,000		
2．社　債　利　息	3,000	4,000	
経　常　利　益		146,500	
Ⅵ　特　別　利　益			③純損益計算
1．社 債 償 還 益		5,000	
Ⅶ　特　別　損　失			
1．減　損　損　失		3,500	
税引前当期純利益		148,000	
法人税、住民税及び事業税		59,200	
当　期　純　利　益		88,800	

Point 損益計算書の区分

① 営業損益計算

営業損益計算の区分では、その企業の主たる営業活動から生じた損益を計上して営業利益を計算します。

営業利益＝売上総利益－販売費及び一般管理費

・販売費及び一般管理費…商品販売に要した費用
　広告宣伝費、営業費、租税公課、減価償却費、退職給付費用など

② 経常損益計算

経常損益計算の区分では、営業利益にその企業の主たる営業活動以外から生じた損益を加減して経常利益を計算します。

経常利益＝営業利益＋営業外収益－営業外費用

・営業外収益…企業の主たる営業活動以外から生じた収益
　受取利息、受取配当金、有価証券利息、有価証券評価益、仕入割引など
・営業外費用…企業の主たる営業活動以外から生じた費用
　支払利息、社債利息、投資有価証券評価損など

③ 純損益計算

純損益計算の区分では、経常利益に臨時または偶発的に生じた損益を加減して税引前当期純利益を計算し、そこから法人税、住民税及び事業税（法人税等）を加減して当期純利益を計算します。

税引前当期純利益＝経常利益＋特別利益－特別損失

・特別利益…臨時的、偶発的に生じた利益
　固定資産売却益、関係会社株式売却益、社債償還益、保険差益など
・特別損失…臨時的、偶発的に生じた損失
　固定資産売却損、投資有価証券売却損、減損損失、火災損失など

当期純利益＝税引前当期純利益－法人税、住民税及び事業税

3：収益認識基準（損益計算書の取り扱い）

収益認識に関する会計基準とは

収益認識に関する会計基準とは、顧客との契約から生じる収益に関する会計処理を定めた基準です。

ここでは、収益認識に関する会計基準について、概要と損益計算書への影響を解説します。なお、具体的な論点についての解説は、個々のチャプターで行います。

プラスα 従来の収益認識の考え方

日本では、収益認識について定めた包括的な会計基準はなく、企業会計原則において、「売上高は、実現主義の原則に従い、商品等の販売または役務の給付によって実現したものに限る。」と示されているだけでした。

収益認識に関する会計基準の適用対象企業は、金融商品取引法適用会社や会社法上の大会社などの会社法会計監査の対象法人であり、中小企業は、任意適用となっています。したがって、本試験では収益認識に関する会計基準を適用しているかどうかの指示が入ると考えられます。

収益認識に関する会計基準の範囲

収益認識に関する会計基準の適用範囲は、**顧客との契約から生じる収益**（企業の通常の営業活動から生じる収益）です。そのため、事業用固定資産の売却取引などの、通常の営業活動以外の取引から生じる収益は、収益認識に関する会計基準の適用範囲外となります。

顧客との契約から生じる収益であっても、金融商品会計基準の範囲に含まれる金融商品に係る取引や、リース取引に関する会計基準の範囲に含まれるリース取引などは適用範囲から除外されています。

損益計算書の表示への影響

(1) 顧客との契約から生じる収益

顧客との契約から生じる収益を、適切な科目をもって損益計算書に表示します。なお、顧客との契約から生じる収益については、それ以外の収益と区分して損益計算書に表示します。

顧客との契約から生じる収益の適切な科目については、たとえば売上高、売上収益、営業収益などがあります。

(2) 重要な金融要素

顧客との契約に重要な金融要素が含まれる場合、顧客との契約から生じる収益と金融要素の影響（受取利息や支払利息）を損益計算書において区分して表示します。

上記の処理は掛売上や割賦販売に関連します。詳しくは、Chapter6、8で学習します。

Chapter 1 のまとめ

□ 営業損益計算

営業損益計算の区分では、その企業の主たる営業活動から生じた損益を計上して営業利益を計算します。

営業利益＝売上総利益－販売費及び一般管理費

・販売費及び一般管理費…商品販売に要した費用
　広告宣伝費、営業費、租税公課、減価償却費、
　退職給付費用など

□ 経常損益計算

経常損益計算の区分では、営業利益にその企業の主たる営業活動以外から生じた損益を加減して経常利益を計算します。

経常利益＝営業利益＋営業外収益－営業外費用

・営業外収益…企業の主たる営業活動以外から生じた収益
　受取利息、受取配当金、有価証券利息、有価証券評価益、
　仕入割引など
・営業外費用…企業の主たる営業活動以外から生じた費用
　支払利息、社債利息、投資有価証券評価損など

□ 純損益計算

純損益計算の区分では、経常利益に臨時または偶発的に生じた損益を加減して税引前当期純利益を計算し、そこから法人税、住民税及び事業税（法人税等）を加減して当期純利益を計算します。

税引前当期純利益＝経常利益＋特別利益－特別損失

・特別利益…臨時的、偶発的に生じた利益
　固定資産売却益、関係会社株式売却益、社債償還益、
　保険差益など
・特別損失…臨時的、偶発的に生じた損失
　固定資産売却損、投資有価証券売却損、減損損失、
　火災損失など

当期純利益＝税引前当期純利益－法人税、住民税及び事業税

一般商品売買 1

ここでは、原価率、返品等、他勘定振替高について学習します。

原価率については、その概念や計算方法をおさえておきましょう。なお、本書では特に指示がない場合は、三分法を前提に解説していきます。

返品等の処理については、仕入側を中心に学習します。売上側は収益認識基準の影響を受けない偶発的な返品等について解説します。

Chapter 2

損益会計

一般商品売買1

>> 原価率と利益率は商売の基本です！

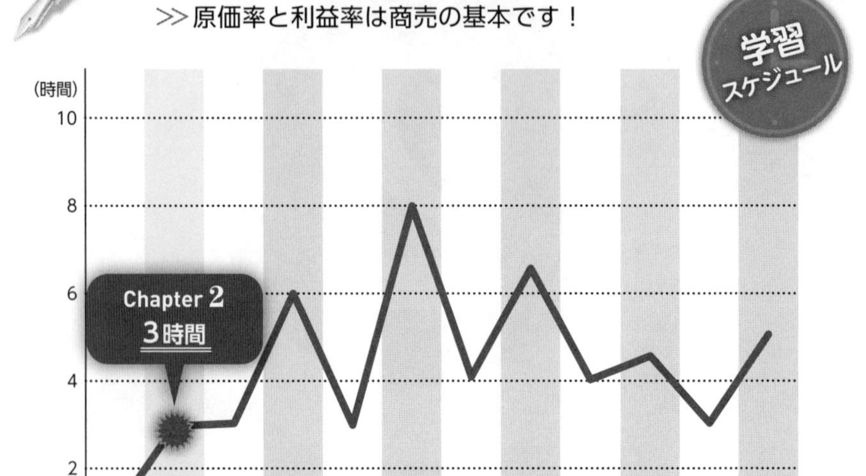

Check List

- □「原価率・利益率」と「利益加算率」の違いを理解しているか？
- □ 総仕入高・総売上高と純仕入高・純売上高の違いを理解しているか？
- □ 返品等と原価率の関係を理解しているか？
- □ 他勘定振替高の会計処理を理解しているか？

Link to 財務諸表論① Chapter6 損益会計総論

財務諸表論では、一般商品売買は損益会計と関連があります。費用収益対応の原則などの内容と関連づけて学習しましょう。

1：原価率と利益率

原価率の概念

本試験では、商品の原価と売価の比率から不明金額を算定させるという問題が出題されることがあります。商品の原価と売価の比率には、**原価率・利益率**と**利益加算率**という2つの概念があるため、上記のような計算問題を解くにはこれらの概念について正確に理解しておく必要があります。

原価率・利益率の意義

原価率とは、売価を1（100%）とした場合の原価の割合をいい、**利益率**とは、売価を1（100%）とした場合の利益の割合をいいます。

$$原価率 = \frac{原価}{売価}$$

$$利益率 = \frac{利益}{売価}$$

Point 原価率と利益率

例）１個80円で仕入れた商品を100円で販売した場合の、売価、原価および利益の関係は、次のようになります。

売価 100円 1（100%）	利益　20円
	原価　80円

利益率：$\frac{利益20円}{売価100円} = 0.2$（20%）

原価率：$\frac{原価80円}{売価100円} = 0.8$（80%）

原価率と利益率を足すと1（100%）になるという点もあわせておさえておきましょう。

例題 **原価率と利益率**

次の資料に基づいて、当期の利益率と原価率を求めなさい。

[資　料]

決算整理前残高試算表　（単位：円）

繰越商品	2,800	売上	48,500
仕入	37,200		

・期末商品棚卸高は1,200円である。

利益率：20%

原価率：80%

(1)　売上原価：2,800円＋37,200円－1,200円＝38,800円

(2)　利益率：$\dfrac{\text{売上48,500円}-\text{売上原価38,800円}}{\text{売上48,500円}}$＝0.2（20%）

(3)　原価率：$\dfrac{\text{売上原価38,800円}}{\text{売上48,500円}}$＝0.8（80%）

利益加算率の意義

利益加算率とは、原価を1（100%）とした場合の利益の加算割合をいいます。

$$\text{利益加算率}=\frac{\text{利益}}{\text{原価}}$$

Point 利益加算率

例） 1個80円で仕入れた商品を100円で販売した場合の、売価、原価および利益の関係は、次のようになります。

売価	
	利益　20円
100円 1.25（125%）	原価　80円 1　（100%）

利益加算率 ： $\frac{\text{利益20円}}{\text{原価80円}}$ ＝0.25（25%）

つまり、利益加算率とは原価にその何%の利益を上乗せして売価を設定するかという、利益の上乗せ率のことです。

例題 利益加算率

当社は、4,000円で仕入れた商品Aを5,000円で販売している。商品Aの利益加算率を求めなさい。

解答 **利益加算率：25%**

利益加算率 ： $\frac{\text{売上5,000円}-\text{売上原価4,000円}}{\text{売上原価4,000円}}$ ＝0.25（25%）

例題 原価率と利益加算率

次の資料に基づいて、(1)原価率80%の場合と(2)利益加算率25%の場合の期末商品棚卸高の金額を求めなさい。

［資　料］

決算整理前残高試算表　（単位：円）

借方科目	金額	貸方科目	金額
繰越商品	45,500	売上	427,000
仕入	348,600		

解答

(1) **原価率80%の場合**

期末商品棚卸高：52,500円

(2) **利益加算率25%の場合**

期末商品棚卸高：52,500円

(1) 原価率80%の場合

① 売上原価：売上427,000円×0.8＝341,600円

② 期末商品棚卸高：期首45,500円＋仕入348,600円－売上原価341,600円
＝52,500円

(2) 利益加算率25%の場合

① 売上原価：売上427,000円×$\frac{1}{1.25}$＝341,600円

② 期末商品棚卸高：期首45,500円＋仕入348,600円－売上原価341,600円
＝52,500円

原価率と利益加算率では売上原価の求め方が違ってきますので、問題を解く際には必ず指示を確認しましょう。

問題 >>> 問題編の**問題1**～**問題2**に挑戦しましょう！

2：返品・値引・割戻し・割引とは

返品・値引・割戻しの意義

⑴ **返品とは**

返品とは、品違いや数量違いなどによる商品の返却のことをいいます。

⑵ **値引とは**

値引とは、品質不良や破損などによる商品代金の一部免除のことをいいます。

⑶ **割戻しとは**

割戻しとは、一定期間に大量に商品を仕入れてくれた取引先に対する商品代金の一部免除のことをいいます。

これらの定義は覚える必要はありません。軽く目をとおしたら次に進みましょう。

返品・値引・割戻しの会計処理

返品・値引・割戻し（以下「返品等」といいます）が行われた場合、仕入取引および売上取引を取り消す処理を行います。

Point 総仕入高・総売上高と純仕入高・純売上高

・総仕入高・総売上高：返品等が行われる前の仕入高・売上高
・純仕入高・純売上高：返品等が行われた後の仕入高・売上高

例題 返品等の処理

次の各取引の仕訳を示しなさい。

(1) 掛けで仕入れた商品のうち300円を返品した。

(2) 掛けで売り上げた商品について210円の返品を受けた。

解答

(1) **仕入戻し**

(買　掛　金)	300	(仕　　　入)	300

(2) **売上戻り**

(売　　　上)	210	(売　掛　金)	210

ここでは返品についての処理を確認しましたが、値引や割戻しの場合も返品と同じ処理を行うことを、しっかりおさえておきましょう。

Study 返品等が行われた場合の相手勘定

返品等の相手勘定として売掛金や買掛金が使われているのをよくみますが、相手勘定は必ず売掛金や買掛金になるのですか？

相手勘定が決まっているわけではありません。だから基本的には、問題文の指示に従って解答することになります。あと、取引先が得意先や仕入先の場合には、それが指示となって相手勘定が売掛金や買掛金となる場合があるから注意してください。

割引の意義

割引とは、掛け代金の決済が、あらかじめ決められた決済期日前に行われた場合に、掛け代金の一部を免除することをいいます。

割引の会計処理

仕入側の割引は、**仕入割引勘定**で収益として処理します。一方、売上側の割引は、売上勘定の減額で処理します。

割引の処理

次の各取引の仕訳を示しなさい。

(1) 買掛金500円を現金で支払った。なお、決済期日前の支払いであったため50円の割引を受けた。

(2) 売掛金300円を現金で受け取った。なお、決済期日前の受取りであったため10円の割引を行った。

解答

(1) 仕入割引

借方	金額	貸方	金額
(買掛金)	500	(現金)	450
		(仕入割引)	50

(2) 売上割引

借方	金額	貸方	金額
(現金)	290	(売掛金)	300
(売上)	10		

仕入割引は返品等とは異なり、仕入の取消ではなく、別建ての勘定科目で処理する点に注意しましょう。
売上については収益認識基準が適用され、原則として、売上割引は計上されません（対価の額から利息部分（重要な金融要素）を除いた現金販売価格で売上を計上するため）。しかし、容認規定を採用した場合は上記(2)の処理になります。詳しくは、Chapter6の「重要な金融要素」で学習します。

問題 >>> 問題編の**問題３**～**問題４**に挑戦しましょう！

3：返品等と原価率の関係

事前原価率と事後原価率

事前原価率とは、仕入れた商品に対して売価を決定した時点で算定された当初の原価率のことをいいます。

一方、**事後原価率**とは、売上値引・割戻しを控除した後の売上高に基づく最終の原価率のことをいいます。

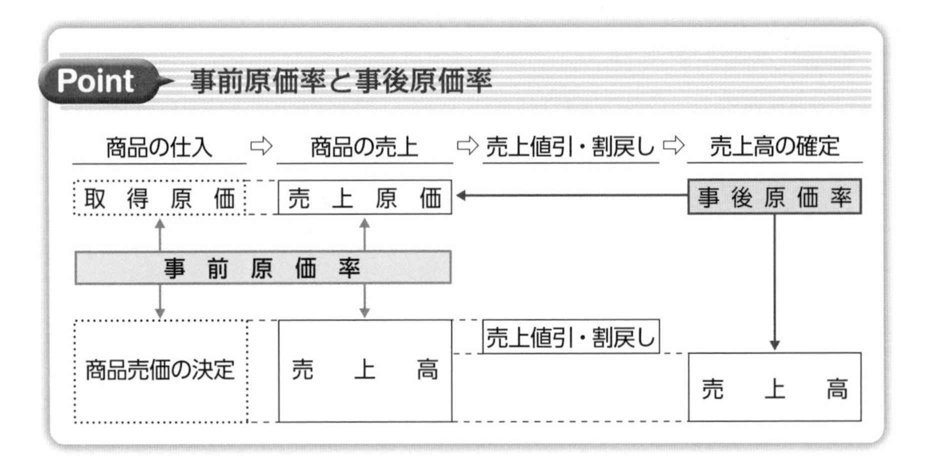

簿記論の問題で、原価率を算定する場合や資料に原価率が与えられる場合は、通常、事前原価率を示しています。事後原価率については軽く確認する程度で十分です。

返品等の扱い

事前原価率を算定する際には、総売上高から売上戻りを控除した売上高を用います。

$$事前原価率 = \frac{売上原価}{総売上高 - 売上戻り}$$

Point 原価率算定における返品等の扱い

	仕入の場合	売上の場合
返品	控除	控除
値引・割戻し	控除	控除しない

売上値引・売上割戻と原価率の関係

売上戻りは分母の売上高から控除するのに、なぜ売上値引・割戻は控除しないのですか？

売上値引や売上割戻で減少するのは原価部分ではなくて利益部分です。もし、売上値引と売上割戻を分母の売上高（売価）から控除してしまったら、分子の原価は控除前と変わらないのに分母の売上高が減少してしまって、算定される原価率が売価設定時の原価率と異なってきてしまいます。だから、総売上高から売上値引と売上割戻は控除しません。

例題 返品等と原価率の関係

次の資料に基づいて、当期の原価率を計算しなさい。

[資　料]

決算整理前残高試算表　（単位：円）

繰越商品	960	売上	11,400
仕入	9,840		

1．期末商品棚卸高は1,200円である。

2．仕入勘定から仕入割戻120円が控除されている。

3．売上勘定から売上戻り1,200円、売上値引240円、売上割戻360円が控除されている。

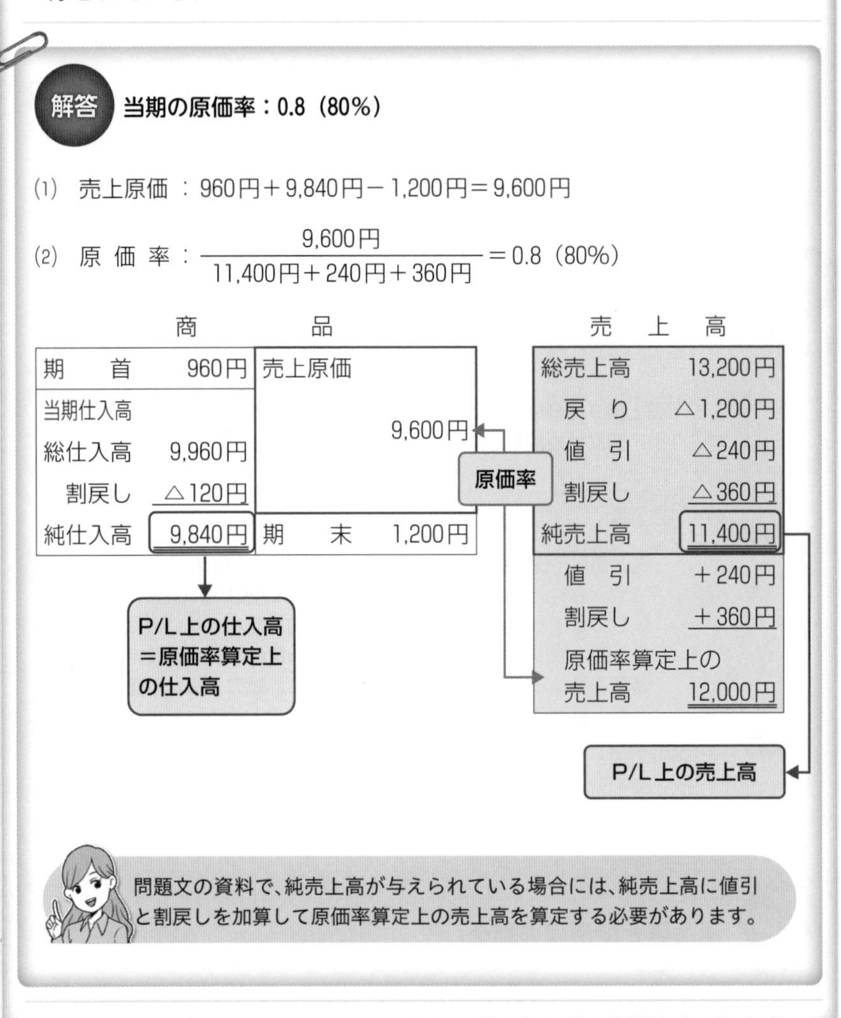

解答
当期の原価率：0.8（80%）
(1) 売上原価：960円＋9,840円－1,200円＝9,600円
(2) 原価率：9,600円 / 11,400円＋240円＋360円 ＝0.8（80%）
商品
期首 960円
当期仕入高
総仕入高 9,960円
割戻し △120円
純仕入高 9,840円
売上原価 9,600円
期末 1,200円
原価率
売上高
総売上高 13,200円
戻り △1,200円
値引 △240円
割戻し △360円
純売上高 11,400円
値引 ＋240円
割戻し ＋360円
原価率算定上の売上高 12,000円
P/L上の仕入高＝原価率算定上の仕入高
P/L上の売上高
問題文の資料で、純売上高が与えられている場合には、純売上高に値引と割戻しを加算して原価率算定上の売上高を算定する必要があります。

問題 >>> 問題編の**問題5**に挑戦しましょう！

4：他勘定振替高

他勘定振替高とは

販売目的で仕入れた商品が、見本品の提供や盗難といった販売以外の原因で減少したときは、仕入勘定から他の勘定への振替処理を行います。この振り替えた分を**他勘定振替高**といいます。

他勘定振替高の会計処理

商品を仕入れたときには仕入勘定で処理しているので、これをほかの適当な勘定科目に振り替えます。

Point 他勘定振替高の主な勘定科目

原　　因	勘定科目
火　　災	火災損失
盗　　難	商品盗難損
見本品提供	見本品費
備品などとして自家消費	備品など

プラスα 他勘定振替高を用いる理由

販売以外での商品の減少高を当期商品仕入高から直接控除するのではなく、他勘定振替高として間接的に控除するとともに、その減少高を該当する区分へ表示することで、損益計算書の「当期商品仕入高」が正味の購買活動（外部からの当期商品仕入高）を表すようにすることができます。

例題 **他勘定振替高**

次の資料に基づいて、①仕入時、②見本品提供時、③決算時の仕訳を示しなさい。

［資　料］

1．期首商品棚卸高は19,500円である。

2．商品150,000円を掛けで仕入れた。

3．得意先に対し、2で仕入れた商品のうち600円を見本品として提供した。

4．期末商品棚卸高は22,500円である。

解答

① **仕入時**

(仕　　　入)	150,000	(買　掛　金)	150,000

② **見本品提供時**

(見 本 品 費)	600	(仕　　　入)	600

③ **決算時**

(仕　　　入)	19,500	(繰 越 商 品)	19,500
(繰 越 商 品)	22,500	(仕　　　入)	22,500

(1)　決算整理前残高試算表

決算整理前残高試算表　（単位：円）

繰 越 商 品	19,500	売　　上	XXX
仕　　　入	149,400		
見 本 品 費	600		

決算整理前残高試算表の仕入の金額が、当期商品仕入高から他勘定振替高を控除した金額になっている点に注意してください。

(2) 決算整理後残高試算表

決算整理後残高試算表			(単位：円)
繰越商品	22,500	売上	XXX
仕入	146,400		
見本品費	600		

問題 >>> 問題編の**問題6～問題7**に挑戦しましょう！

Chapter 2 のまとめ

□ 原価率・利益率の計算方法

$$原価率 = \frac{原価}{売価}$$

$$利益率 = \frac{利益}{売価}$$

□ 利益加算率の計算方法

$$利益加算率 = \frac{利益}{原価}$$

□ 原価率算定における返品等の扱い

	仕入の場合	売上の場合
返　品	控　除	控　除
値引・割戻し	控　除	控除しない

□ 他勘定振替高の会計処理

商品を仕入れたときには仕入勘定で処理しているので、これをほかの適当な勘定科目に振り替えます。

原　因	勘定科目
火　災	火災損失
盗　難	商品盗難損
見本品提供	見本品費
備品などとして自家消費	備品など

一般商品売買 2

一般商品売買の会計処理の目的は、一事業年度の商品販売益と決算時の商品有高を勘定計算により算定することです。

ここでは、この勘定計算方法のうち三分法以外の記帳方法を学習します。それぞれの方法で、どのような勘定科目を用いるのか、また、決算整理前の商品勘定が何を意味するのかという点を意識しながら学習していきましょう。

Chapter 3

損益会計

一般商品売買 2

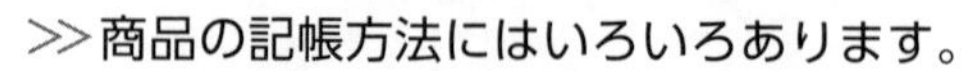

≫商品の記帳方法にはいろいろあります。

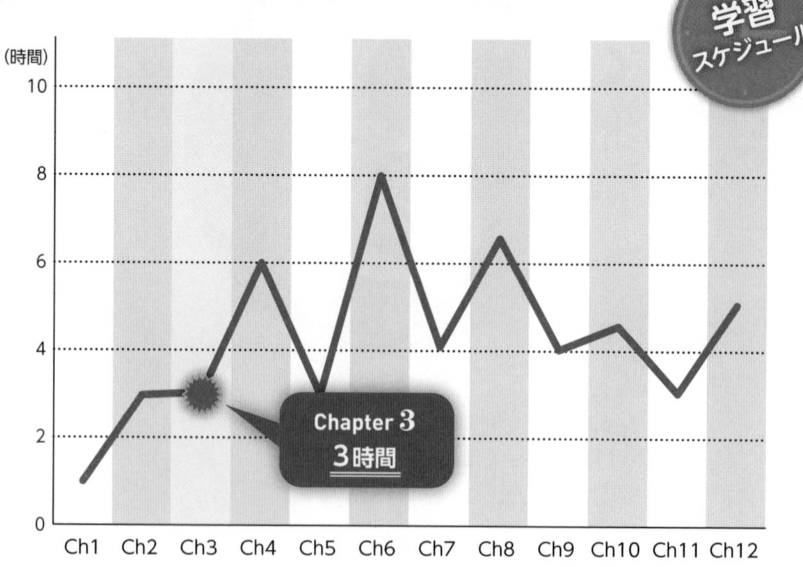

Check List

- □ 分記法の会計処理を理解しているか？
- □ 売上原価対立法の会計処理を理解しているか？
- □ 総記法の会計処理を理解しているか？
- □ 総記法で期末商品棚卸高が判明している場合の計算を理解しているか？
- □ どの帳方法でも、期末商品棚卸高と商品販売益は同じである点を理解しているか？

Link to

財務諸表論では勘定の記帳方法が問われる可能性は低いため、簿記論特有の論点といえます。

1：分記法とは

分記法の意義

分記法とは、商品売買取引を商品勘定および商品販売益勘定という２つの勘定により記帳する方法です。

分記法の特徴

分記法は、商品の販売のつど、商品販売益を算定する点に特徴があり、決算整理前の商品勘定が期末商品棚卸高を、商品販売益勘定が商品販売益を表します。

Point 分記法の各勘定

商　　品

期首商品	売上原価
当期仕入高	期末商品

商品販売益

	販売益

分記法では、商品勘定はつねに借方残高となり、商品の現在有高を示しています。

例題 分記法

次の資料に基づいて、①仕入時、②売上時、③決算時の仕訳を示しなさい。なお、当社は分記法を採用している。

［資　料］

1．期首商品棚卸高は19,500円である。

2．商品150,000円を掛けで仕入れた。

3．商品183,750円（原価147,000円）を掛けで売り上げた。
4．期末商品棚卸高は22,500円である。

解答

① **仕入時**

(商　　品)	150,000	(買　掛　金)	150,000

② **売上時**

(売　掛　金)	183,750	(商　　品)	147,000
		(商品販売益)	36,750

③ **決算時**

仕　訳　な　し

期中の取引の結果、商品勘定は以下のようになっています。

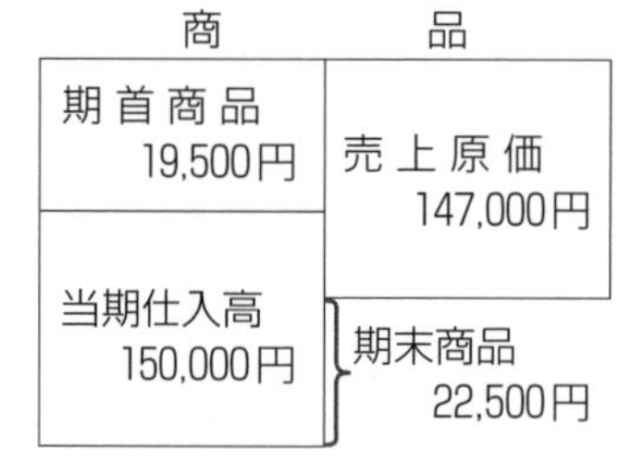

商品販売益

	36,750円

分記法を採用した場合、決算整理前に当期の商品販売益と期末商品棚卸高を勘定上で示しているため、決算整理は不要です。

2：売上原価対立法とは

売上原価対立法の意義

売上原価対立法とは、商品売買取引を商品勘定、売上原価勘定および売上勘定という3つの勘定により記帳する方法です。

売上原価対立法の特徴

売上原価対立法は、商品の販売のつど、売上原価を算定する点が特徴であり、決算整理前の商品勘定が期末商品棚卸高を、売上勘定と売上原価勘定の差額が商品販売益を表します。

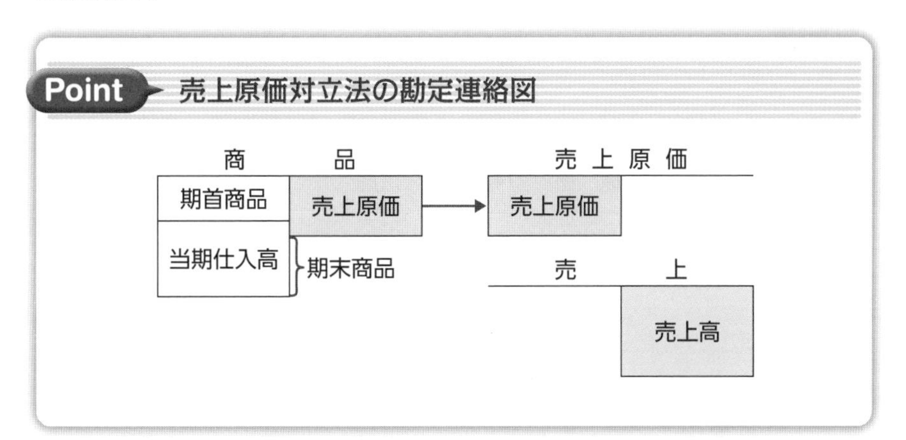

売上原価対立法も分記法と同様に、商品勘定はつねに借方残高となり、商品の現在有高を示しています。

例題

売上原価対立法

次の資料に基づいて、①仕入時、②売上時、③決算時の仕訳を示しなさい。なお、当社は売上原価対立法を採用している。

［資　料］

1．期首商品棚卸高は19,500円である。

2．商品150,000円を掛けで仕入れた。

3．商品183,750円（原価147,000円）を掛けで売り上げた。

4．期末商品棚卸高は22,500円である。

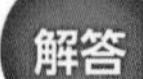

解答

① **仕入時**

(商　　品)	150,000	(買　掛　金)	150,000

② **売上時**

(売　掛　金)	183,750	(売　　上)	183,750
(売 上 原 価)	147,000	(商　　品)	147,000

③ **決算時**

仕　訳　な　し

期中の取引の結果、商品勘定は以下のようになっています。

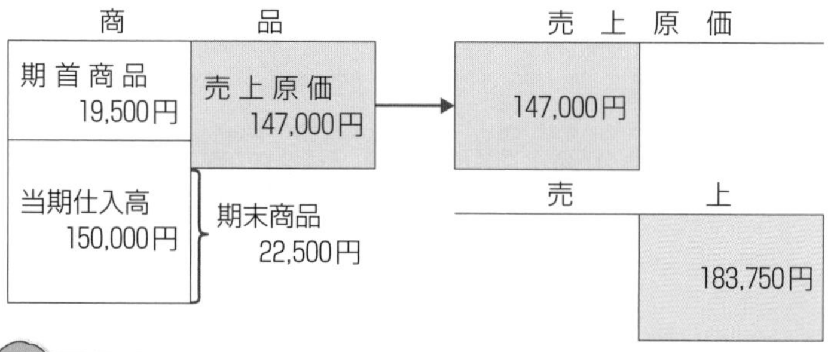

売上勘定183,750円と売上原価勘定147,000円の差額36,750円が商品販売益となります。

問題 >>> 問題編の**問題１**～**問題２**に挑戦しましょう！

3：総記法とは

Rank B

総記法の意義

総記法とは、商品を仕入れたときには原価で商品勘定の借方に記帳し、商品を販売したときには売価で商品勘定の貸方に記帳する方法です。

総記法の特徴

総記法は、期中の商品売買取引を商品勘定のみで記帳する点に特徴があり、決算整理前の商品勘定は原価と売価が混合して記帳されるため、貸借差額の金額に意味はありません。

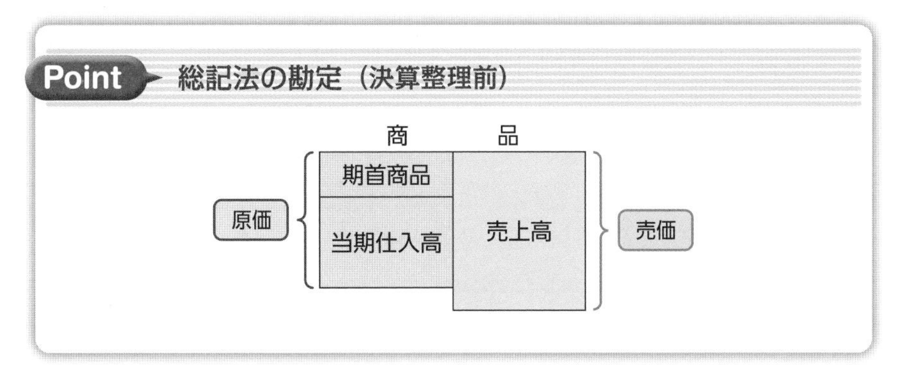

総記法では、決算整理前の商品勘定が借方残高にも貸方残高にもなります。

決算時の会計処理

総記法では、決算整理前の商品勘定は期末商品棚卸高を表していません。

そこで、決算整理仕訳で、売価と原価の差額である利益部分を商品勘定の借方と商品販売益勘定の貸方に記入することによって、商品勘定が期末商品棚卸高となるように修正する必要があります。

Point 総記法の各勘定（決算整理後）

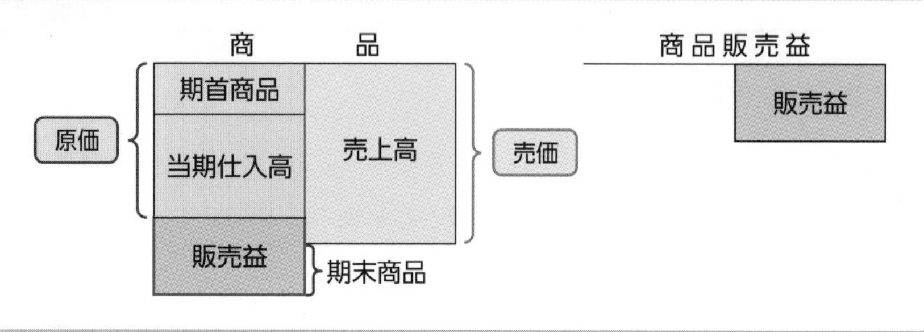

例題 総記法―貸方残高の場合

次の資料に基づいて、①仕入時、②売上時、③決算時の仕訳を示しなさい。なお、当社は総記法を採用している。

［資　料］

1．期首商品棚卸高は19,500円である。

2．商品150,000円を掛けで仕入れた。

3．商品183,750円（原価147,000円）を掛けで売り上げた。

4．期末商品棚卸高は22,500円である。

解答

① 仕入時

(商　品)	150,000	(買　掛　金)	150,000

② 売上時

(売　掛　金)	183,750	(商　品)	183,750

③ 決算時

(商　品)	36,750	(商品販売益)	36,750*

＊　183,750円－147,000円＝36,750円

(1) 決算整理前の商品勘定

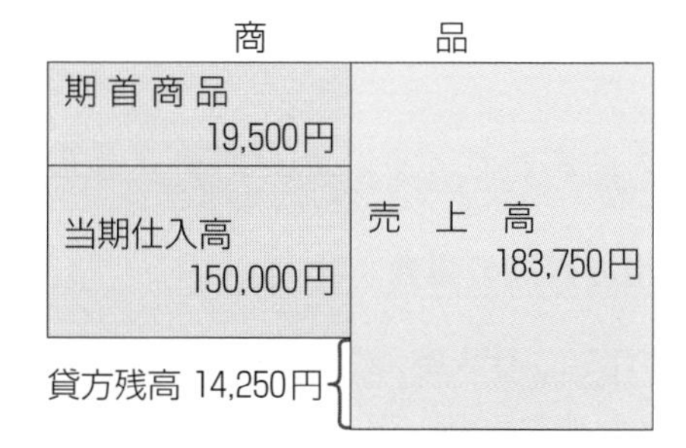

総記法を採用した場合、決算整理前では商品販売益と期末商品がわからないため、決算整理が必要です。

(2) 決算整理後の商品勘定

商　品

借方	貸方
期首商品 19,500円	売　上　高 183,750円
当期仕入高 150,000円	
販　売　益 36,750円	期末商品 22,500円

商品販売益

借方	貸方
	販　売　益 36,750円

商品勘定の借方に利益の金額を記入することで、商品勘定の貸方に記入されている売価は原価に修正されます。その結果、商品勘定の貸借差額は期末商品棚卸高を表します。

分記法、売上原価対立法、総記法（貸方残高）のどの記帳方法でも、期末商品棚卸高は22,500円、商品販売益は36,750円となり、同じ結果となることを確認してください。

例題　総記法─借方残高の場合

次の資料に基づいて、①仕入時、②売上時、③決算時の仕訳を示しなさい。なお、当社は総記法を採用している。

［資　料］

1．期首商品棚卸高は19,500円である。

2．商品150,000円を掛けで仕入れた。

3．商品120,000円（原価96,000円）を掛けで売り上げた。

4．期末商品棚卸高は73,500円である。

解答

① 仕入時

(商　　　品)	150,000	(買　掛　金)	150,000

② 売上時

(売　掛　金)	120,000	(商　　　品)	120,000

③ 決算時

(商　　　品)	24,000	(商品販売益)	24,000*

＊　120,000円－96,000円＝24,000円

(1)　決算整理前の商品勘定

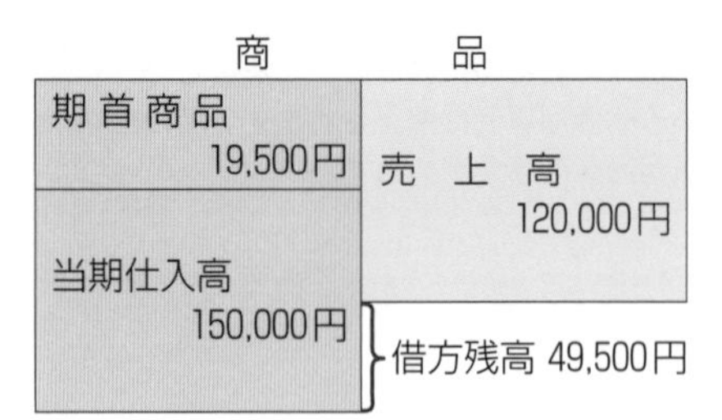

(2) 決算整理後の商品勘定

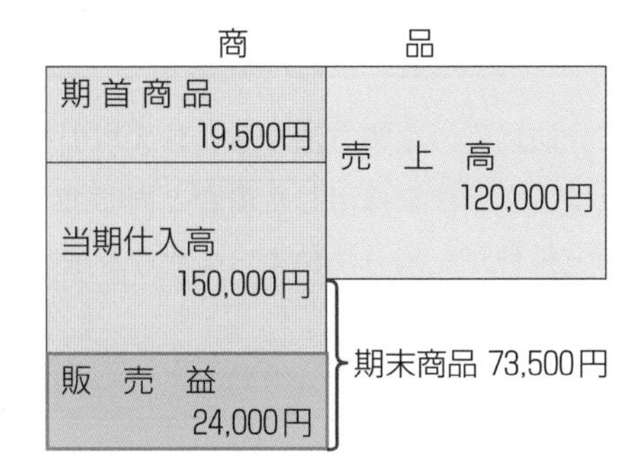

商品販売益

	販売益 24,000円

商品勘定が借方残高であったとしても、会計処理は貸方残高の場合と同じです。

プラスα 期末商品棚卸高が判明している場合の計算

期末商品棚卸高が判明している場合には、次のように計算することができます。

・貸方残高の場合

商品販売益＝期末商品棚卸高＋商品勘定の貸方残高

・借方残高の場合

商品販売益＝期末商品棚卸高－商品勘定の借方残高

問題 >>> 問題編の**問題3**に挑戦しましょう！

参考 三分法以外の方法による返品等の処理

返品等の処理は、三分法以外の記帳方法でも、仕入取引や売上取引を取り消す処理を行うという点は、三分法を採用した場合と同じです。

ただし、使用する勘定科目が記帳方法によって異なります。

Point 返品等の会計処理

	分記法	売上原価対立法	総記法
仕入返品	買掛金／商品	買掛金／商品	買掛金／商品
仕入値引・割戻	買掛金／商品	買掛金／商品	買掛金／商品
売上返品	商品 商品販売益／売掛金	売上／売掛金 商品／売上原価	商品*／売掛金
売上値引・割戻	商品販売益／売掛金	売上／売掛金	商品／売掛金

* 総記法の場合、売上時の商品勘定は売価で記帳されているので、売上を取り消す際の商品勘定は売価となります。

例題 返品等の処理

次の各取引について、各問における仕訳を示しなさい。

(1) 掛けで仕入れた商品600円を返品した。

(2) 掛けで仕入れた商品について2,000円の値引を受けた。

(3) 掛けで売り上げた商品4,000円（原価2,800円）が返品された。

(4) 掛けで売り上げた商品について500円の値引を行った。

問1 分記法で記帳している場合

問2 売上原価対立法で記帳している場合

問3 総記法で記帳している場合

解答

問1　分記法

⑴　仕入返品時

借方科目	金額	貸方科目	金額
(買　掛　金)	600	(商　　品)	600

⑵　仕入値引時

借方科目	金額	貸方科目	金額
(買　掛　金)	2,000	(商　　品)	2,000

⑶　売上返品時

借方科目	金額	貸方科目	金額
(商　　品)	2,800	(売　掛　金)	4,000
(商品販売益)	1,200		

⑷　売上値引時

借方科目	金額	貸方科目	金額
(商品販売益)	500	(売　掛　金)	500

問2　売上原価対立法

⑴　仕入返品時

借方科目	金額	貸方科目	金額
(買　掛　金)	600	(商　　品)	600

⑵　仕入値引時

借方科目	金額	貸方科目	金額
(買　掛　金)	2,000	(商　　品)	2,000

⑶　売上返品時

借方科目	金額	貸方科目	金額
(売　　上)	4,000	(売　掛　金)	4,000
(商　　品)	2,800	(売上原価)	2,800

⑷　売上値引時

借方科目	金額	貸方科目	金額
(売　　上)	500	(売　掛　金)	500

問3　総記法

⑴　仕入返品時

(買 掛 金)	600	(商 品)	600

⑵　仕入値引時

(買 掛 金)	2,000	(商 品)	2,000

⑶　売上返品時

(商 品)	4,000	(売 掛 金)	4,000

⑷　売上値引時

(商 品)	500	(売 掛 金)	500

売上返品時の仕訳は記帳方法によって勘定科目などの違いが生じますので、その違いをしっかりおさえておきましょう。

参考 二分法とは

二分法とは、商品売買取引を商品勘定および売上勘定により記帳する方法です。

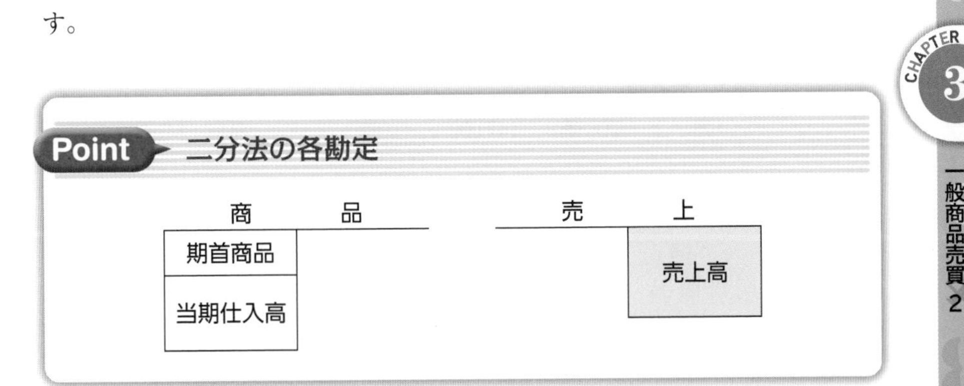

二分法は試験での重要性が低いので、軽く目をとおしたら次に進みましょう。

例題 二分法

次の資料に基づいて、①仕入時、②売上時、③決算時の仕訳を示しなさい。なお、当社は二分法を採用している。

［資　料］

(1) 期首商品棚卸高は19,500円である。

(2) 商品150,000円を掛けで仕入れた。

(3) 商品183,750円（原価147,000円）を掛けで売り上げた。

(4) 期末商品棚卸高は22,500円である。

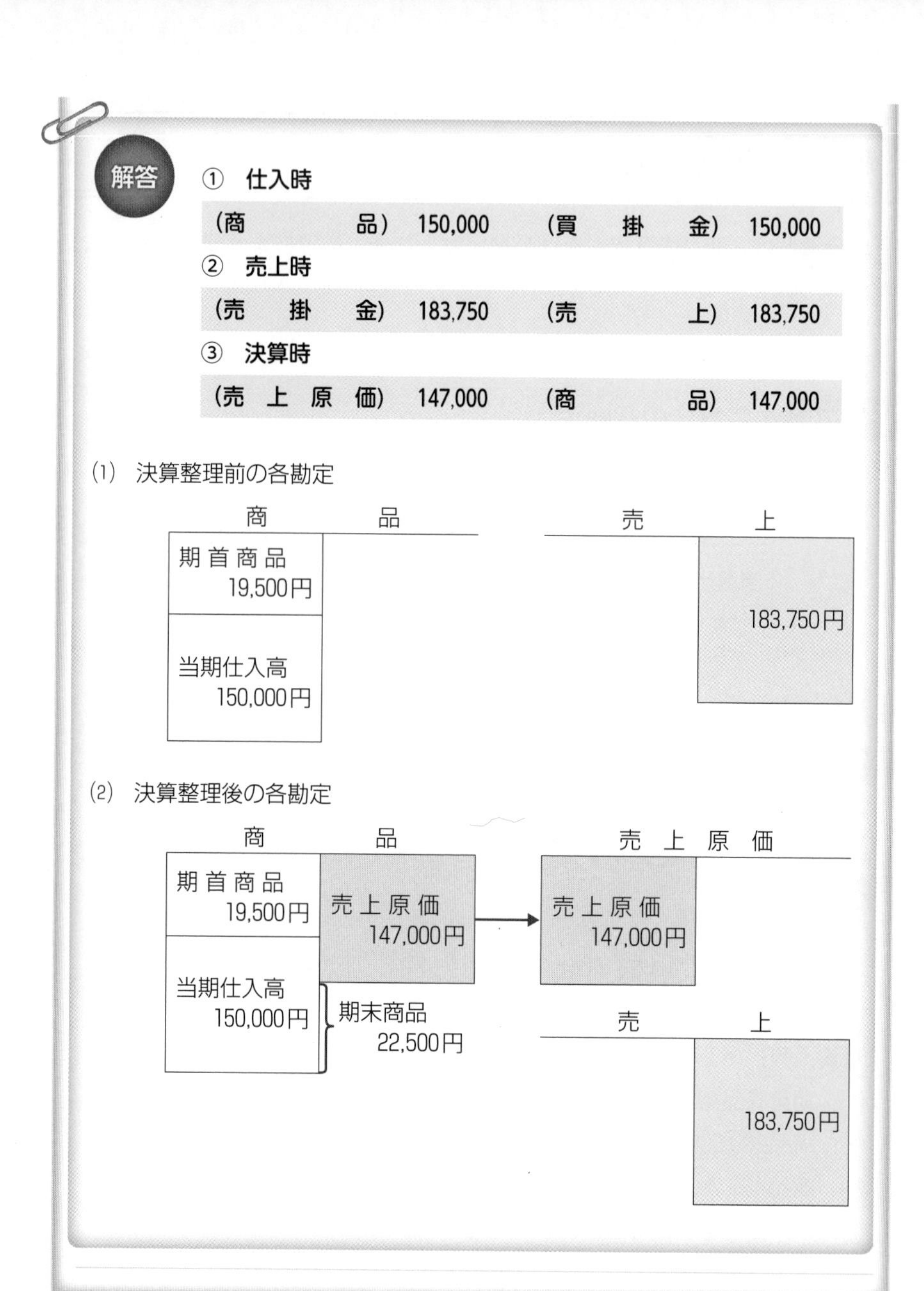

解答

① 仕入時

借方	金額	貸方	金額
(商品)	150,000	(買掛金)	150,000

② 売上時

借方	金額	貸方	金額
(売掛金)	183,750	(売上)	183,750

③ 決算時

借方	金額	貸方	金額
(売上原価)	147,000	(商品)	147,000

(1) 決算整理前の各勘定

(2) 決算整理後の各勘定

Chapter 3 のまとめ

□ 分記法の会計処理と勘定

分　記　法	商品売買取引を商品勘定および商品販売益勘定という２つの勘定により記帳する方法

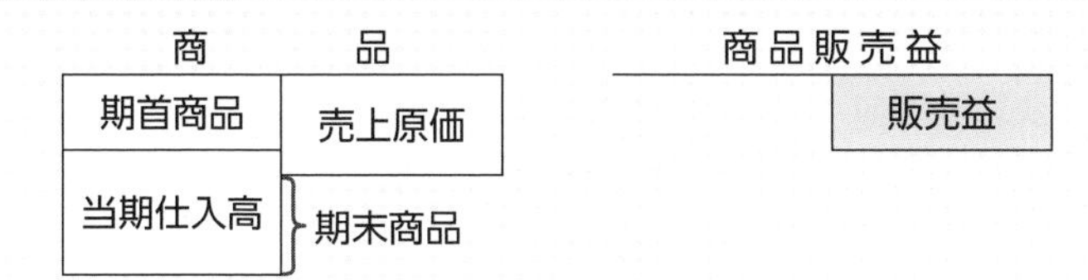

□ 売上原価対立法の会計処理と勘定

売上原価対立法	商品売買取引を商品勘定、売上原価勘定および売上勘定という３つの勘定により記帳する方法

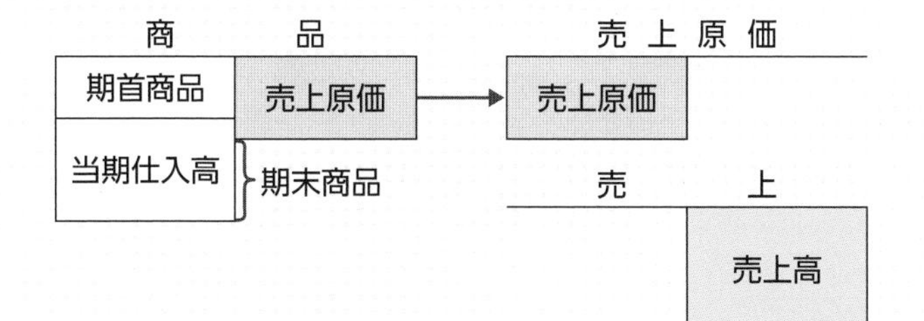

□ 総記法の会計処理と勘定

総　　記　　法	商品を仕入れたときには原価で商品勘定の借方に記帳し、商品を販売したときには売価で商品勘定の貸方に記帳する方法

(1) 決算整理前

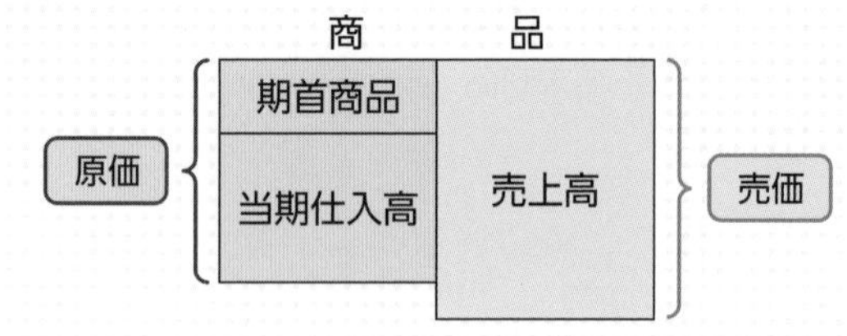

(2) 決算整理後

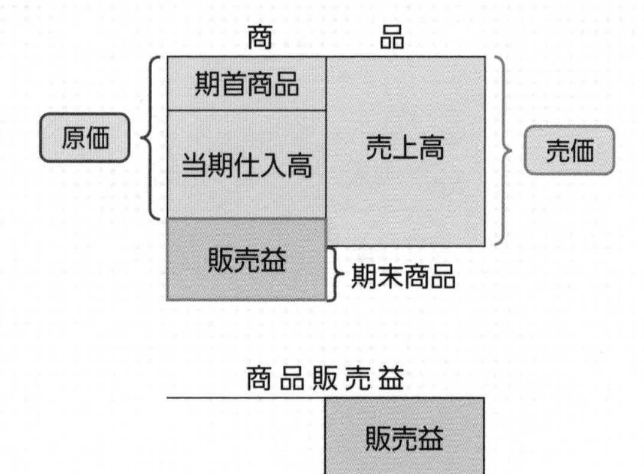

CHAPTER 4

一般商品売買 3

ここでは、期末棚卸高と売価還元法について学習します。

期末商品の評価は毎年のように本試験で出題される重要論点なので、基本的な処理から正確に理解していきましょう。

売価還元法は、処理方法が複数でてきますので、その違いを意識して学習を進めてください。

Chapter 4

損益会計

一般商品売買3

>> 期末商品の金額を計算します。

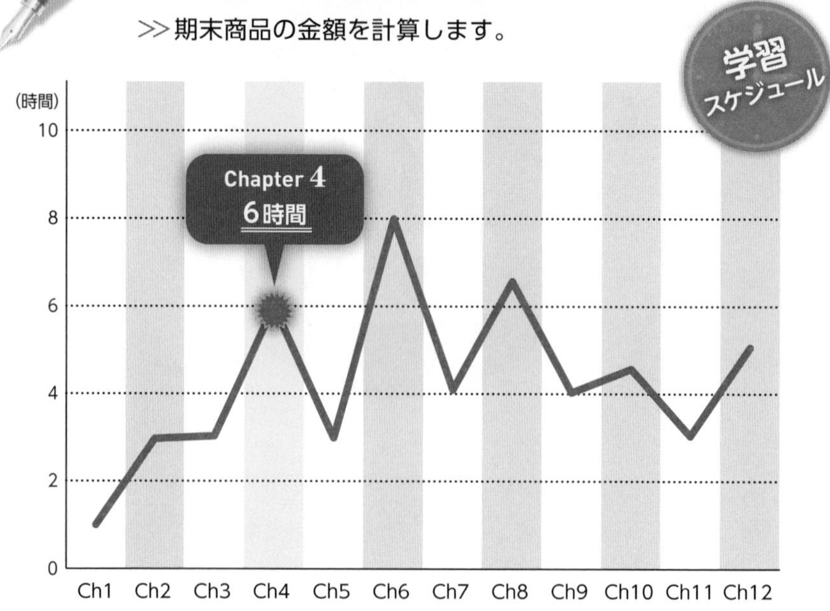

Check List

- □ 期末棚卸高の算定の流れを理解しているか？
- □ 収益性の低下の会計処理を理解しているか？
- □ 売価還元法の会計処理を理解しているか？
- □ 仕入諸掛の会計処理を理解しているか？
- □ 仕入・売上の計上基準を理解しているか？

Link to 財務諸表論② Chapter7 棚卸資産

財務諸表論では、棚卸資産の評価方法と関連があります。棚卸資産の費用配分や貸借対照表価額の評価方法などの内容と関連づけて学習しましょう。

1：棚卸資産とは

棚卸資産の意義

棚卸資産とは、企業の営業活動において消費されることにより費用となる資産で、いくら消費したかを数量で把握できるものをいいます。

基本的には、商品をイメージしながら学習していきましょう。なお、商品のほかに製品や事務用消耗品なども棚卸資産に含まれます。

取得原価の計算方法

棚卸資産は、原則として購入代価に仕入諸掛（付随費用）を加算して取得原価とします。

取得原価＝購入代価＋仕入諸掛（付随費用）

仕入諸掛についての詳細は、**6：仕入諸掛**で解説します。ここでは、仕入諸掛が取得原価に含まれる点をおさえておきましょう。

2：期末棚卸高の算定

期末帳簿棚卸高と期末実地棚卸高

期末帳簿棚卸高とは、商品有高帳で把握している期末棚卸高のことです。一方、**期末実地棚卸高**とは、実地棚卸により判明した期末棚卸高のことです。

Point 期末帳簿棚卸高と期末実地棚卸高

商品売買の会計処理では、決算において、まず期末帳簿棚卸高により売上原価を計算します。次に、期末帳簿棚卸高を期末実地棚卸高に修正する処理を行います。

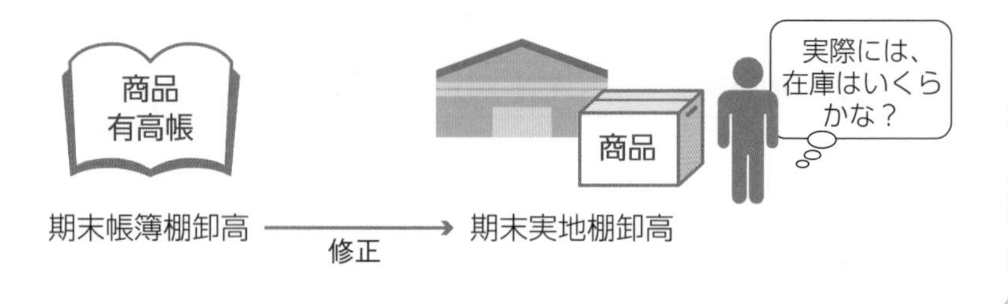

払出単価の計算

期末帳簿棚卸高は、商品有高帳における期末在庫数量に払出単価を掛けて算定します。払出単価の決定方法には**先入先出法**、**平均原価法**と**最終仕入原価法**があります。

Point 払出単価の決定方法

・先入先出法：もっとも古く取得したものから先に払出しが行われると仮定して払出単価を計算する方法。

・平均原価法：取得した棚卸資産の平均原価を算出し、この平均原価を払出単価とする方法。なお、平均原価法には、次の２つの方法があります。

移動平均法	単価の異なる商品を受け入れるつど、平均原価を算定する方法
総平均法	前期繰越高と当期仕入高の総額から平均原価を算定する方法

・最終仕入原価法：その期の最後に仕入れた棚卸資産の原価（最終仕入原価）によって、期末棚卸資産の価額を算定する方法。

移動平均法は、商品の受入れのつど、平均原価の計算を行い、総平均法は期末に一括で平均原価の計算を行うという違いがあります。

例題 払出単価の決定方法

次の資料に基づいて、各問における売上原価と期末帳簿棚卸高の金額を求めなさい。

［資　料］

当期における商品の受入れ・払出しは次のとおりである。

①	期首商品	60個	@240円
②	仕　　入	180個	@288円
③	売　　上	180個	—
④	仕　　入	240個	@300円
⑤	売　　上	180個	—

問1　払出単価の算定方法として、先入先出法を採用している場合
問2　払出単価の算定方法として、移動平均法を採用している場合
問3　払出単価の算定方法として、総平均法を採用している場合
問4　払出単価の算定方法として、最終仕入原価法を採用している場合

解答

問1　先入先出法を採用している場合

売　上　原　価	102,240円
期末帳簿棚卸高	36,000円

問2　移動平均法を採用している場合

売　上　原　価	102,816円
期末帳簿棚卸高	35,424円

問3　総平均法を採用している場合

売　上　原　価	103,680円
期末帳簿棚卸高	34,560円

問4　最終仕入原価法を採用している場合

売　上　原　価	102,240円
期末帳簿棚卸高	36,000円

問1　先入先出法を採用している場合

商　　品（先入先出法）

借方	貸方
期首商品 14,400円	売上原価 102,240円*2（貸借差額）
当期仕入高 123,840円	期末商品 36,000円*1

＊1　期末商品帳簿数量：60個＋180個－180個＋240個－180個＝120個
　　期末帳簿棚卸高：@300円×120個＝36,000円
＊2　売　上　原　価：14,400円＋123,840円－36,000円＝102,240円

先入先出法の場合、もっとも新しい仕入単価から順番にさかのぼって、期末帳簿棚卸高の算定に用いる払出単価とします。

問2　移動平均法を採用している場合

商　　　品（移動平均法）

期首商品 14,400円	売上原価 102,816円*2 （貸借差額）
当期仕入高 123,840円	期末商品 35,424円*1

＊1　期末商品帳簿数量：60個＋180個－180個＋240個－180個＝120個

移動平均単価：　@240円×　60個＝14,400円

＋@288円×180個＝51,840円

@276円×240個＝66,240円

△@276円×180個＝49,680円

@276円×　60個＝16,560円

＋@300円×240個＝72,000円

@295.2円×300個＝88,560円

期末帳簿棚卸高：　@295.2円×120個＝35,424円

＊2　売上原価：14,400円＋123,840円－35,424円＝102,816円

移動平均法の場合、最後に仕入れた時点で算定された移動平均単価を、期末帳簿棚卸高の算定に用いる払出単価とします。

問3　総平均法を採用している場合

商　　　品（総平均法）

期首商品 14,400円	売上原価 103,680円*2 （貸借差額）
当期仕入高 123,840円	期末商品 34,560円*1

$$\text{＊1　総平均単価：}\frac{@240円\times60個+@288円\times180個+@300円\times240個}{60個+180個+240個}$$

$$=@288円$$

期末帳簿棚卸高：@288円×120個＝34,560円

＊2　売　上　原　価：14,400円＋123,840円－34,560円＝103,680円

総平均法の場合、総平均単価を期末帳簿棚卸高の算定に用いる払出単価とします。

問4　最終仕入原価法を採用している場合

商　品（最終仕入原価法）

期首商品 14,400円	売上原価 ∴ 102,240円*2
当期仕入高 123,840円	期末商品 36,000円*1

＊1　期末商品帳簿数量：60個＋180個－180個＋240個－180個＝120個

期末帳簿棚卸高：@300円×120個＝36,000円

＊2　売　上　原　価：14,400円+123,840円－36,000円＝102,240円

最終仕入原価法の場合、最終仕入原価を期末帳簿棚卸高の算定に用いる払出単価とします。

3：棚卸資産の期末評価

棚卸減耗の意義

棚卸減耗とは、紛失などにより、実地棚卸数量が帳簿棚卸数量より減少していることをいいます。また、棚卸減耗によって生じた損失を**棚卸減耗費**といいます。

棚卸減耗の会計処理

棚卸減耗に払出単価を掛けた金額を**棚卸減耗費**として処理します。

> **棚卸減耗費＝払出単価（原価）×（期末帳簿数量－期末実地数量）**
> **＝期末帳簿棚卸高－期末実地棚卸高**

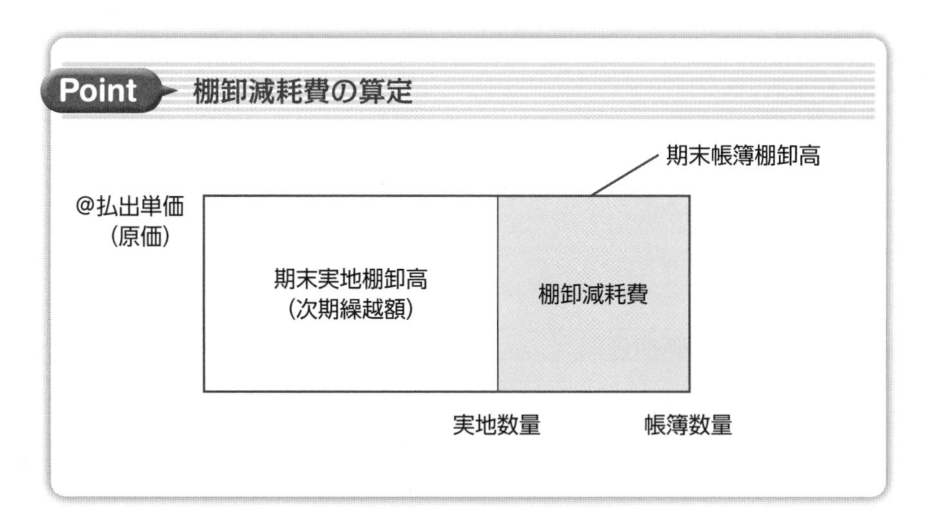

先入先出法の場合の棚卸減耗費

先入先出法で計算すると期末帳簿棚卸高の払出単価が2種類以上になるときがありますよね。そういう時って、どの払出単価で棚卸減耗費を計算すればいいのですか？

そういう場合は、先に仕入れた商品から棚卸減耗が生じたと考えればいいので、棚卸減耗費を求めるのに使う払出単価は、先に仕入れた商品の単価になります。

収益性の低下に基づく帳簿価額の切下げ

棚卸資産は、通常、**取得原価**を貸借対照表価額とします。

しかし、期末の正味売却価額が取得原価より低い場合（棚卸資産の収益性が低下している場合）には、帳簿価額を切り下げて**正味売却価額**を貸借対照表価額とします。

破損や流行の変化などによって棚卸資産の価値が下がることを、収益性の低下といいます。

Point 正味売却価額

正味売却価額とは、売価から見積販売直接経費を控除した金額のことをいいます。

正味売却価額 ＝ 売価＊ − 見積販売直接経費

＊　売価：売却市場の時価のこと

商品評価損の会計処理

取得原価と正味売却価額との差額を、**商品評価損**として処理します。

> 商品評価損 ＝（@原価 － @正味売却価額）× 良品数量
> 　　　　　　　　　　　　　良品分
> 　　　　＋（@原価 － @正味売却価額）×（実地数量 － 良品数量）
> 　　　　　　　　　　　　　劣化品分

棚卸減耗がない場合、上記計算式の実地数量を帳簿数量に代えて計算します。

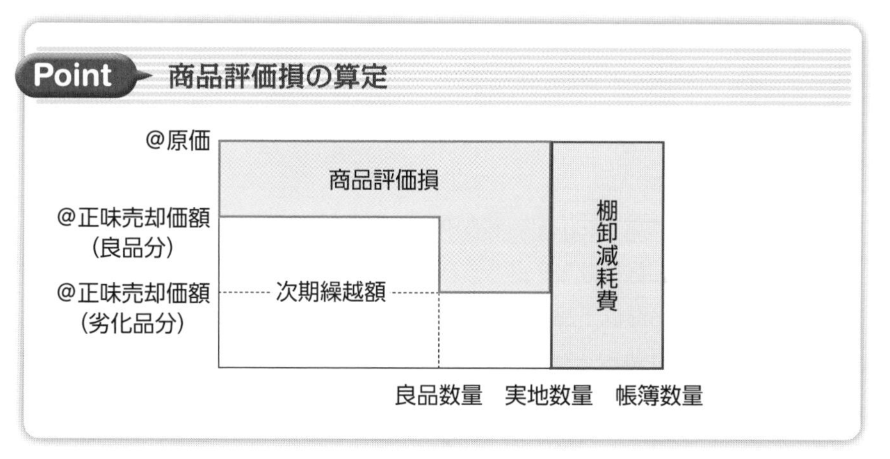

劣化品がある場合、２種類の正味売却価額を使い分ける必要がある点に注意しましょう。

商品評価損の振戻処理

当期に計上した商品評価損の振戻処理に関しては、**洗替法**（次期に戻入れを行う方法）と**切放法**（次期に戻入れを行わない方法）のいずれかの方法を選択適用できます。

洗　替　法	商品評価損を戻し入れ、次期以降も簿価切下げ前の帳簿価額と正味売却価額とを比較する方法
切　放　法	商品評価損の戻入れは行わず、次期以降は簿価切下げ後の帳簿価額と正味売却価額とを比較する方法

洗替法または切放法の指示がない場合は、切放法で解答しましょう。

例題　**期末商品の評価**

次の資料に基づいて、①決算時と②翌期首（振戻処理）の仕訳を示しなさい。

［資　料］

決算整理前残高試算表　（単位：円）

借方	金額	貸方	金額
繰越商品	15,000	売上	XXX
仕入	129,000		

1．期末帳簿棚卸高：150個　@260円（原価）

2．期末実地棚卸数量は135個であり、このうち15個は品質低下品（劣化品）である。品質低下品の正味売却価額は1個あたり160円であり、切放法により会計処理を行う。また、残りの120個の正味売却価額は1個あたり255円であり、洗替法により会計処理を行う。

3．前期末における収益性の低下の事実はない。

解答

① 決算時

借方	金額	貸方	金額
(仕　　入)	15,000	(繰越商品)	15,000
(繰越商品)	39,000	(仕　　入)	39,000
(棚卸減耗費)	3,900	(繰越商品)	3,900
(商品評価損益)	2,100	(繰越商品)	2,100

② 翌期首（振戻処理）

借方	金額	貸方	金額
(繰越商品)	600	(商品評価損益)	600

① 決算時

(イ) 期末商品帳簿棚卸高：@260円×帳簿150個＝39,000円

(ロ) 棚卸減耗費：@260円×(帳簿150個－実地135個)＝3,900円

(ハ) 商品評価損：

(@260円－正味売却価額@160円)×劣化品15個＝1,500円 ┐
(@260円－正味売却価額@255円)×良品120個＝600円 ┘─2,100円

〈期末商品ボックスの分析〉

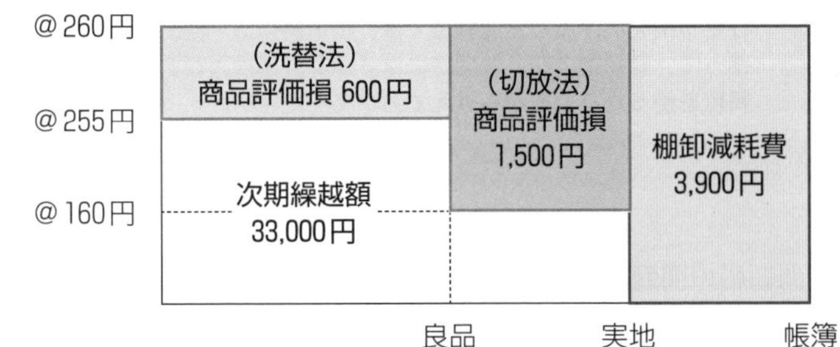

② 翌期首（振戻処理）

(@260円－正味売却価額@255円)×良品120個＝600円

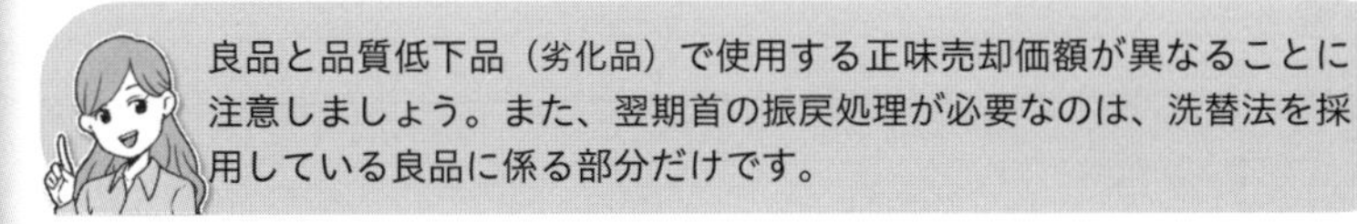

良品と品質低下品（劣化品）で使用する正味売却価額が異なることに注意しましょう。また、翌期首の振戻処理が必要なのは、洗替法を採用している良品に係る部分だけです。

洗替法を採用した場合の勘定科目について

例題では、切下時も振戻時も商品評価損益勘定を使っていますが、必ずこの勘定科目を使わないといけないのですか？

必ずこの勘定科目を使わないといけないわけではなくて、基本的には問題の指示に従って解答してください。
ひとつ例をあげると、洗替法では、切下時には「商品評価損」を使って、翌期首の振戻処理時には「商品評価戻入額」という勘定科目を使ったりするから覚えておいてください。

問題 >>> 問題編の**問題１**～**問題５**に挑戦しましょう！

4：棚卸減耗費および商品評価損の原価処理

棚卸減耗費および商品評価損の原価処理

棚卸減耗費および商品評価損について、売上原価に含めて処理する場合があります（**原価処理**）。この場合、次のような処理を行います。

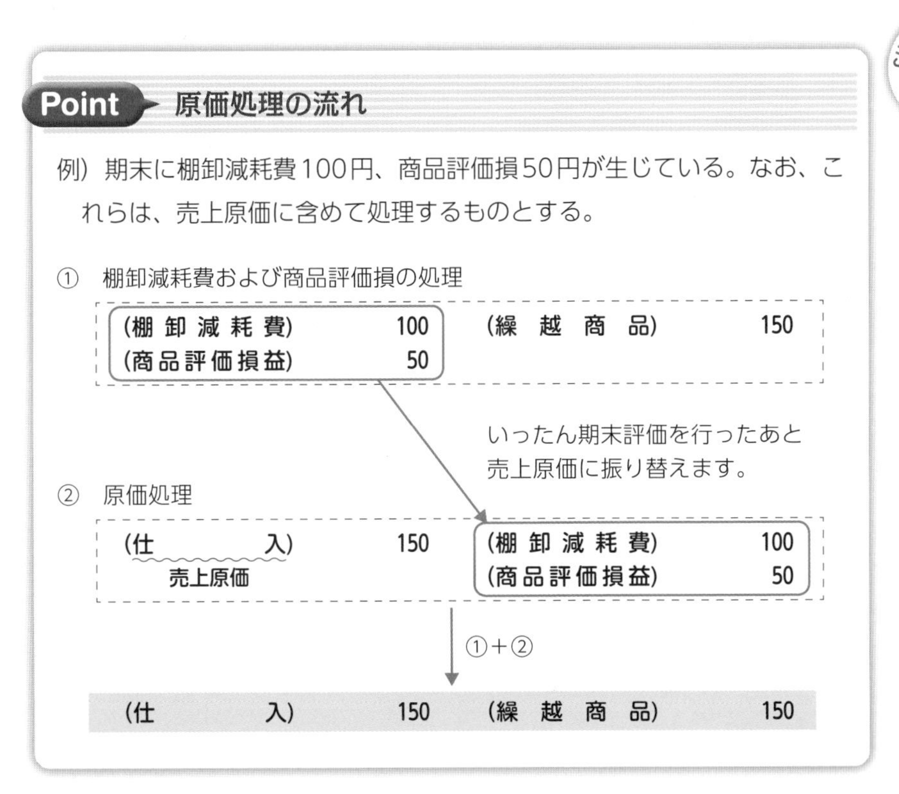

Point 原価処理の流れ
例）期末に棚卸減耗費100円、商品評価損50円が生じている。なお、これらは、売上原価に含めて処理するものとする。
① 棚卸減耗費および商品評価損の処理
(棚卸減耗費) 100 (繰越商品) 150
(商品評価損益) 50
いったん期末評価を行ったあと売上原価に振り替えます。
② 原価処理
(仕入) 150 (棚卸減耗費) 100
売上原価
(商品評価損益) 50
①＋②
(仕入) 150 (繰越商品) 150

原価処理を行うかどうかの指示は、問題文に与えられます。

期末商品の評価―原価処理を行う場合

次の資料に基づいて、①決算時と②翌期首（振戻処理）の仕訳を示しなさい。

［資　料］

決算整理前残高試算表　（単位：円）

借方	金額	貸方	金額
繰越商品	15,000	売上	XXX
仕入	129,000		

1．期末帳簿棚卸高：150個　@260円（原価）

2．期末実地棚卸数量は135個であり、このうち15個は品質低下品（劣化品）である。品質低下品の正味売却価額は1個あたり160円であり、切放法により会計処理を行う。また、残りの120個の正味売却価額は1個あたり255円であり、洗替法により会計処理を行う。

3．収益性の低下に基づく評価損については原価処理を行う。

4．前期末における収益性の低下の事実はない。

①　決算時

借方	金額	貸方	金額
(仕入)	15,000	(繰越商品)	15,000
(繰越商品)	39,000	(仕入)	39,000
(棚卸減耗費)	3,900	(繰越商品)	3,900
(仕入)	2,100	(繰越商品)	2,100

②　翌期首（振戻処理）

借方	金額	貸方	金額
(繰越商品)	600	(仕入)	600

〈商品評価損の原価処理〉

(1)　商品評価損の計上

借方	金額	貸方	金額
(商品評価損益)	2,100	(繰越商品)	2,100

(2)　原価処理

借方	金額	貸方	金額
(仕入)	2,100	(商品評価損益)	2,100

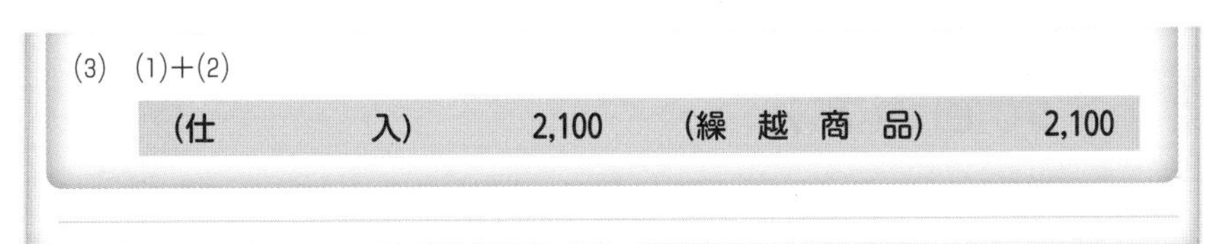

(3)　(1)+(2)

(仕　入)	2,100	(繰越商品)	2,100

プラスα 損益計算書の表示

ここまでの学習内容に基づいた損益計算書の表示の一例を示すと、次のようになります。

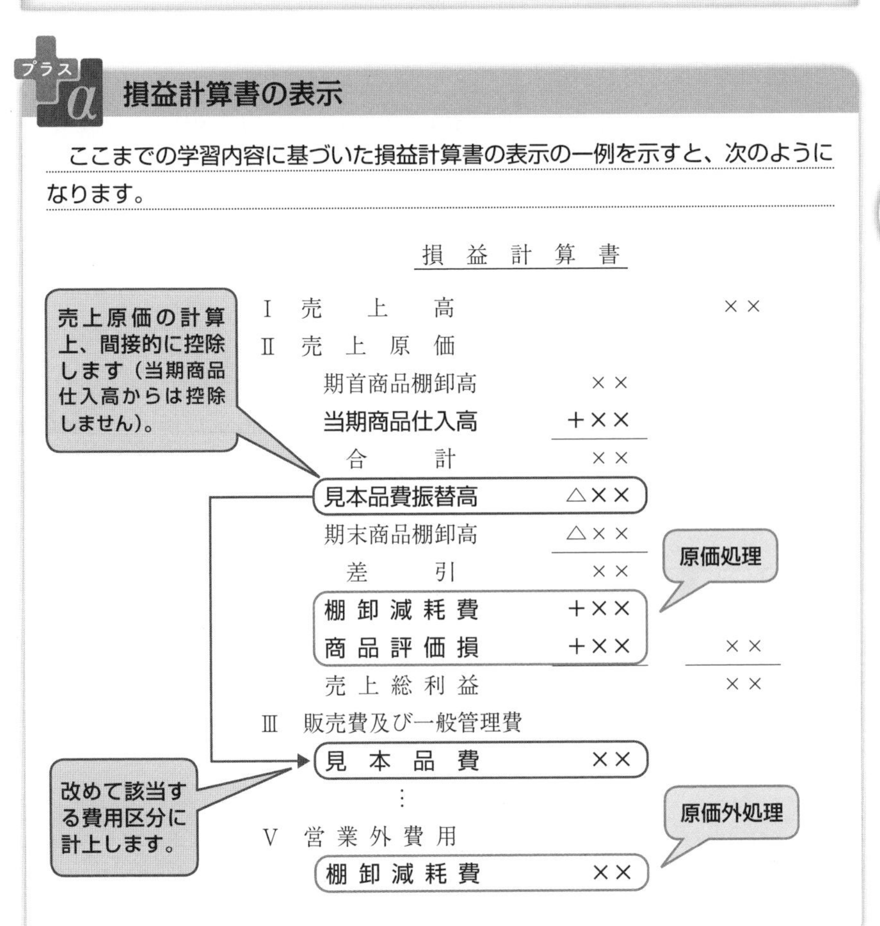

損益計算書
Ⅰ 売上高　××
Ⅱ 売上原価
期首商品棚卸高　××
当期商品仕入高　+××
合計　××
見本品費振替高　△××
期末商品棚卸高　△××
差引　××
棚卸減耗費　+××
商品評価損　+××　××
売上総利益　××
Ⅲ 販売費及び一般管理費
見本品費　××
⋮
Ⅴ 営業外費用
棚卸減耗費　××
売上原価の計算上、間接的に控除します（当期商品仕入高からは控除しません）。
改めて該当する費用区分に計上します。
原価処理
原価外処理

問題 >>> 問題編の**問題6～問題7**に挑戦しましょう！

5：売価還元法

売価還元法の意義

売価還元法とは、商品を適当なグループにまとめ、1グループに属する期末商品の売価に原価率を掛けて、期末商品原価を算定する方法です。

スーパーのように取扱商品がきわめて多い企業では、品目ごとに期末商品原価を計算することが困難なので、売価還元法の適用が認められています。

売価還元法による売上原価の算定

売価還元法では、商品グループの期首商品原価と当期仕入原価の合計から、期末商品の売価に原価率を掛けて算定した期末商品原価を差し引くことにより、売上原価を算定します。

期末商品原価＝期末商品帳簿売価×原価率

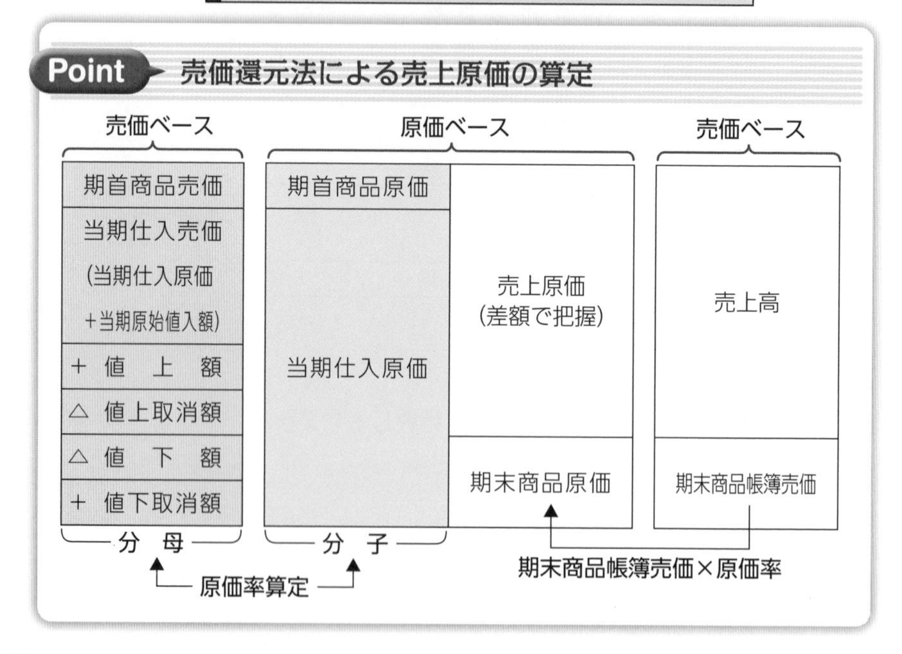

なお、原価率は次の計算式により算定します。

原価率

$$
= \frac{\text{期首商品原価}+\text{当期商品仕入原価}}{\text{期首商品売価}+\underbrace{\left(\text{当期商品仕入原価}+\text{原始値入額}\right)}_{\text{当期仕入売価}}+\underbrace{\left(\text{値上額}-\text{値上取消額}\right)}_{\text{純値上額}}-\underbrace{\left(\text{値下額}-\text{値下取消額}\right)}_{\text{純値下額}}}
$$

売価還元法は、簡便的に期末商品原価を計算する方法です。そのため、売上原価は、売上高に原価率を掛けて直接計算することはせず、貸借差額で計算します。

売価還元法の用語

原始値入額とは、仕入れた商品の売価を設定する際に最初に加算した利益額のことです。また、値上額および値下額とは、売価の変更額であり、原始値入額の修正額のことです。

値下げと値引の違いについて

そういえば、値下げと似たような言葉で値引ってありますよね。この２つは正確に使い分けたほうがいいのですか？

もちろん！　値下げというのは、商品を販売する前に値段を下げることです。これに対して、値引は販売した商品が汚れていたり破損していたときに、あとで代金をまけてあげることをいいます。両者は意味が違うから、ちゃんと区別してくださいね。

例題 売価還元法

次の資料に基づいて、決算時の仕訳を示しなさい。

[資　料]

決算整理前残高試算表　（単位：円）

繰越商品	2,700	売上	18,150
仕入	15,300		

1．期末商品は売価還元法により評価する。

	原価	売価	
期首商品	2,700円	3,450円	
当期仕入高	15,300円	18,900円	（原始値入額：3,600円）
純値上額		1,650円	
純値下額		1,500円	

2．期末帳簿棚卸売価は4,350円である。

解答

(仕入)	2,700	(繰越商品)	2,700
(繰越商品)	3,480	(仕入)	3,480

(1)　原価率の算定：

$$\frac{\text{期首商品原価}2{,}700\text{円}+\text{当期商品仕入原価}15{,}300\text{円}}{\text{期首商品売価}3{,}450\text{円}+\text{当期仕入売価}18{,}900\text{円}+\text{純値上額}1{,}650\text{円}-\text{純値下額}1{,}500\text{円}}$$

＝0.8

(2)　期末商品帳簿棚卸高：4,350円×0.8＝3,480円

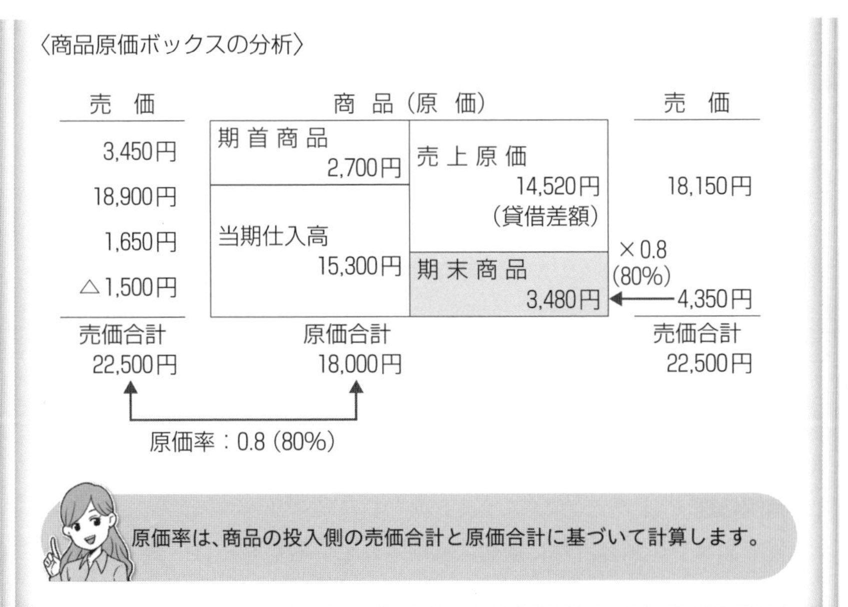

売価還元法における棚卸減耗費の会計処理

売価還元法を採用している場合で、棚卸減耗が生じた際には、次の計算式に基づいて棚卸減耗費を算定します。

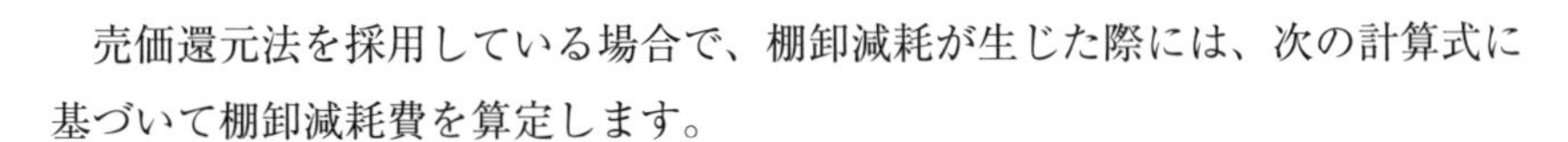

① 期末商品帳簿売価＝売価合計額－売上高
② 棚卸減耗売価＝期末商品帳簿売価－期末商品実地売価
③ 棚卸減耗費＝棚卸減耗売価×原価率

売価還元法における商品評価損の会計処理

(1) 原則処理

売価還元法を採用している場合で、期末における正味売却価額が帳簿価額よりも下落しているときには、**正味売却価額**を貸借対照表価額とします。

商品評価損＝原価率×実地売価－正味売却価額

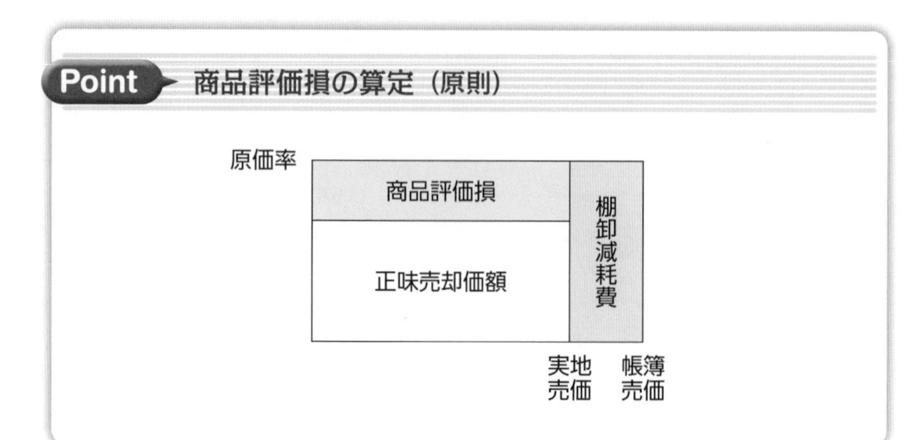

(2) **特例処理**

値下額等が売価合計額に適切に反映されている場合には、値下額と値下取消額を除外した原価率により算定した期末棚卸商品の帳簿価額を、収益性の低下を反映した帳簿価額とみなすことができます。

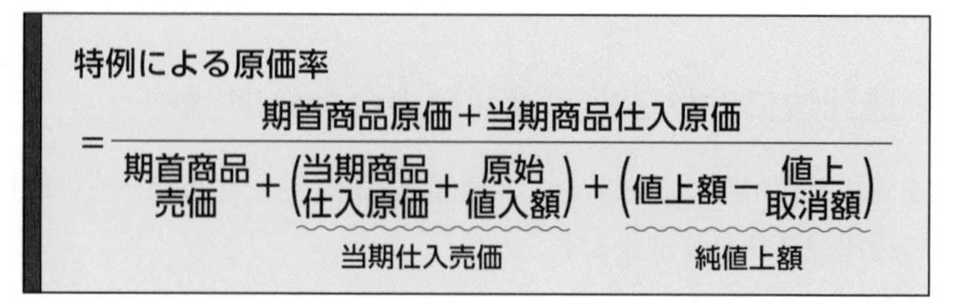

特例による原価率

$$=\frac{\text{期首商品原価}+\text{当期商品仕入原価}}{\text{期首商品売価}+\underbrace{\left(\text{当期商品仕入原価}+\text{原始値入額}\right)}_{\text{当期仕入売価}}+\underbrace{\left(\text{値上額}-\text{値上取消額}\right)}_{\text{純値上額}}}$$

商品評価損＝原価率×実地売価－特例による原価率×実地売価

純値下額を無視する点が、売価還元法（原価法）の原価率と違う点です。なお、この原価率のことを売価還元低価法の原価率ともいいます。

Point 商品評価損の算定（特例）

原価率

特例による原価率

商品評価損

特例による原価率によって計算した帳簿価額

棚卸減耗費

実地売価　帳簿売価

純値下額を除外する理由

（純）値下額を無視して原価率を計算することで、分母の金額が大きくなり、原価率は小さくなります。その結果、算出される期末商品原価も小さくなり、通常の収益性の低下による帳簿価額の切下げと同様の効果が得られます。

例題

売価還元法—収益性の低下①

次の資料に基づいて、決算時の仕訳を示しなさい。

[資　料]

決算整理前残高試算表　（単位：円）

繰越商品	2,700	売上	18,150
仕入	15,300		

1．期末商品は売価還元法により評価する。

	原価	売価	
期首商品	2,700円	3,450円	
当期仕入高	15,300円	18,900円	（原始値入額：3,600円）
純値上額		1,650円	
純値下額		1,500円	

2．期末帳簿棚卸売価：4,350円

3．期末実地棚卸売価：4,200円

4．正味売却価額：3,000円

解答

（仕入）	2,700	（繰越商品）	2,700
（繰越商品）	3,480	（仕入）	3,480
（棚卸減耗費）	120	（繰越商品）	120
（商品評価損益）	360	（繰越商品）	360

(1)　原価率の算定：

$$\frac{\text{期首商品原価}2{,}700\text{円}+\text{当期商品仕入原価}15{,}300\text{円}}{\text{期首商品売価}3{,}450\text{円}+\text{当期仕入売価}18{,}900\text{円}+\text{純値上額}1{,}650\text{円}-\text{純値下額}1{,}500\text{円}}$$

＝0.8

(2)　期末商品帳簿棚卸高：4,350円×0.8＝3,480円

(3)　棚卸減耗費：(4,350円－4,200円)×0.8＝120円

(4)　商品評価損：(3,480円－120円)－3,000円＝360円

〈商品原価ボックスの分析〉

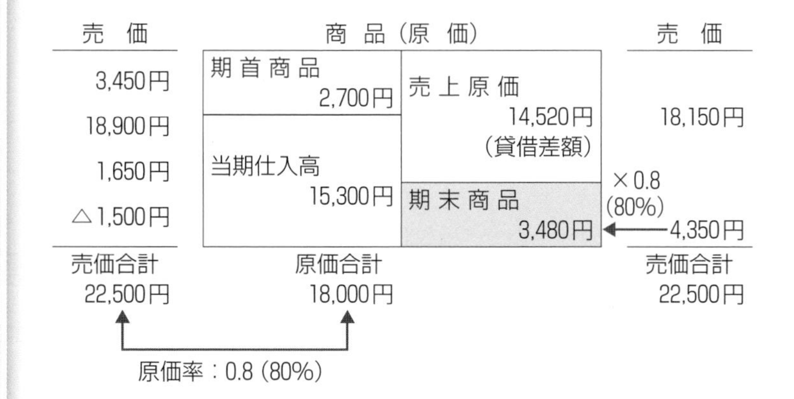

〈期末商品ボックスの分析〉

原価率
0.8（80%）

商品評価損　360円

正味売却価額
3,000円

棚卸減耗費
120円

4,200円　　4,350円

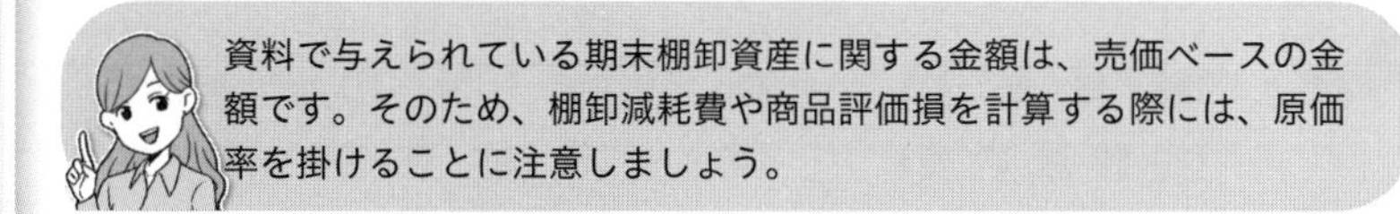

資料で与えられている期末棚卸資産に関する金額は、売価ベースの金額です。そのため、棚卸減耗費や商品評価損を計算する際には、原価率を掛けることに注意しましょう。

例題　売価還元法―収益性の低下②

次の資料に基づいて、決算時の仕訳を示しなさい。

[資　料]

決算整理前残高試算表　（単位：円）

借方	金額	貸方	金額
繰越商品	2,700	売上	18,150
仕入	15,300		

1．期末商品は売価還元法により評価する。なお、期末商品帳簿棚卸高の算定にあたっては売価還元法の原則処理による原価率を、収益性の低下に基づく帳簿価額の切下げにあたっては特例処理による原価率を用いる。

	原　価	売　価	
期首商品	2,700円	3,450円	
当期仕入高	15,300円	18,900円	（原始値入額：3,600円）
純値上額		1,650円	
純値下額		1,500円	

2．期末帳簿棚卸売価：4,350円

3．期末実地棚卸売価：4,200円

借方	金額	貸方	金額
(仕入)	2,700	(繰越商品)	2,700
(繰越商品)	3,480	(仕入)	3,480
(棚卸減耗費)	120	(繰越商品)	120
(商品評価損益)	210	(繰越商品)	210

(1)　原価率の算定（原則）：

$$\frac{\text{期首商品原価}2,700\text{円}+\text{当期商品仕入原価}15,300\text{円}}{\text{期首商品売価}3,450\text{円}+\text{当期仕入売価}18,900\text{円}+\text{純値上額}1,650\text{円}-\text{純値下額}1,500\text{円}}$$

＝0.8

(2)　期末商品帳簿棚卸高：4,350円×0.8＝3,480円

(3)　棚卸減耗費：(4,350円－4,200円)×0.8＝120円

(4) 特例による原価率：

$$\frac{\text{期首商品原価}2{,}700\text{円}+\text{当期商品仕入原価}15{,}300\text{円}}{\text{期首商品売価}3{,}450\text{円}+\text{当期仕入売価}18{,}900\text{円}+\text{純値上額}1{,}650\text{円}}$$

＝0.75

(5) 商品評価損：(3,480円－120円)－4,200円×0.75＝210円

〈商品原価ボックスの分析〉

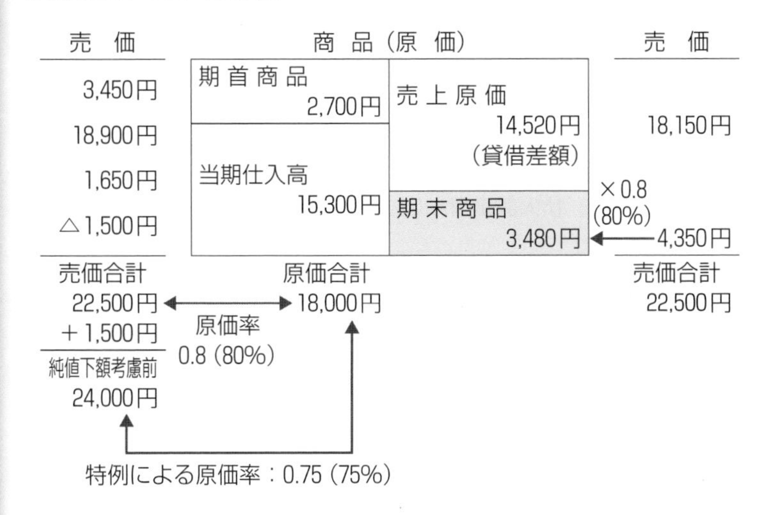

〈期末商品ボックスの分析〉

商品評価損　210円	棚卸減耗費 120円
特例による原価率によって計算した帳簿価額 3,150円	

4,200円　　4,350円

特例による原価率では、純値下額を無視した売価合計を用います。

>>> 問題編の**問題8**～**問題10**に挑戦しましょう！

6：仕入諸掛

仕入諸掛の意義

仕入諸掛とは、商品を仕入れるために必要な諸費用のことです。
仕入諸掛には、引取運賃、買入手数料、保険料、関税などがあります。

仕入諸掛の会計処理

仕入諸掛を支払ったときの会計処理には、原則的な処理である仕入勘定に直接加算する方法のほかに、仕入諸掛費勘定を別に設ける方法が認められています。

仕入勘定に直接加算する方法（原則）	当期に発生した仕入諸掛を仕入勘定に直接加算し、決算時に売上原価と期末棚卸高に配分する方法
仕入諸掛費勘定を設ける方法（容認）	当期に発生した仕入諸掛を仕入諸掛費勘定で処理し、決算時に売上原価と期末棚卸高に配分する方法

期末棚卸高に配分する金額は、原則処理では、繰越商品勘定で繰り越します。一方、容認処理では、繰延仕入諸掛勘定で繰り越します。

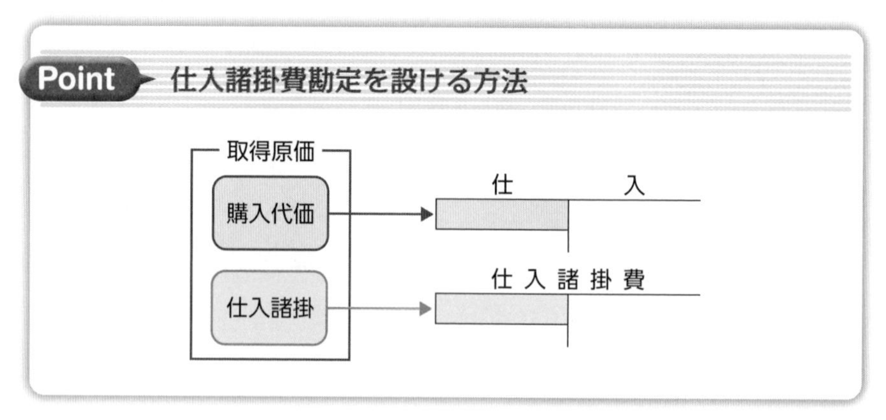

例題 仕入諸掛

次の資料に基づいて、各問における①期中と②決算時の仕訳を示しなさい。

［資　料］

1．期首商品の購入代価は24,000円、仕入諸掛は420円であった。
2．当期に購入代価120,000円の商品を掛けで仕入れた。その際、仕入諸掛2,460円を現金で支払っている。
3．期末商品の購入代価は30,000円、仕入諸掛は600円であった。

問１　仕入勘定に直接加算する方法によった場合
問２　仕入諸掛費勘定で処理する方法によった場合

解答

問１　仕入勘定に直接加算する方法によった場合

①　期中仕訳

借方	金額	貸方	金額
(仕入)	122,460	(買掛金)	120,000
		(現金)	2,460

②　決算時

借方	金額	貸方	金額
(仕入)	24,420	(繰越商品)	24,420
(繰越商品)	30,600	(仕入)	30,600

問２　仕入諸掛費勘定で処理する方法によった場合

①　期中仕訳

借方	金額	貸方	金額
(仕入)	120,000	(買掛金)	120,000
(仕入諸掛費)	2,460	(現金)	2,460

②　決算時

借方	金額	貸方	金額
(仕入)	24,000	(繰越商品)	24,000
(仕入諸掛費)	420	(繰延仕入諸掛)	420
(繰越商品)	30,000	(仕入)	30,000
(繰延仕入諸掛)	600	(仕入諸掛費)	600

財務諸表の表示方法について

仕入諸掛は、損益計算書の期首商品棚卸高、当期商品仕入高、期末商品棚卸高に加算して表示します。また、貸借対照表の商品にも仕入諸掛を加算して表示します。

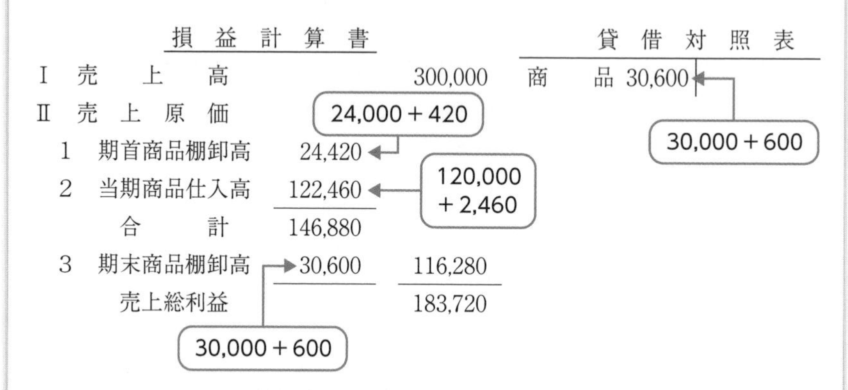

損　益　計　算　書

Ⅰ	売　上　高		300,000
Ⅱ	売　上　原　価		
1	期首商品棚卸高	24,420	
2	当期商品仕入高	122,460	
	合　計	146,880	
3	期末商品棚卸高	30,600	116,280
	売上総利益		183,720

貸　借　対　照　表

商　品	30,600

したがって、帳簿上の処理を原則処理で行っても容認処理で行っても、公表用財務諸表はまったく同じになります。

仕入諸掛の按分計算

仕入諸掛の売上原価と期末商品への按分計算は、払出単価の決定方法に従います。

(1) 総平均法

期末仕入諸掛

$$=（期首仕入諸掛＋当期仕入諸掛）\times \frac{期末商品}{期首商品＋当期仕入}$$

(2) 先入先出法

$$期末仕入諸掛＝当期仕入諸掛\times \frac{期末商品}{当期仕入}$$

例題 仕入諸掛の按分計算

次の資料に基づいて、各問における期末商品棚卸高に含まれる仕入諸掛の金額を求めなさい。

[資　料]

1．期首商品の購入代価は24,000円、仕入諸掛は420円であった。
2．当期に購入代価120,000円の商品を掛けで仕入れた。その際、仕入諸掛2,460円を現金で支払っている。
3．期末商品の購入代価は30,000円であった。

問1　総平均法によった場合

問2　先入先出法によった場合

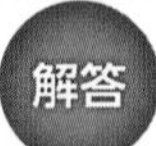

解答

問1　総平均法によった場合：600円

問2　先入先出法によった場合：615円

問1　総平均法

仕入諸掛	購入代価		仕入諸掛
420円	期首商品 24,000円	売上原価 114,000円	2,280円
2,460円	当期仕入高 120,000円		
		期末商品 30,000円	→ 600円*

$$* \quad (420円+2,460円) \times \frac{30,000円}{24,000円+120,000円} = 600円$$

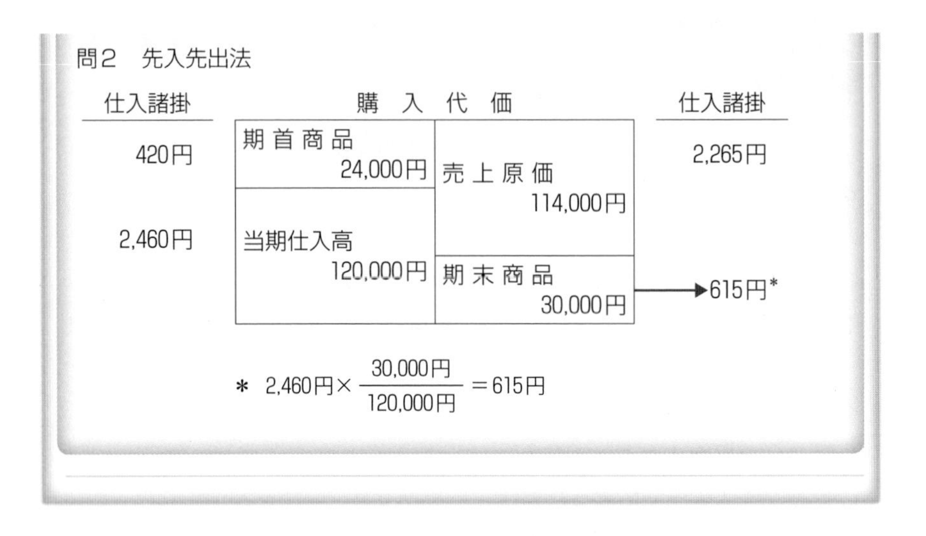

問題 >>> 問題編の**問題11**に挑戦しましょう！

7：仕入・売上の計上基準

仕入の計上基準

仕入の計上基準とは、仕入をいつ計上するのかという基準のことです。
代表的な仕入の計上基準には、**入荷（到着）基準**と**検収基準**があります。

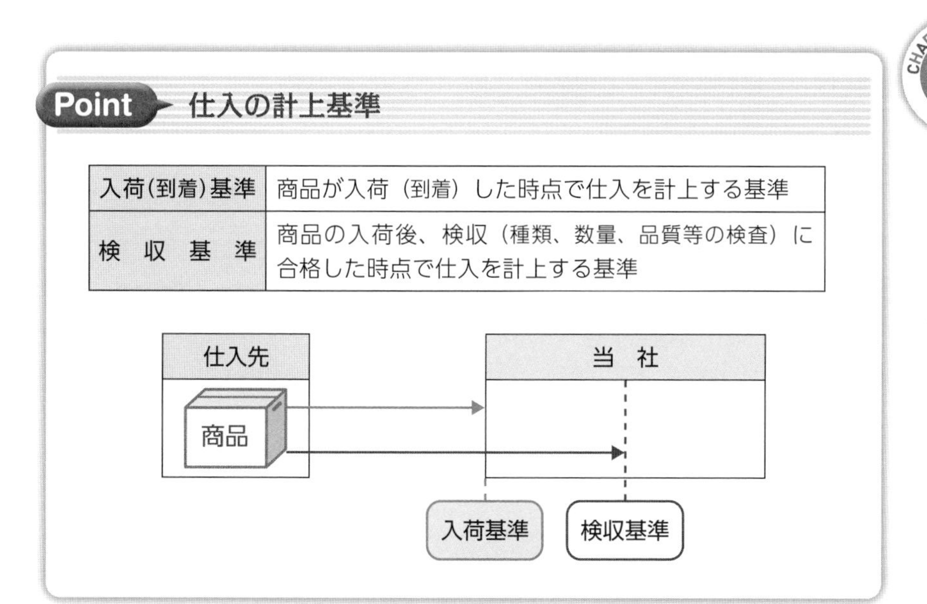

Point 仕入の計上基準

入荷(到着)基準	商品が入荷（到着）した時点で仕入を計上する基準
検　収　基　準	商品の入荷後、検収（種類、数量、品質等の検査）に合格した時点で仕入を計上する基準

本書では、入荷（到着）基準を前提としています。

例題

仕入の計上基準

次の各取引について、各問における仕訳を示しなさい。

(1) 仕入先より商品50,000円が到着した。

(2) (1)で仕入れた商品について検収が完了した。なお、検収の結果、商品500円について品違いであることが判明したため仕入先に返品し、汚損品について200円の値引を受けた。

問1 入荷基準による場合

問2 検収基準による場合

解答

問1 入荷基準

(1) **入荷時**

(仕　　入)	50,000	(買　掛　金)	50,000

(2) **検収完了時**

(買　掛　金)	700	(仕　　入)	700*

＊ 500円＋200円＝700円

問2 検収基準

(1) **入荷時**

仕 訳 な し

(2) **検収完了時**

(仕　　入)	49,300*	(買　掛　金)	49,300

＊ 50,000円－(500円＋200円)＝49,300円

検収基準では、仕入の処理と返品の処理をあわせて仕訳を行います。

売上の計上基準

売上は、販売の事実に基づいて計上します（**販売基準**）。ただし、どのような事実をもって販売とするのかという具体的な計上基準については、さまざまなものがあります。

代表的な売上の計上基準には、**出荷（発送）基準**、**引渡基準**、**検収基準**があります。

Point 売上の計上基準

出荷(発送)基準	商品を出荷（発送）した時点で売上を計上する基準
引　渡　基　準	商品が得意先に到着した時点で売上を計上する基準
検　収　基　準	商品が得意先に到着後、検収に合格した時点で売上を計上する基準

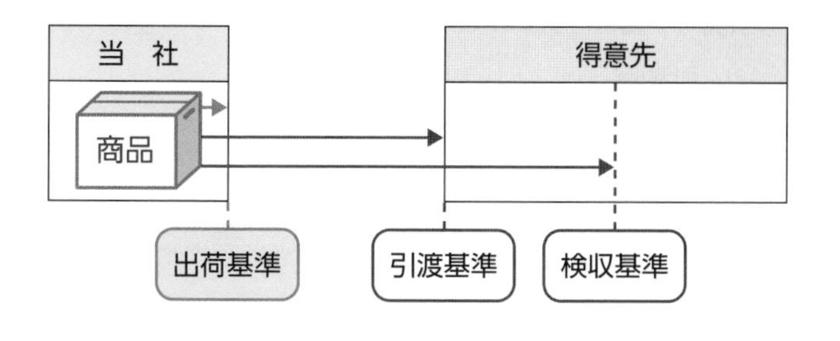

収益は「履行義務を充足したとき」に認識するため、実務上、いつ収益を認識するかは個々の契約内容によって異なります。そのため、各企業の「収益を認識する通常の時点」は財務諸表の注記事項として公表されます。なお、本書では、特に記載がない限り、出荷基準や引渡基準を前提としています。

例題

売上の計上基準

次の各取引について、各問における仕訳を示しなさい。

(1) 得意先に商品60,000円（売価）を発送した。

(2) 得意先より(1)の商品が到着した旨の通知を受けた。

(3) 得意先より(1)の商品の検収が完了した旨の通知を受けた。なお、検収の結果、商品600円について品違いであったことが判明したため、得意先より返品された。また、汚損品について400円の値引を承諾した。

問１　出荷基準の場合

問２　引渡基準の場合

問３　検収基準の場合

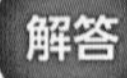

解答

問１　出荷基準

(1) 出荷時

(売　掛　金)	60,000	(売　　　上)	60,000

(2) 引渡時

仕　訳　な　し

(3) 検収完了時

(売　　　上)	1,000	(売　掛　金)	1,000

問２　引渡基準

(1) 出荷時

仕　訳　な　し

(2) 引渡時

(売　掛　金)	60,000	(売　　　上)	60,000

(3) 検収完了時

(売　　　上)	1,000	(売　掛　金)	1,000

問３　検収基準

(1) 出荷時

仕　訳　な　し

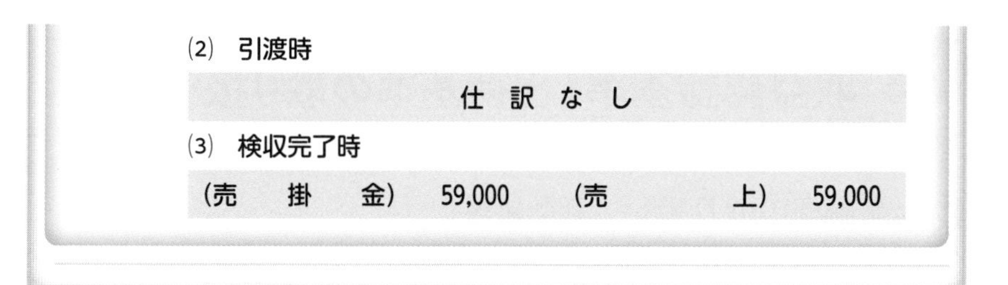

⑵ 引渡時

仕 訳 な し

⑶ 検収完了時

借方科目	金額	貸方科目	金額
(売　掛　金)	59,000	(売　　上)	59,000

輸出売上の計上基準

輸出売上の計上基準には、代表的なものとして**出荷（発送）基準**、**通関基準**、**船積基準**があります。

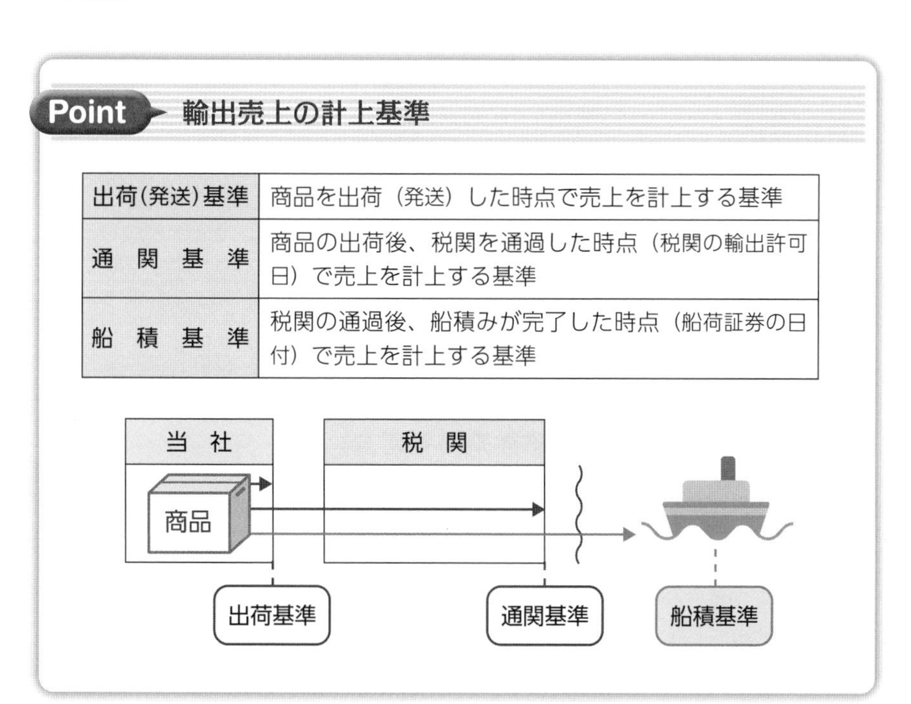

Point 輸出売上の計上基準

基準	内容
出荷(発送)基準	商品を出荷（発送）した時点で売上を計上する基準
通　関　基　準	商品の出荷後、税関を通過した時点（税関の輸出許可日）で売上を計上する基準
船　積　基　準	税関の通過後、船積みが完了した時点（船荷証券の日付）で売上を計上する基準

本書では、船積基準を前提としています。

問題 >>> 問題編の**問題12**～**問題13**に挑戦しましょう！

参考 収益認識基準（出荷基準の取り扱い）

出荷基準の取り扱い（容認処理）

収益認識基準においては「資産に対する支配を顧客に移転した」時に収益を計上するという定めが設けられ、その具体的な時点を「企業が当該履行義務を充足する通常の時点（収益を認識する通常の時点）」として注記します。

したがって、収益をどの時点で認識すべきかは企業によって異なり、また商品によっても異なります。

ただし、商品（または製品。以下同じ）の国内販売において、出荷時から当該商品の支配が顧客に移転されるときまでの期間が通常の期間である場合には、**出荷時に**収益を認識することができます。

「通常の期間である場合」とは、当該期間が国内における出荷や配送にかかる日数に照らして、取引慣行ごとに合理的と考えられる日数である場合です。

参考 実現主義

実現主義（収益に関する従来の考え方）

収益認識基準が施行されるまで、収益の認識は、企業会計原則（1949年設定）において、実現主義によるものとされていました。

条文上は「売上高は、実現主義の原則に従い、商品等の販売又は役務の給付によって実現したものに限る」「未実現収益は、原則として、当期の損益計算に計上してはならない」と書いてある程度で、「実現」の内容については具体的に規定されていなかったため、実務上十分な基準とはいえませんでした。

収益認識基準の適用による影響

2021年から収益認識基準が適用開始となり、収益に関する会計処理および開示については、この基準が企業会計原則に優先します。したがって、法律上、会計監査を義務付けられている上場会社と大会社は収益認識基準を強制適用されることになります。また、税理士試験の性質を考えると、問題に登場する会社が中小企業であっても、基本的に新しい会計基準を尊重すると考えられます。したがって、実現主義については、簿記論で問われることはないと考えてよいでしょう。

「中小企業の会計に関する指針」(これに従うことが望ましいとされているが義務ではない)は、2024年6月現在、まだ実現主義に基づく収益認識を採用しており、収益認識基準の考え方を取り入れるかどうかは、今後も検討していくとされています。

Chapter 4 のまとめ

□ 払出単価の決定方法

先入先出法	もっとも古く取得したものから先に払出しが行われると仮定して払出単価を計算する方法
移動平均法	単価の異なる商品を受け入れるつど、平均原価を算定する方法
総 平 均 法	前期繰越高と当期仕入高の総額から平均原価を算定する方法
最終仕入原価法	その期の最後に仕入れた棚卸資産の原価（最終仕入原価）によって、期末棚卸資産の価額を算定する方法

□ 棚卸減耗費の算定方法

棚卸減耗費 ＝ 払出単価（原価）×（期末帳簿数量 － 期末実地数量）
　　　　　 ＝ 期末帳簿棚卸高 － 期末実地棚卸高

□ 正味売却価額の算定方法

正味売却価額 ＝ 売価 － 見積販売直接経費

□ 商品評価損の算定方法

商品評価損

＝（@原価 － @正味売却価額）× 良品数量
　　　　　　　良品分

＋（@原価 － @正味売却価額）×（実地数量 － 良品数量）
　　　　　　　劣化品分

□ 売価還元法の会計処理

(1) 売価還元法

期末商品原価＝期末商品帳簿売価×原価率

(2) 売価還元法における原価率

原価率

$$=\frac{\text{期首商品原価}+\text{当期商品仕入原価}}{\text{期首商品売価}+\underbrace{\left(\text{当期商品仕入原価}+\text{原始値入額}\right)}_{\text{当期仕入売価}}+\underbrace{\left(\text{値上額}-\text{値上取消額}\right)}_{\text{純値上額}}-\underbrace{\left(\text{値下額}-\text{値下取消額}\right)}_{\text{純値下額}}}$$

(3) 売価還元法における商品評価損の会計処理

〈原則処理〉

商品評価損＝原価率×実地売価－正味売却価額

〈特例処理〉

特例による原価率

$$=\frac{\text{期首商品原価}+\text{当期商品仕入原価}}{\text{期首商品売価}+\underbrace{\left(\text{当期商品仕入原価}+\text{原始値入額}\right)}_{\text{当期仕入売価}}+\underbrace{\left(\text{値上額}-\text{値上取消額}\right)}_{\text{純値上額}}}$$

商品評価損
＝原価率×実地売価－特例による原価率×実地売価

□ 仕入諸掛の会計処理

仕入勘定に直接加算する方法（原則）	当期に発生した仕入諸掛を仕入勘定に直接加算し、決算時に売上原価と期末棚卸高に配分する方法
仕入諸掛費勘定を設ける方法（容認）	当期に発生した仕入諸掛を仕入諸掛費勘定で処理し、決算時に売上原価と期末棚卸高に配分する方法

CHAPTER 5

収益認識基準1

ここでは、収益認識基準の概要について学習します。理論的な内容であり、簿記の典型的な計算問題を解くうえでは、さほど意識する必要はありません。しかし、通常と異なる商品販売契約が行われた場合は、この基準に沿って適切な会計処理を考えていくことになります。したがって、収益認識基準の大まかなイメージをつかむとともに、重要なキーワードをおさえましょう。

Chapter 5

損益会計

収益認識基準 1

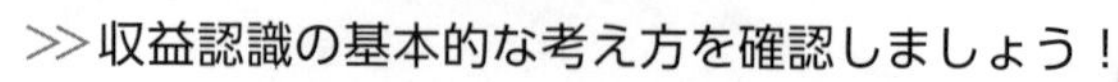

>> 収益認識の基本的な考え方を確認しましょう！

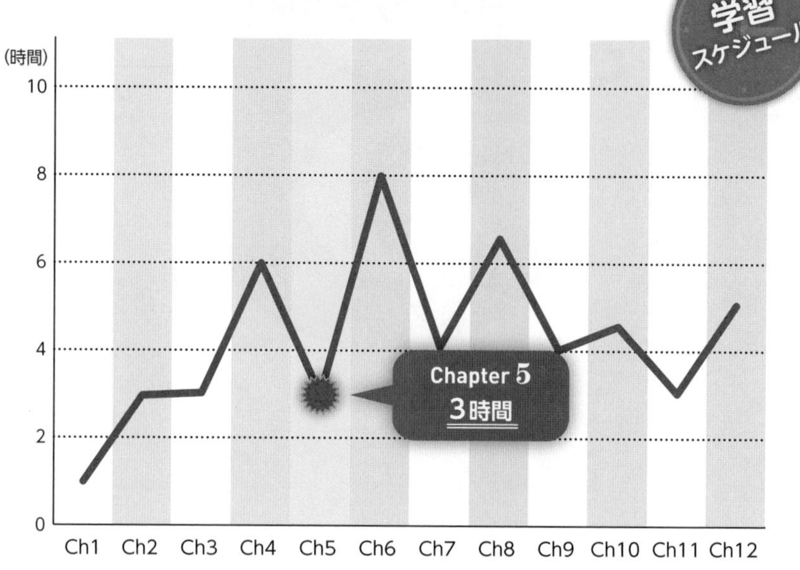

Check List

- □ 収益認識に関する会計基準の概要を理解しているか？
- □ 5つのステップを理解しているか？
- □ 取引事例を5ステップに分けて整理できるか？

Link to 財務諸表論① Chapter7 収益認識基準

財務諸表論でも同様の内容を解説しています。

1：収益認識基準の概要

収益認識に関する会計基準

売上等の収益は、これまで企業会計原則における「実現主義の原則」に基づいて計上されていましたが、具体的な会計処理の定めが不十分で、多様化する取引への対応が難しくなっていました。一方、国外では収益認識に関する包括的な会計基準が共同開発されたため、この国際的な流れを受けて、日本でも諸外国の会計基準を取り入れた「収益認識に関する会計基準」が開発され、2021年4月から適用が始まっています。

収益認識基準の適用対象となる企業

「収益認識に関する会計基準」の施行により、会計監査を義務付けられている大企業・上場企業はこの基準が強制適用されています。これにともない、企業会計原則の「実現主義」という表現は使われなくなりました。一方、「中小企業の会計に関する指針」では現在、収益認識基準を適用するか否か検討中です。したがって、問題を解くにあたっては、収益認識基準の適用があるかどうか、問題文をチェックしましょう。

収益認識に関する基準の適用範囲

顧客との契約から生じる収益について適用します。ただし、「金融商品会計基準」の範囲に含まれる金融商品に係る取引、「リース会計基準」の範囲に含まれるリース取引などには適用しません。

収益認識基準は「お客さん」との契約から生じる収益、つまり売上高について適用されます。営業外取引から生じる収益については基本的に適用対象外です。

試験上の対応

収益認識基準の適用がある場合、商品販売等に係る記述をチェックして、何が問われているか把握しましょう。単に「商品を販売した」「商品を売り上げた」としか書かれていない場合、既に収益（売上）の認識は完了しており、収益認識基準は論点になっていないことを示唆しています。一方、契約内容や取引状況、取引条件が詳しく記述されている場合は、収益の認識が問われている可能性があります。

収益認識の基本原則

顧客との契約から生じる収益については、約束した財又はサービスの顧客への移転を、当該財又はサービスと交換に企業が権利を得ると見込む対価の額で描写するように、収益を認識します。

収益認識の基本原則は概ね以下のことを述べています。

- 企業は、契約で決められた商品を引き渡す、またはサービスを提供することによって、報酬としての対価を得る
- 収益は、企業が受け取れると見込まれる対価の金額で記録する（計上金額）
- 商品の引渡状況やサービスの提供度合いに応じて、収益を計上する（計上時点）

2：収益認識の5ステップ

収益を認識するための5つのステップ

収益認識に関する会計基準では、基本となる原則に従って収益を認識するために、次の5つのステップが適用されます。

・ステップ1：顧客との契約を識別する
・ステップ2：契約における履行義務を識別する
・ステップ3：取引価格を算定する
・ステップ4：契約における履行義務に取引価格を配分する
・ステップ5：履行義務を充足した時に又は充足するにつれて収益を認識する

顧　客	対価と交換に企業の通常の営業活動により生じたアウトプットである財又はサービスを得るために当該企業と契約した当事者
契　約	法的な強制力のある権利及び義務を生じさせる複数の当事者間における取決め（書面だけではなく、口頭、取引慣行等による黙示の約束も、契約になり得ます）
履行義務	顧客との契約において、次の(1)又は(2)のいずれかを顧客に移転する約束 (1)　別個の財又はサービス（あるいは別個の財又はサービスの束） (2)　一連の別個の財又はサービス（特性が実質的に同じであり、顧客への移転のパターンが同じである複数の財又はサービス）
取引価格	財又はサービスの顧客への移転と交換に企業が権利を得ると見込む対価の額（ただし、第三者のために回収する額を除く）

5つのステップにおいて、重要な概念は「履行義務」です。企業は履行義務を果たすことによって、対価としての収益を受け取ります。したがって、収益の認識は、履行義務の充足に合わせて行います。
そのため、まず「契約」を確認して、履行義務の内容を明らかにします。このとき、1つの契約に1つの履行義務が定められているとは限りません。1つの契約に「別個の財（又はサービス）」が複数定められている場合は、それぞれの履行義務に取引価格を配分して、別々に収益を計上します。
このほか、「顧客」はいわゆる得意先、「取引価格」は実質的に受け取れる対価のことです。

3：5ステップの適用

5つのステップの適用

営業取引の事例について、5つのステップをあてはめて契約内容を整理し、収益に関する会計処理を考えてみましょう。

例題 **5ステップの適用**

以下の当社の取引に、収益認識に関する5つのステップを適用した場合、（　）に入る適切な語句または金額を答えなさい。

当期首に、当社はX社（顧客）と商品Aの販売と2年間の保守サービスを提供する契約を締結した（契約書記載の対価の金額：12,000円）。当社はただちに商品AをX社に引き渡すとともに、当期首から翌期末まで保守サービスを提供する。なお、それぞれ単独で取引した場合、商品Aの取引価格は10,000円、保守サービスの取引価格は1,000円/年である。

ステップ1	顧客との契約を識別する 顧客（X社）との契約1件が識別される
ステップ2	契約における履行義務を識別する （　　　　　）と（　　　　　）が識別される
ステップ3	取引価格を算定する （　　）円
ステップ4	履行義務に取引価格を配分する （　　　　　）は（　　）円 （　　　　　）は（　　）円
ステップ5	履行義務を充足した時に又は充足するにつれて収益を認識する （　　　　　）は一時点で充足される履行義務であるから、（　　）に収益を認識し、（　　　　　）は一定期間にわたって充足される履行義務であるから、当期首から（　）年間にわたって収益を認識する

収益の計上額　：当期（　　　）円
　　　　　　　　翌期（　　　）円

解答

ステップ1	顧客との契約を識別する 顧客（X社）との契約１件が識別される
ステップ2	契約における履行義務を識別する （**商品Aの販売（引き渡し）**）と（**保守サービスの提供**）が識別される＊1
ステップ3	取引価格を算定する （**12,000**）円
ステップ4	履行義務に取引価格を配分する （**商品Aの販売（引き渡し）**）は（**10,000**）円 （**保守サービスの提供**）は（**2,000**）円＊2
ステップ5	履行義務を充足した時に又は充足するにつれて収益を認識する （**商品Aの販売（引き渡し）**）は一時点で充足される履行義務であるから、（**販売時**）に収益を認識し、（**保守サービスの提供**）は一定期間にわたって充足される履行義務であるから、当期首から（**2**）年間にわたって収益を認識する

収益の計上額　：当期（**11,000**）円＊3
　　　　　　　　翌期（ **1,000**）円

＊1　各々を別個の履行義務として識別し、それぞれを収益認識の単位とします。
＊2　1,000円/年×２年＝2,000円
＊3　10,000円（商品Aの販売対価）＋1,000円（当期に提供する保守サービスの対価）＝11,000円

定型的な商品販売やサービス提供の取引であれば、特に収益認識基準を意識する必要はありません。しかし、契約内容が通常とは異なる取引については、収益認識基準に従って５つのステップを適用して、あるべき会計処理を考える必要があります。上記の例題では、商品販売もサービス提供も定型的な内容ですが、その双方が１つの契約に含まれている点が通常とは異なっています。

問題 >>> 問題編の**問題１**に挑戦しましょう！

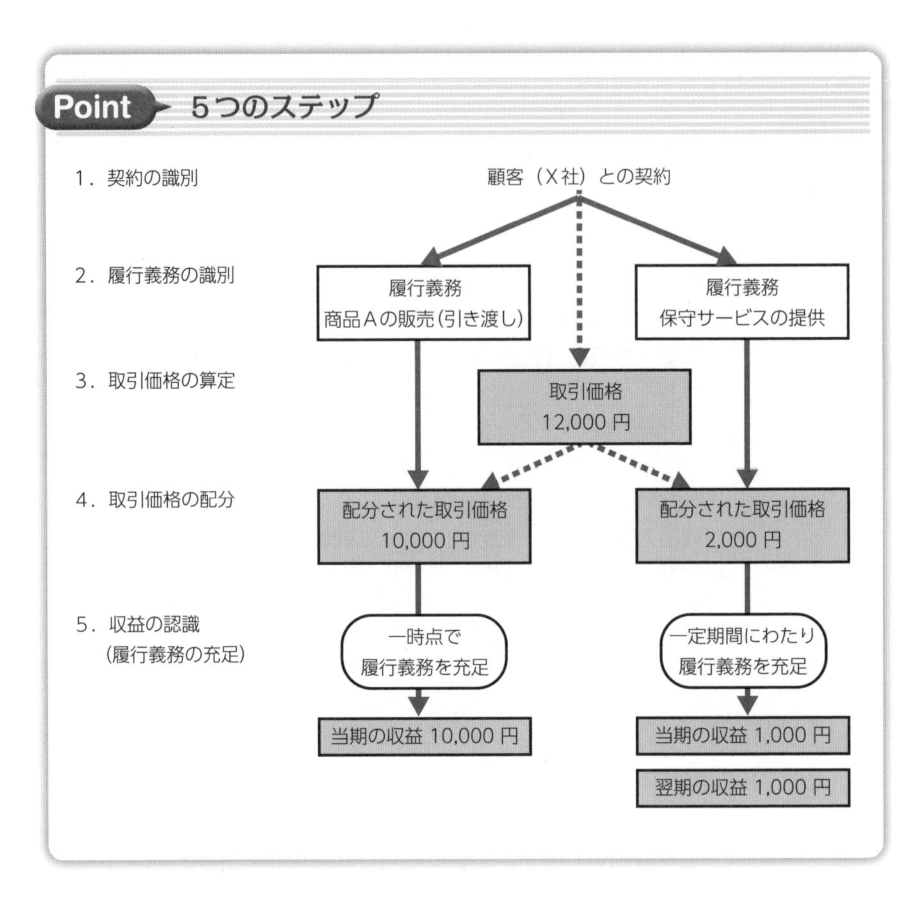

参考 顧客との契約の識別

5つのステップのうち、ステップ1、2は理論的な内容なので、簿記論の学習上は、参考までに目を通しておけば十分だと思われます。

顧客との契約の識別（ステップ1）

(1) 顧客との契約の識別

収益認識会計基準における顧客との**契約**とは、「法的な強制力のある権利及び義務を生じさせる複数の当事者間における取決め」をいい、次のすべての要件を満たすものが該当します。この要件を満たす契約に収益認識基準を適用します。

① 当事者が、**書面、口頭、取引慣行等により契約を承認し、それぞれの義務の履行を約束している**こと。
② 移転される財又はサービスに関する**各当事者の権利を識別できる**こと。
③ 移転される財又はサービスの**支払条件を識別できる**こと。
④ **契約に経済的実質がある**こと（すなわち、契約の結果として、企業の将来キャッシュ・フローのリスク、時期又は金額が変動すると見込まれること）。
⑤ 顧客に移転する財又はサービスと交換に企業が権利を得ることとなる**対価を回収する可能性が高い**こと。

書面だけではなく、口頭、取引慣行等による約束も、識別される契約になり得る点に注意しましょう。
なお、「顧客」については既に第2節で解説した通りです。

(2) 顧客との契約が契約締結時点で識別要件を満たさない場合

事後的に識別要件を満たした時点で収益認識基準を適用します。

ただし、契約の識別要件を満たさない状況で顧客から対価を受け取った時、返金不要等の要件（次のいずれか）に該当する場合には、収益を認識します。

① 財などを顧客に移転する残りの義務がなく、約束した対価のほとんどを受け取っていて、顧客への返金は不要であること
② 契約が解約されており、受け取った対価の返金は不要であること

上記のいずれにも該当しない場合は、いずれかに該当するまで、または契約の識別要件が満たされるまで、顧客から受け取った対価は負債として認識します。

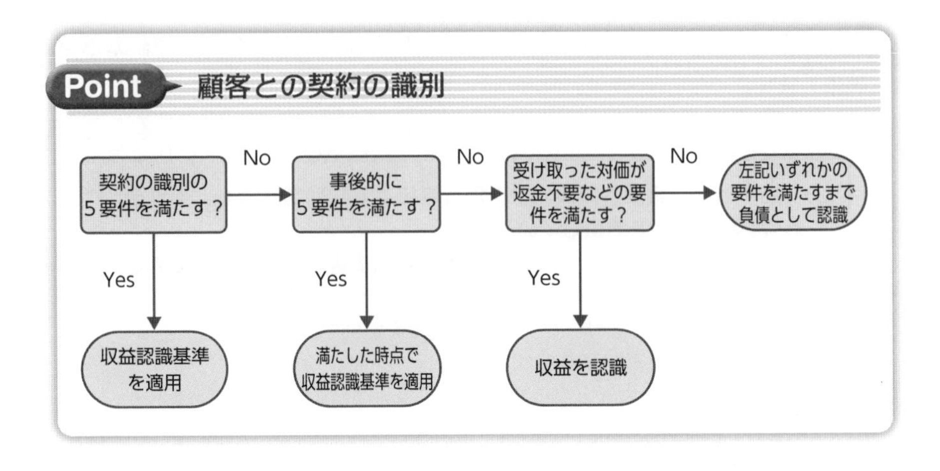

参考 履行義務の識別

履行義務とは

企業は、顧客との契約によって、対価と交換に財やサービスを提供します。**履行義務**とは、契約で義務付けられたこれらの財やサービスを提供する約束のことです。ステップ2ではその内容を明確にします。

財の引渡しやサービスの提供だけではなく、無料の配送サービスやポイントサービスなど、契約に複数の履行義務が含まれていることもあります。実務上はさまざまな契約がありうるため、企業はこれらを適切に識別する必要があります。

履行義務の識別（ステップ2）

契約における取引開始日に、顧客との契約で約束した財又はサービスを評価して、以下のいずれかを顧客に移転する約束のそれぞれについて、履行義務として識別します。

- **別個の**財又はサービス（あるいは**別個の**財又はサービスの**束**）
- **一連の別個の**財又はサービス（特性が実質的に同じで、顧客への移転のパターンが同じである複数の財又はサービス）

「別個の」とは独立しているというニュアンスです。財やサービスが１つしかない場合は、その履行義務を識別します。
複数の財やサービスがある場合、それらを「別個」のものに分けられるか、あるいは「一連」のものか判別します。「別個」の例としては商品の引渡しや保守サービスの提供、「一連の別個」の例としては１週間の毎日同じ清掃作業などが挙げられます。「別個の束」は複数の財又はサービスが結合して１つの単位になっているものです。

⑴ 別個の財又はサービス

顧客に約束した財又はサービスが、次のいずれも満たす場合は、**別個の**ものとします。

- 財又はサービスから、単独で（あるいは顧客が容易に利用できる他の資源と組み合わせて）顧客が便益を享受できること
- 財又はサービスを顧客に移転する約束が、契約に含まれる他の約束と区分して識別できること

実務的な内容ですが、「別個の財又はサービスの束」という単位もあります。この場合は、複数の財又はサービスをまとめて、１つの履行義務として扱います。端的にいうと、場合によっては複数の財又はサービスを、それぞれ別個のものとして提供する可能性もあるけれど、今回はまとめて１つのものとして扱うことが適切であるケースです。例としては、レストランの定食（主食、主菜、小鉢、飲物など）、一棟の建物の建設（細かく見ていくと、設計、基礎工事、躯体建設、水回りの工事、電気設備の施工などから成る）などが挙げられます。
約束した財又はサービスが別個のものでない場合は（例：一棟の建物の建設における水回りの工事）、「別個の財又はサービスの束」を識別するまで、当該財又はサービスを、他の約束した財又はサービスと結合して、判定を繰り返します。

⑵ 一連の別個の財又はサービス

複数の財又はサービスが、次のいずれも満たす場合は、**一連の別個の**ものとします。

- 一連の別個の財又はサービスのそれぞれが、一定の期間にわたり充足される履行義務の要件を満たすこと
- 履行義務の充足に係る進捗度の見積りに、同一の方法が使用されること

Point 履行義務の識別

① 単独

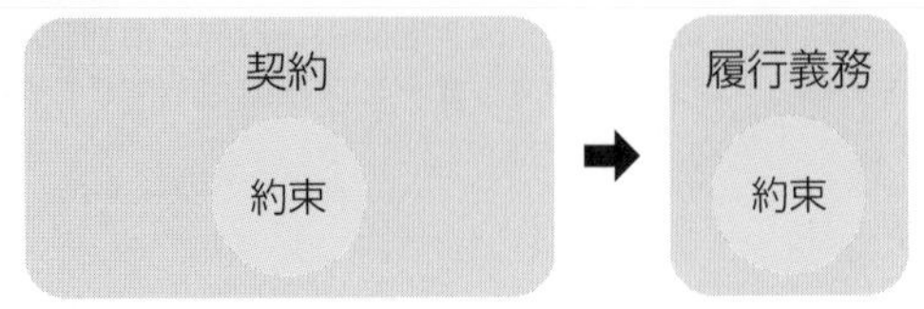

② 「別個の」

例：機械の販売と保守サービスの提供

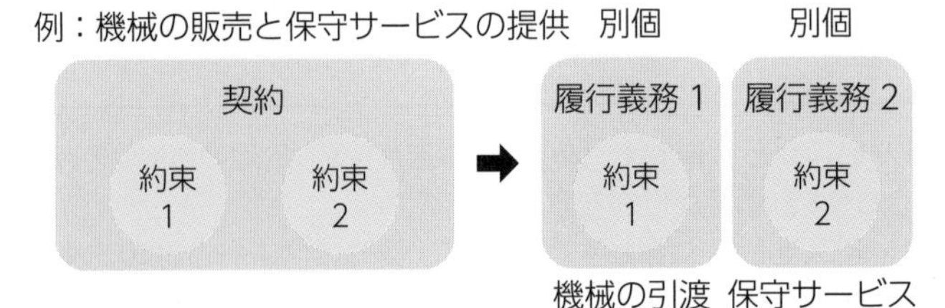

③ 「別個の束」

例：スマートフォンの新規販売

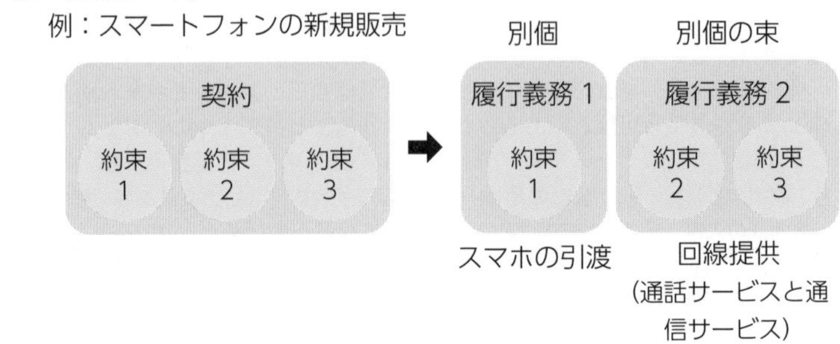

④ 「一連の別個の」

例：３日間の清掃サービス

契約

約束 1　約束 1　約束 1

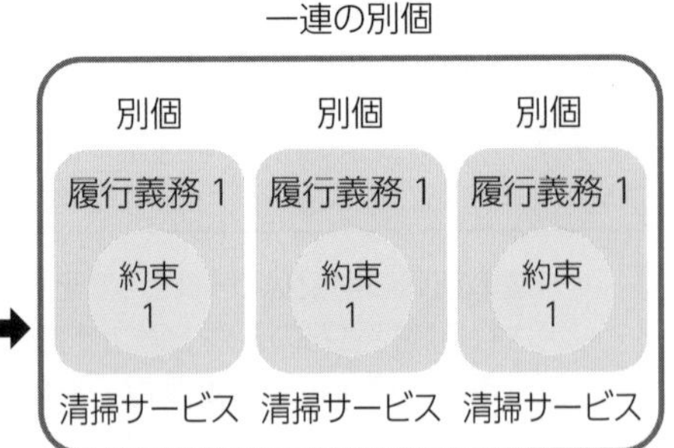

参考 収益認識に係る主な論点（計算）

本書で取扱う論点は以下のとおりです。

収益の額の算定

ステップ3	変動対価 ・数量値引き（リベート） ・返品権付きの販売 重要な金融要素 顧客に支払われる対価
ステップ4	独立販売価格 値引きの配分
ステップ5	・一時点で充足される履行義務 ・一定期間にわたり充足される履行義務

特定の状況または取引における取扱いなど

・契約資産と顧客との契約から生じた債権
・本人と代理人
・消化仕入
・ポイント制度（自社ポイント/他社ポイント）
・商品券等

特殊商品販売

・割賦販売（金利部分の区分処理）

一定期間にわたり充足される履行義務（工事契約等）の会計処理

・一定期間にわたり収益を認識
・完全に履行義務を充足した時点で収益を認識
・原価回収基準

開示

- 契約資産と営業債権の区分
- 注記（重要な会計方針の注記、収益認識に関する注記）

Chapter 5 のまとめ

□ 収益認識の基本原則

約束した財又はサービスの顧客への移転を、当該財又はサービスと交換に企業が権利を得ると見込む対価の額で描写するように、収益を認識する。

□ 収益を認識するための5ステップ

収益認識に関する会計基準では次の5ステップに従って収益を認識する。

- ステップ1：顧客との契約を識別する
- ステップ2：契約における履行義務を識別する
- ステップ3：取引価格を算定する
- ステップ4：契約における履行義務に取引価格を配分する
- ステップ5：履行義務を充足した時に又は充足するにつれて収益を認識する

顧　客	対価と交換に企業の通常の営業活動により生じたアウトプットである財又はサービスを得るために当該企業と契約した当事者
契　約	法的な強制力のある権利及び義務を生じさせる複数の当事者間における取決め（書面だけではなく、口頭、取引慣行等による黙示の約束も、契約になり得る）
履行義務	顧客との契約において、次の⑴又は⑵のいずれかを顧客に移転する約束 ⑴　別個の財又はサービス（あるいは別個の財又はサービスの束） ⑵　一連の別個の財又はサービス（特性が実質的に同じであり、顧客への移転のパターンが同じである複数の財又はサービス）
取引価格	財又はサービスの顧客への移転と交換に企業が権利を得ると見込む対価の額（ただし、第三者のために回収する額を除く）

CHAPTER 6

収益認識基準2

本章では、一般的な商品販売を前提として、収益認識基準の基本論点を学習します。

売上割戻（リベート）、掛代金に含まれる金利、セット販売による値引きなど、商品販売で頻繁に見られる取引について、収益認識基準を適用した場合の会計処理を解説します。

従来の会計処理と比べて、より理論的な処理となっているため、なぜそのような処理が行われるのか考えながら学習していきましょう。

Chapter 6

損益会計

収益認識基準 2

>> 収益認識の基本論点を学習しましょう！

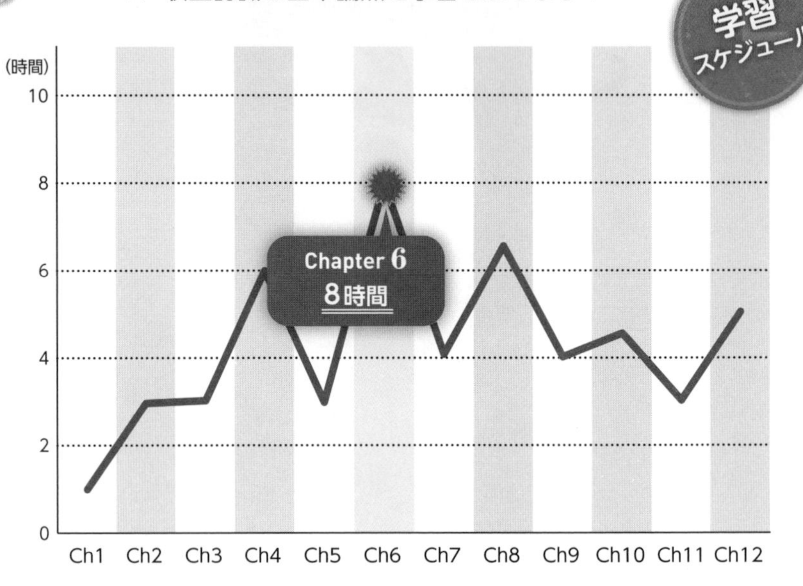

Check List

- □ 取引価格の算定について理解しているか？
- □ 変動対価の会計処理を理解しているか？
- □ 重要な金融要素の処理を理解しているか？
- □ 顧客に支払われる対価の処理を理解しているか？
- □ 取引価格の配分について理解しているか？
- □ 値引きの配分の会計処理を理解しているか？
- □ 一定期間にわたり充足される履行義務について理解しているか？

Link to 財務諸表論① Chapter7 収益認識基準

財務諸表論では、計算問題の比重が低いため、一部の論点を省略しています。

1：取引価格の算定

取引価格とは

取引価格とは、財又はサービスの顧客への移転と交換に企業が権利を得ると見込む対価の額（ただし、第三者のために回収する額を除く）のことをいいます。

「権利を得ると見込む」とは、契約で定めた対価の全額を受け取れるとは限らないため、受け取れる可能性が高い金額を見積もる必要があることを示しています。

Point 第三者のために回収する額

第三者のために回収する額とは、顧客以外の第三者に支払うために顧客から回収する金額のことをいい、収益からは除きます。具体例としては、国や都道府県に納付するために顧客から回収した売上に係る消費税等（預かった消費税）があります。

預かった消費税	第三者のために回収する額 (売上に含めない)
本体価格	取引価格 (売上に含める)

上記のように、収益認識に関する会計基準では、預かった消費税を売上に含めることができないため、消費税の会計処理としての税込方式は認められていません。

取引価格の算定（ステップ３）

取引価格を算定する際には、①**変動対価**、②**契約における重要な金融要素**、③**現金以外の対価**、④**顧客に支払われる対価**のすべての影響を考慮します。

本書では、上記のうち①、②、④について解説します。

問題 >>> 問題編の**問題１**に挑戦しましょう！

2：変動対価

変動対価とは

変動対価とは、顧客と約束した対価のうち変動する可能性のある部分のことをいいます。

変動対価が含まれる取引には、値引き・リベート・返金・インセンティブ・業績に基づく割増金・ペナルティーなどにより対価の額が変動する場合や、返品権付きの販売などがあります。

顧客と約束した当初の契約金額から変更される可能性がある部分のことです。たとえば、当初は対価500円で販売した商品代金が、値引きやリベートなどによって、事後的に100円値下げされ400円になる可能性がある場合、この500円は変動対価に該当します。

変動対価の会計処理

(1) 変動対価の取扱い

変動対価が含まれている場合、財又はサービスの顧客への移転と交換に企業が権利を得ると見込む対価の額を見積もります。

見積もった変動対価の額については、変動対価の額に関する不確実性が事後的に解消される際に、解消される時点までに計上された収益の著しい減額が発生しない可能性が高い部分に限り、取引価格に含めます。

(2) 変動対価の見積り方法

変動対価の額の見積りは、**最頻値による方法**または**期待値による方法**のうち、企業が権利を得ることとなる対価の額をより適切に予測できる方法を用います。

最頻値による方法	発生しうると考えられる対価の額におけるもっとも可能性の高い単一の金額（最頻値）による方法
期待値による方法	発生しうると考えられる対価の額を確率で加重平均した金額（期待値）による方法

顧客から受け取れる可能性が高い金額を収益とします。たとえば、対価として500円を受け取る契約であったとしても100円値引きされる可能性が高いのであれば、100円は売上としては計上せずに、当初は400円を売上として計上します。

(3) 商品販売の場合

商品を販売した時点で、顧客と約束した対価のうち変動する可能性が高い部分が生じた場合は、売上値引や割戻しなどの金額を見積もり、その金額を収益（売上など）の金額から控除します。

また、顧客から受け取った（またはこれから受け取る）対価の一部あるいは全部を顧客に返金すると見込む場合には、企業が権利を得ることができないと見込まれる部分について、**返金負債**として処理します。

従来の処理では、いったん全額売上を計上して、返品や割戻しが生じたタイミングで売上を取り消していましたが、収益認識基準の適用下では、返品や割戻しが生じる可能性が高い場合には、販売時にあらかじめ売上から控除します（事前に予測できる場合のみ）。

Point 収益認識基準の適用下における売上戻り、売上割戻

予測できるものは予め変動対価として見積もり、予測できないものは発生時に収益を取り消します。

売上戻り（売上返品）

返品権付きの販売	→	変動対価として見積もる
欠陥品の返品	→	製品保証引当金の設定対象（収益の減額ではなく費用とする）
品違いなどによる偶発的な返品	→	売上の取り消し

売上割戻（販売奨励金など）

契約書に明記されている、または顧客が合理的な期待をしている
→変動対価として見積もる

契約に定めはないが、事後的に支払いを決定した
→販売奨励金の支払いを約束したときに売上を減額

数量値引きの見積り（変動対価）

例題 **変動対価**

次の資料に基づいて、X1年6月30日の仕訳を示しなさい。

［資　料］

1．当社（決算日3月末）は、商品を1個当たり200円で販売する契約をX1年4月1日にA社（顧客）と結んだ。この契約における対価には変動性があり、A社がX2年3月31日までに商品を1,000個よりも多く購入する場合には、商品1個当たりにつき10円を割戻す。

2．X1年6月30日に、商品500個をA社に掛けで販売した。当社は、A社の購入数量はX2年3月31日までに1,000個を超えると見積もり、1個当たり10円を割戻しすることが必要になると判断した。

解答

(売　掛　金)	100,000	(売　　　上)	95,000＊1
		(返　金　負　債)	5,000＊2

＊1　(@200円－@10円)×500個＝95,000円
＊2　@10円×500個＝5,000円

商品を販売した時点で、売上割戻による返金を行うと見込まれるときは、売上割戻の見積額を控除した純額95,000円を、企業が権利を得ることとなる対価の額として収益計上します。そして、受け取る対価の額100,000円との差額5,000円は、顧客に返金する額として返金負債とします。

返品権付きの販売（変動対価）

取引慣行によっては、商品等の販売時に、一定の条件付きでの返品を認めている場合があります。これを返品権付きの販売といいます。

収益認識基準では、返品権付きの販売は、返品により販売数量が変動する可

能性があることに注目し、変動対価の一種として処理します。

返品権付きの販売の会計処理

返品権付きで商品を販売したときは、販売した商品のうち、返品が見込まれる部分は収益を認識せず、受け取った（またはこれから受け取る）金額を**返金負債**として認識します。また、当該返金に関して、顧客から商品を回収する権利を**返品資産**として認識します。

返金負債とは、返品等が行われたときに代金を支払う（払い戻す）債務のことです。一方、返品資産とは、返品が行われたときにその商品を取引先から回収できる権利のことです。

収益認識基準（返品権付きの販売）

次の資料に基づいて、X社の収益、売上原価および売上総利益の金額を答えなさい。なお、商品売買取引は売上原価対立法により記帳している。

[資　料]

① X社は商品Aを1個150円（原価90円）で販売する100件の契約を複数の顧客と締結し(150円×100個＝15,000円)、商品Aに対する支配を顧客に移転して現金を受け取った。X社の取引慣行では、顧客が未使用の商品Aを14日以内に返品する場合、全額返金に応じている。

② この契約では商品Aの返品が認められているため、X社が顧客から受け取る対価は変動対価である。X社は権利を得ることとなる対価を見積もるため、期待値による方法を使用して、商品A80個が返品されないと見積もった。

③ X社は、返品された商品Aは原価以上の価格で再販売できると予想した。

収益	円
売上原価	円
売上総利益	円

解答

収益	12,000円
売上原価	7,200円
売上総利益	4,800円

返品権付きの商品を販売した場合、次の(1)〜(3)について処理します。

(1)　企業が権利を得ると見込む対価の額で収益を認識

(2)　返品が見込まれる商品は収益を認識せず、当該商品について受け取ったまたはこれから受け取る対価の額で返金負債を認識

(3)　返金負債の決済時に商品を回収する権利について返品資産を認識

1. 収益の計上

(現金預金)	15,000	(売上)	12,000*1
		(返金負債)	3,000*2

＊1　@150円×返品されないと見込む商品A80個＝12,000円
＊2　@150円×(100個－80個)＝3,000円

2. 原価の計上

(売上原価)	7,200*4	(商品)	9,000*3
(返品資産)	1,800*5		

＊3　@90円×100個＝9,000円
＊4　@90円×返品されないと見込む商品A80個＝7,200円
＊5　@90円×返品されると見込む商品A20個＝1,800円

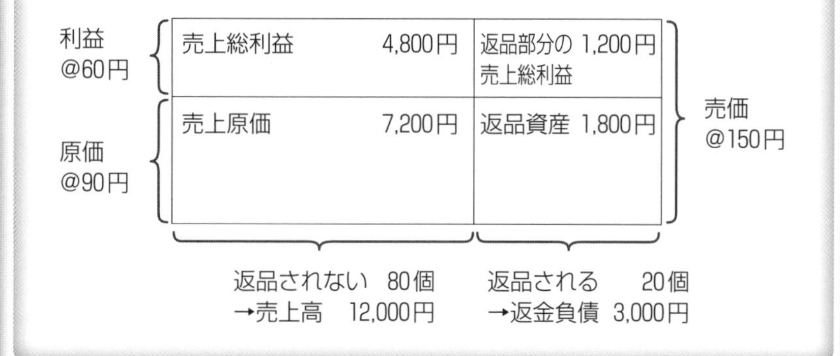

問題 >>> 問題編の**問題2**〜**問題3**に挑戦しましょう！

3：重要な金融要素

契約における重要な金融要素

商品等を販売したときに、代金を後払い（掛売上、割賦販売など）とする場合、通常、その代金（販売対価）には金利（金融要素）が含まれています。金利部分が重要である場合は、これに対応した処理を行います。

重要な金融要素は、割賦販売に限らず、一般商品販売でも発生します。試験上は、問題文で販売条件を確認しましょう。

Point 契約における重要な金融要素

収益認識における原則的な処理では、約束した対価に含まれる金利相当分の影響を調整します。

具体的には、現金販売価格部分は履行義務の充足時（商品の引渡時など）に収益を計上し、金利部分は時間の経過に応じて計上します。

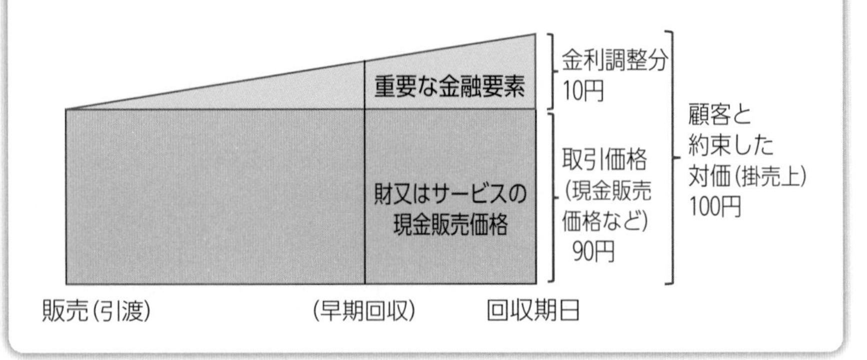

重要な金融要素の会計処理

金融要素が重要？		会計処理
YES	（原則）→	金利相当分の影響を調整する（金利部分を区分）
YES	（容認＊）→	金利相当分の影響を調整しない（金利部分を区分しない）
NO	→	金利相当分の影響を調整しない（金利部分を区分しない）

＊財又はサービスの移転から代金回収までの期間が1年以内と見込まれる場合のみ

例題　重要な金融要素（原則）

次の資料に基づいて、(1)～(3)の仕訳を答えなさい。

［資　料］

1．当社は、X1年4月1日に得意先と商品42,000円（現金販売価格40,000円、利息相当額2,000円）の掛け販売の契約を締結し、商品を引き渡した。得意先はX1年9月30日に代金を支払う。

2．期日より早期に代金が決済された場合、売上割引（利息の減免）を行う。

3．当契約に含まれる利息は重要な金融要素にあたると認められる。

(1)　販売時（X1年4月1日）

(2)　売掛金の決済時（X1年9月30日に期日決済された場合）

(3)　売掛金の決済時（X1年6月30日に早期決済された場合。経過期間の利息相当額は1,000円である）

解答

(1)　販売時（X1年4月1日）

借方	金額	貸方	金額
（売　掛　金）	40,000	（売　　上）	40,000

(2)　売掛金の決済時（X1年9月30日に期日決済された場合）

借方	金額	貸方	金額
（売　掛　金）	2,000	（受 取 利 息）	2,000
（現 金 預 金）	42,000	（売　掛　金）	42,000

(3) **売掛金の決済時（X1年6月30日に早期決済された場合）**

(売　　掛　　金)	1,000	(受　取　利　息)	1,000
(現　金　預　金)	41,000	(売　　掛　　金)	41,000

(1) 契約における金融要素が重要である場合は、利息相当分の影響を調整して（利息を控除して）売上収益を計上します。
(2) 利息相当分は受取利息勘定で処理し、相手勘定を売掛金とします。

収益の総額は次の例題（容認処理）と同額であることを確認しましょう。

例題　重要な金融要素（容認）

先の例題に次の4．の条件を付加した場合、(1)～(3)の仕訳を答えなさい。

4．販売時点から決済期日までの間が1年以内であるため、重要な金融要素の影響について約束した対価の額を調整しない。

(1) 販売時（X1年 4 月1日）
(2) 売掛金の決済時（X1年 9 月30日に期日決済された場合）
(3) 売掛金の決済時（X1年 6 月30日に早期決済された場合。経過期間の利息相当額は1,000円である）

解答

⑴ **販売時（X1年4月1日）**

（売掛金）	42,000	（売上）	42,000

⑵ **売掛金の決済時（X1年9月30日に期日決済された場合）**

（現金預金）	42,000	（売掛金）	42,000

⑶ **売掛金の決済時（X1年6月30日に早期決済された場合）**

（現金預金）	41,000[*1]	（売掛金）	42,000
（売上）	1,000[*2]		

＊1　現金販売価格40,000円＋経過期間の利息相当額1,000円＝41,000円

⑴　販売時

金融要素分の2,000円も含めて、履行義務の充足時（本問では販売時点）に収益を認識します。

⑶　売掛金の決済時（X1年6月30日に早期決済された場合）

決済される売掛金の金額と受取額との差額については、「売上」を減額します。

＊2　経過期間の利息相当額1,000円－既計上利息相当額2,000円＝△1,000円（売上割引相当額）

重要な金融要素の表示

顧客との契約に重要な金融要素が含まれる場合、顧客との契約から生じる収益（売上）と金融要素の影響（受取利息または支払利息）を損益計算書において区分して表示します。

問題 >>> 問題編の**問題4～問題6**に挑戦しましょう！

4：顧客に支払われる対価

顧客に支払われる対価とは

企業と顧客との取引関係によっては、企業から顧客に何らかの対価を支払うことがあります。

顧客に支払われる対価が実質的な返金と考えられる場合には（販売報奨金、値引き部分の補填、商品を有利な場所に陳列してもらうための棚代など）、その部分を売上に係る取引価格から控除します。

顧客に支払われる対価の処理

⑴　⑵以外の場合

顧客に支払われる対価を、取引価格から減額します。

この場合、①（関連する財又はサービスの移転に対する）収益を認識する時と、②企業が対価を支払う（または支払を約束する）時の、いずれか遅い方が発生した時点で（または発生するにつれて）収益を減額します。

⑵　顧客から受領する別個の財又はサービスと交換に支払われるものの場合

当該財又はサービスを仕入先からの購入と同様の方法で処理します。

ただし、顧客に支払われる対価が、顧客から受領する財又はサービスの時価を超えるときは、当該超過額を取引価格から減額します。また、顧客から受領する財又はサービスの時価を合理的に見積もることが不可能な場合には、顧客に支払われる対価の全額を取引価格から減額します。

上記⑵は得意先から別途何かを購入しただけなので、（等価交換である限り）特に対応は不要です。それ以外は実質的に得意先への返金であるため、取引価格を減額します。

Point 顧客に支払われる対価の会計処理

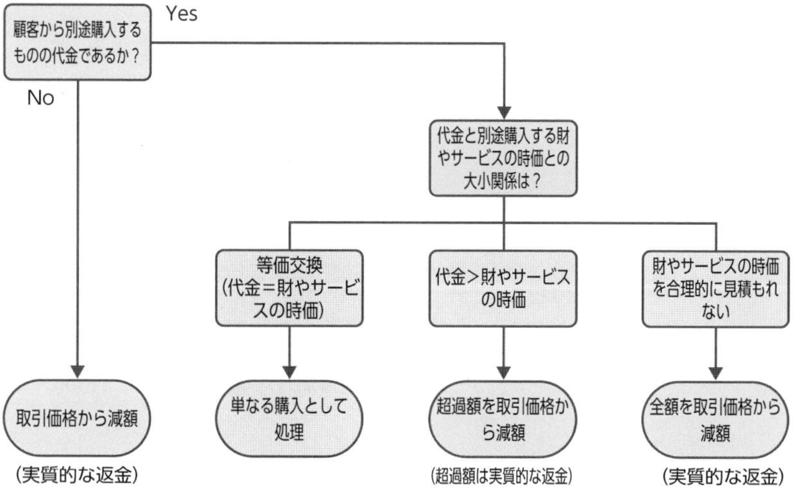

例題 顧客に支払われる対価

下記の取引に関して、X社の仕訳を答えなさい。

(1) 消費者向け製品Qを製造しているX社は、X4年4月1日、小売業Y社（顧客）に製品Qを1年間販売する契約を締結した。当契約では、Y社が1年間に製品Qを最低でも180,000円購入すること、およびX社が契約上の取引開始日に、Y社に対し、返金不要な9,000円の対価を支払うことが定められている。この対価は、Y社が製品Qを陳列するために棚に変更を加えることについての補償である。

(2) X社からY社への対価は棚代であり、X社がY社から別途購入する製品の代金ではない（別の取引ではない）ため、X社は、この9,000円の対価の支払いを取引価格から減額すべきものと判断した。

(3) X社からY社に支払われる対価9,000円は、X社が製品Qの販売に対する収益を認識する時に、取引価格の減額として処理する。X社は、X4年4月20日に製品Qを6,000円で掛け販売した。

X4年4月1日

借方	金額	貸方	金額
(前渡金)	9,000	(現金預金)	9,000

顧客に支払われる対価が、別途顧客から購入するものの代金以外の場合、取引価格から減額します。ただし、支払時にはまだ収益が計上されていないため、「前渡金」等で処理します。

X4年4月20日

借方	金額	貸方	金額
(売掛金)	6,000	(売上)	6,000
(売上)	300	(前渡金)	300*

＊　9,000円÷180,000円＝5%
　　6,000円×5%＝300円

X社は、製品QをY社に販売するにつれて、製品Qについての取引価格を5％（＊）減額します。

減額する場合、①関連する財又はサービスの移転に対する収益を認識する時、と、②企業が対価を支払うかまたは支払を約束する時、のいずれか遅い方が発生した時点で（または発生につれて）収益を減額します。

本問では、X4年4月1日に既に対価を支払っているため、販売時（X4年4月20日）に収益を減額します。

問題 >>> 問題編の**問題7**に挑戦しましょう！

5：取引価格の配分

履行義務への取引価格の配分（ステップ4）

ある契約において履行義務が複数存在する場合、取引価格をそれぞれの履行義務に配分します。取引価格の配分は、基本的に契約における取引開始日の「独立販売価格」を基準に行います。

独立販売価格に基づく配分

独立販売価格とは、財又はサービスを独立して企業が顧客に販売する場合の価格であり、状況に応じて以下のように算定します。

(1) 独立販売価格を直接観察できる場合

それぞれの履行義務の基礎となる別個の財又はサービスについて、契約における取引開始日の独立販売価格を算定し、この独立販売価格の比率に基づいて、それぞれの履行義務に取引価格を配分します。

(2) 独立販売価格を直接観察できない場合

市場の状況や企業固有の要因、顧客に関する情報等、合理的に入手できるすべての情報を考慮したうえで独立販売価格を見積もります。

（参考）独立販売価格の見積方法

簿記論で問われることはないと思われますが、独立販売価格を直接観察できない場合の見積方法には以下の方法があります。残余アプローチは、取引価格の残りを独立販売価格とする簡便な方法なので、一定の要件の下に適用が認められます。

調整した市場評価アプローチ	予想コストに利益相当額を加算するアプローチ	残余アプローチ
財又はサービスが販売される市場を評価して、**顧客が支払うと見込まれる価格**を見積もる方法	履行義務を充足するために**発生するコストを見積もってから、**当該財又はサービスの適切な**利益相当額を加算**する方法	**取引価格の総額**（セット販売価格）**から、**契約において約束した他の財又はサービスについて**観察可能な独立販売価格の合計額を控除**して見積もる方法

「直接観察できる」は英文directly observableの直訳ですが、「明確である」という意味合いです。

値引きの配分

複数の財又はサービスをまとめて販売する場合（財又はサービスの束）、セット販売による値引きが行われることがあります。

契約における約束した財又はサービスの独立販売価格の合計額が当該契約の取引価格を超える場合、その差額分だけ値引きが行われたと考え、収益の額から減額します。このとき、どの財又はサービスに値引きを配分するかが問題となります。

(1) 履行義務全体に値引きを配分する場合

どの履行義務に対して値引きが行われたのかが判明していない場合は、財又はサービスの全体（財又はサービスの束）について値引きが行われたと考え、すべての履行義務に対して比例的に配分します。

例題 履行義務全体に値引きを配分する場合

次の資料に基づいて、当期に製品を売り上げたときの仕訳を示しなさい。

［資　料］

1．当社は、通常、製品X、製品Y、および製品Zをそれぞれ独立して販売している。

2．各製品の独立販売価格は、以下のとおりである。

製品X	製品Y	製品Z	計
48,000円	45,000円	27,000円	120,000円

3．当社は、製品X、製品Y、および製品Zを組み合わせて108,000円で販売する契約をA社（顧客）と締結した。また、製品の製造が完了次第、順次A社に納品することになっている。

4．当社は、当期において製品Xと製品YをA社に納品し、代金は掛けとした。

解答

(売　掛　金)	83,700	(売上（製品X))	43,200
		(売上（製品Y))	40,500

〈取引価格の配分〉

	セット販売価格	独立販売価格	値引きの配分額	配分後の取引価格
製品X	108,000円	48,000円	4,800円(＊1)	43,200円
製品Y		45,000円	4,500円(＊2)	40,500円
製品Z		27,000円	2,700円(＊3)	24,300円

＊1　製品Xへの値引きの配分額：$12{,}000円 \times \frac{48{,}000円}{48{,}000円 + 45{,}000円 + 27{,}000円} = 4{,}800円$

＊2　製品Yへの値引きの配分額：$12{,}000円 \times \frac{45{,}000円}{48{,}000円 + 45{,}000円 + 27{,}000円} = 4{,}500円$

＊3　製品Zへの値引きの配分額：$12{,}000円 \times \frac{27{,}000円}{48{,}000円 + 45{,}000円 + 27{,}000円} = 2{,}700円$

契約全体の値引額12,000円は、すべての製品に対して値引きが行われたと考え、各製品に比例配分します。

(2) 特定の履行義務に値引きを配分する場合

特定の履行義務から値引きが行われていることが判明している場合は、すべての履行義務には配分せず、当該特定の履行義務に対して値引きを配分します。

(参考) 特定の履行義務に値引きを配分するための要件

簿記論では参考程度の話ですが、特定の履行義務にだけ値引きを配分するには、次の①～③の要件をすべて満たしている必要があります（端的に言うと、特定の履行義務に対する値引きであることが明らかな場合)。

① 契約における別個の財又はサービス（あるいは別個の財又はサービスの束）のそれぞれを、通常、単独で販売している

② 当該別個の財又はサービスのうちの一部を束にしたものについても、通常、それぞれの束に含まれる財又はサービスの独立販売価格から値引きして販売している

③ ②における財又はサービスの束のそれぞれに対する値引きが、当該契約の値引きとほぼ同額であり、当該契約の値引き全体がどの履行義務に対するものかについて観察可能な証拠がある

特定の履行義務に値引きを配分する場合

次の資料に基づいて、当期に製品を売り上げたときの仕訳を示しなさい。なお、売上収益は製品ごとに区分して計上すること。

［資　料］

1．当社は、通常、製品X、製品Y、および製品Zをそれぞれ独立して販売している。

2．各製品の独立販売価格は以下のとおりである。

製品X	製品Y	製品Z	計
48,000円	45,000円	27,000円	120,000円

3．当社は、通常、製品YとZを組み合わせて60,000円で販売している。
4．当社は、製品X、Y、Zを組み合わせて108,000円で販売する契約をA社（顧客）と締結した。なお、値引額12,000円は製品YとZの独立販売価格からの値引きである。また、製品の製造が完了次第、順次A社に納品することになっている。
5．当社は、当期に製品XとYをA社に納品し、代金は掛けとした。

(売掛金)	85,500	(売上(製品X))	48,000
		(売上(製品Y))	37,500

〈取引価格の配分〉

	セット販売価格	独立販売価格	値引きの配分額	配分後の取引価格
製品X	108,000円	48,000円	−	48,000円
製品Y		45,000円	7,500円(＊1)	37,500円
製品Z		27,000円	4,500円(＊2)	22,500円

＊1　製品Yへの値引きの配分額：$12,000円 \times \frac{45,000円}{45,000円+27,000円} = 7,500円$

＊2　製品Zへの値引きの配分額：$12,000円 \times \frac{27,000円}{45,000円+27,000円} = 4,500円$

製品YとZのセット値引き額が12,000円なので、契約全体の値引き額12,000円は、製品YとZに対するものであるという証拠があります。この場合、製品YとZに対して値引きを比例配分し、製品Xには配分しません。

(3) 残余アプローチの適用が認められる場合

一部の独立販売価格を直接観察できない場合、一定の条件下で残余アプローチの適用が認められます。

残余アプローチでは、契約における取引価格の総額から、契約において約束した他の財又はサービスについて観察可能な独立販売価格の合計額を控除して、独立販売価格を見積もります。

値引きがある場合、基準の文言と実際の計算内容がやや異なるため、例題を解いて内容を確認しましょう。

(参考) 残余アプローチの適用要件

残余アプローチは、次の①または②の要件のいずれかを満たしている場合に限り適用できます。

① さまざまな顧客に対して幅広い価格帯で販売しているため、**独立販売価格が大きく変動する**

② 財又はサービスの価格を企業が未だ設定しておらず、**独立販売価格が確定していない**

例題 残余アプローチ

次の資料に基づいて、当期に製品を売り上げたときの仕訳を示しなさい。なお、売上収益は製品ごとに区分して計上すること。

[資　料]

1. 当社は、通常、製品X、製品Y、および製品Zをそれぞれ独立して販売している。各製品の独立販売価格は、以下のとおりである。

製品X	製品Y	製品Z	計
48,000円	45,000円	27,000円	120,000円

2. 当社は、通常、製品YとZを組み合わせて60,000円で販売している。

また、製品X、Y、Zを組み合わせて108,000円で販売しており、その値引額12,000円は製品YとZの独立販売価格からの値引きである。

3．当社は、製品X、Y、Zの他に製品Wを組み合わせて140,000円で販売する契約をA社（顧客）と締結した。また、製品の製造が完了次第、順次A社に納品することになっている。

4．当社は、製品Wをさまざまな顧客に幅広い価格帯（15,000円～45,000円）で販売している。また、独立販売価格の見積りに残余アプローチの適用が認められる場合、当該方法によっている。

5．当社は、当期に製品ZとWをA社に納品し、代金は掛けとした。

（売　掛　金）	54,500	（売上（製品Z））	22,500
		（売上（製品W））	32,000

〈取引価格の配分〉

	セット販売価格	独立販売価格	値引きの配分額	配分後の取引価格
製品X	140,000円	48,000円	－	48,000円
製品Y		45,000円	7,500円（＊1）	37,500円
製品Z		27,000円	4,500円（＊2）	22,500円
製品W		未確定	－	32,000円（＊3）

＊1　製品Yへの値引きの配分額：$12{,}000円 \times \dfrac{45{,}000円}{45{,}000円 + 27{,}000円} = 7{,}500円$

＊2　製品Zへの値引きの配分額：$12{,}000円 \times \dfrac{27{,}000円}{45{,}000円 + 27{,}000円} = 4{,}500円$

＊3　製品Wの独立販売価格：140,000円－（48,000円＋37,500円＋22,500円）＝32,000円

製品Wの独立販売価格は大きく変動しているため、残余アプローチを適用して製品Wの独立販売価格を見積もります。この結果、「セット販売価格140,000円－製品X、Y、Zに配分された合計額108,000円＝32,000円」となります。この金額は、製品Wの実際の販売価格（15,000～45,000円）の範囲内なので、配分結果は合理的であり、独立販売価格として認められます。

問題 >>> 問題編の**問題8**～**問題9**に挑戦しましょう！

6：収益の認識

履行義務の充足による収益の認識（ステップ5）

企業は約束した財又はサービスを顧客に移転することによって、履行義務を充足した時に、または充足するにつれて、収益を認識します。

履行義務をその性質によって２つに大別し、収益を認識します。一時点で充足される履行義務は、履行義務が充足された時点で収益を認識します（例：商品の販売）。一定の期間にわたり充足される履行義務は、その履行義務が充足されるにつれて収益を認識します（例：一定の期間にわたるサービスの提供）。

一時点で充足される履行義務

履行義務が一定の期間にわたり充足されるものではない場合には、**一時点で充足される履行義務**として、資産（財又はサービス）に対する支配を顧客に移転することにより、当該履行義務が充足された時に、収益を認識します。

資産に対する支配

資産（財又はサービス）に対する支配とは「**当該資産の使用を指図し、当該資産からの残りの便益のほとんどすべてを享受する能力**」と規定されています。

たとえば、資産を自由に利用したり、売買したりして、資産から生じる利益のほとんどを得ることができるのであれば、資産を支配しているといえます。

一定の期間にわたり充足される履行義務

企業が顧客との契約における義務を履行するにつれて、顧客が便益を享受するなどの要件を満たす場合は、**一定の期間にわたり充足される履行義務**として、資産（財又はサービス）に対する支配を顧客に一定の期間にわたり移転することにより、履行義務を充足するにつれて収益を認識します。

（参考）一定の期間にわたり充足される履行義務

履行義務が以下①～③のいずれかに該当する場合には、一定の期間にわたり収益を認識します（進捗度を合理的に見積もることができない場合を除く）。

① 企業が契約における**義務を履行するにつれて、顧客が便益を享受する**場合（＊1）

② 企業が契約における**義務を履行することにより、資産が生じるか資産の価値が増加し、それにつれて顧客が当該資産を支配する**場合（＊2）

③ 契約における**義務の履行により、他に転用できない資産が生じ、かつ企業が義務の履行を完了した部分について、対価を収受する強制力のある権利を有している**場合（＊3）

＊1 日常的又は反復的なサービス、例えば清掃サービスなど
＊2 例えば顧客が所有する土地で行われる建物建築工事など
＊3 例えばコンサルティングサービス、特別仕様のソフトウェアの制作、建物建築工事など

一定期間にわたり充足される履行義務の会計処理

一定期間にわたり充足される履行義務の会計処理は、次のように分類できます。

進捗度（履行義務の充足の程度）を合理的に見積もることができる場合、原則として①の方法を適用します（②③は**Chapter10**で解説します）。

① **進捗度に基づき一定期間にわたり収益を認識**
② 完全に履行義務を充足した時点で収益を認識
③ 原価回収基準

本章では「一定期間にわたり充足される履行義務」のうち、単純な（日常的・反復的な）サービス業務を扱います（単純作業ゆえに、経過時間に基づいて進捗度を見積もるケース）。これ以外には、工事契約等（工事契約と受注制作のソフトウェア）がありますが、詳細は**Chapter10**で解説します。

例題　**一定期間にわたり充足される履行義務（日常的または反復的なサービス）**

下記の［資料］に基づいて、X2年度決算日、X3年度決算日、契約満了日、入金日の当社の仕訳を示しなさい。なお、顧客に対する債権は売掛金として計上すること。当社の決算日は年1回、3月31日である。

［資　料］

(1)　当社は、X2年10月1日、清掃サービスを提供するため、甲社と2年の解約不能期間を有する契約を締結した。

(2)　当社は、清掃サービスを、2年間（X2年10月1日からX4年9月30日）にわたり、最大で1か月に4回、必要に応じて甲社に提供する。

(3)　甲社は、清掃サービスに対して1か月あたり50千円の固定価格を支払うものとし、X4年10月31日に2年分が一括して支払われ、当社の普通預金口座に入金された。

(4)　当社は、経過期間に基づいて履行義務の充足に係る進捗度を見積もる。

解答

（仕訳の単位：千円）

(1)　X3年3月31日（X2年度決算日）

（売　掛　金）	300	（売　　上）	300*

*　50千円×6か月(X2年10月1日からX3年3月31日)＝300千円

(2)　X4年3月31日（X3年度決算日）

（売　掛　金）	600	（売　　上）	600*

*　50千円×12か月(X3年4月1日からX4年3月31日)＝600千円

(3)　X4年9月30日（契約満了日）

（売　掛　金）	300	（売　　上）	300*

*　50千円×6か月(X4年4月1日からX4年9月30日)＝300千円

(4)　X4年10月31日（入金日）

（普　通　預　金）	1,200	（売　掛　金）	1,200

Chapter 6 のまとめ

□ 取引価格（ステップ3）

財又はサービスの顧客への移転と交換に企業が権利を得ると見込む対価の額（ただし、第三者のために回収する額を除く）

□ 取引価格の算定にあたって考慮すべき要素

① 変動対価
② 契約における重要な金融要素
③ 現金以外の対価
④ 顧客に支払われる対価

□ 変動対価

顧客と約束した対価のうち変動する可能性のある部分

□ 変動対価の見積り方法

以下のいずれかのうち、企業が権利を得ることとなる対価の額をより適切に予測できる方法を用いる。

最頻値による方法	発生しうると考えられる対価の額におけるもっとも可能性の高い単一の金額（最頻値）による方法
期待値による方法	発生しうると考えられる対価の額を確率で加重平均した金額（期待値）による方法

□ 変動対価の取扱い

変動対価が含まれている場合、財又はサービスの顧客への移転と交換に企業が権利を得ると見込む対価の額を見積もる。

□ 収益認識基準の適用下における売上戻り、売上割戻の取扱い

予測できるものは予め変動対価として見積もり、予測できないものは発生時に収益を取り消す。

売上戻り（売上返品）

- 返品権付きの販売 → 変動対価として見積もる
- 欠陥品の返品 → 製品保証引当金の設定対象（収益の減額ではなく費用とする）
- 品違いなどによる偶発的な返品 → 売上の取り消し

売上割戻（販売奨励金など）

- 契約書に明記されている、または顧客が合理的な期待をしている
  →変動対価として見積もる
- 契約に定めはないが、事後的に支払いを決定した
  →販売奨励金の支払いを約束したときに売上を減額

□ 重要な金融要素の会計処理

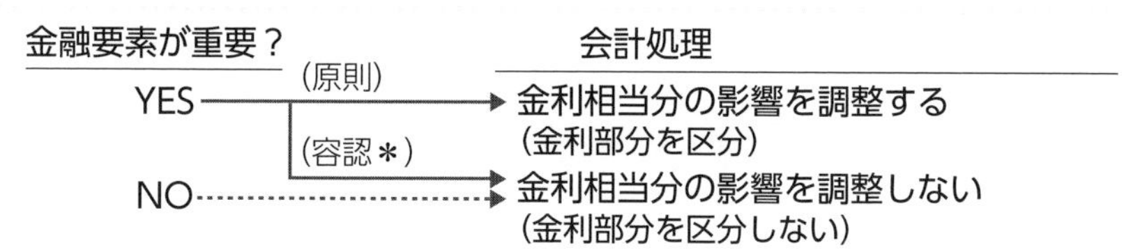

＊財又はサービスの移転から代金回収までの期間が1年以内と見込まれる場合のみ

□ 顧客に支払われる対価の会計処理

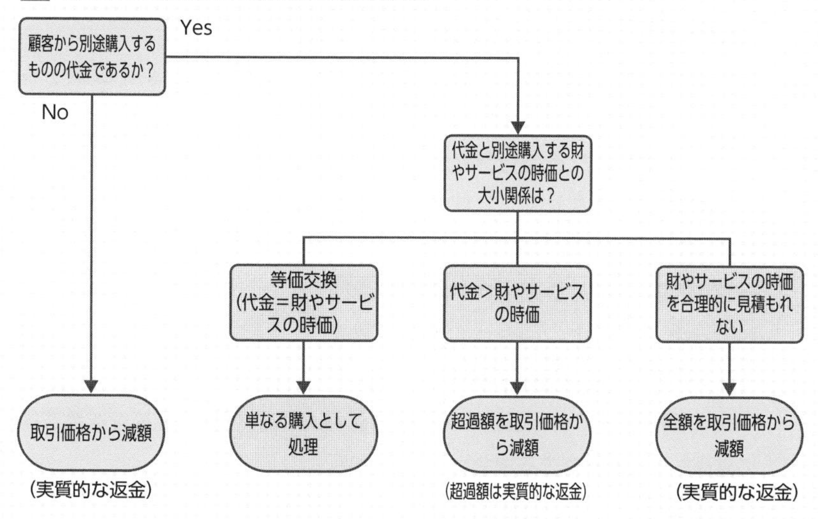

☐ **取引価格の配分（ステップ4）**

（契約において履行義務が複数存在する場合）取引価格をそれぞれの履行義務に配分する。

取引価格の配分は、基本的に、契約における取引開始日の独立販売価格を基準に行う。

☐ **独立販売価格**

財又はサービスを独立して企業が顧客に販売する場合の価格

☐ **収益の認識（ステップ5）**

履行義務を充足した時に、または充足するにつれて、収益を認識する

☐ **一時点で充足される履行義務**

履行義務が充足された時に収益を認識

☐ **一定の期間にわたり充足される履行義務**

履行義務を充足するにつれて収益を認識

☐ **一定の期間にわたり充足される履行義務の収益認識（進捗度を合理的に見積もることができる場合）**

進捗度に基づいて一定期間にわたり収益を認識

収益認識基準 3

本章では、一般的な商品販売を前提として、特定のケースにおける収益認識基準の論点を学習します。

複数の商品の引渡し、販売代理人、ポイント制度など、日常的に馴染みがある取引も多いので、実際の取引をイメージしながら、あるべき会計処理を考えましょう。

Chapter 7

損益会計

収益認識基準３

≫収益認識のその他の論点を確認しましょう！

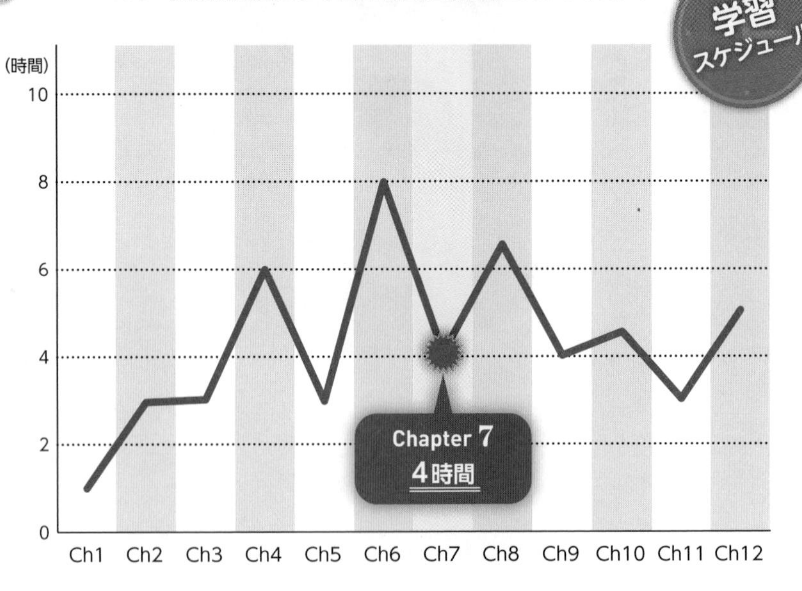

Check List

- □ 契約資産・顧客との契約から生じた債権について理解しているか？
- □ 本人と代理人の区分について理解しているか？
- □ 契約負債について理解しているか？
- □ ポイント制度の会計処理を理解しているか？

Link to 財務諸表論① Chapter7 収益認識基準

財務諸表論でもいくつか同じ論点を取り扱っていますが、理論と計算の両面から問われそうな論点や、財務諸表の表示に関わる論点を中心に掲載しています。

1：契約資産

契約資産と顧客との契約から生じた債権

収益認識に関する会計基準では、企業が顧客から受け取る対価に対する企業の権利（顧客に対する債権）を、契約資産と顧客との契約から生じた債権に分けています。

⑴ 契約資産

契約資産とは、企業が顧客に移転した財又はサービスと交換に受け取る対価に対する企業の権利のうち、顧客との契約から生じた債権以外のものです。

⑵ 顧客との契約から生じた債権

顧客との契約から生じた債権とは、企業が顧客に移転した財又はサービスと交換に受け取る対価に対する企業の権利のうち、無条件のものです。

⑴⑵の違いは、無条件で対価を受け取れる状態か否かです。「無条件」とは、財やサービスを顧客に提供済みで、あとは時間が経過すれば取引の対価を受け取れる状態を指します。
なお、「契約資産」はそのまま勘定科目としても使われますが、「顧客との契約から生じた債権」は単なる分類名であり、具体的な科目としては売掛金、営業債権などが該当します。

例題 契約資産

以下の取引について、⑴商品Xの引渡時、⑵商品Yの引渡時の仕訳をそれぞれ示しなさい。

当社はA社と商品Xおよび商品Yを合わせて20,000円で販売する契約を締結した。当該契約締結後、直ちに商品Xの引渡しを行うが、商品Yの引渡しは当月末に行われる。なお、対価20,000円の支払いは商品X、Y両方の引渡しが条件となっており、翌月末に支払われる。

商品Xの独立販売価格：12,000円

商品Yの独立販売価格： 8,000円

解答

(1) 商品Xの引渡時

(契約資産)	12,000	(売上)	12,000

(2) 商品Yの引渡時

(売掛金)	20,000	(契約資産)	12,000
		(売上)	8,000

商品Xの引渡時には、商品Xについて売上を計上しますが、対価の支払いは商品X、Y両方の引渡しが条件であるため、顧客との契約から生じた債権ではなく、契約資産として処理します。この債権は、商品Yを引渡した時に、対価に対する無条件の権利となるため、契約資産から売掛金に振り替えます。

問題 >>> 問題編の**問題1**に挑戦しましょう！

2：本人と代理人

本人と代理人の区分の判定

企業が財又はサービスを提供する際に、他の当事者が関与している場合があります。このとき、企業が本人に該当する場合と代理人に該当する場合では提供する履行義務が異なるので、収益の表示方法（**総額**表示または**純額**表示）について違いが生じます。そのため、企業が本人か代理人のどちらに該当するのかという判定をする必要があります。

従来、日本の企業会計原則では、原則として、収益や費用を総額で表示すると定められていた程度で、具体的な規定はほとんどありませんでした。

本人と代理人のいずれに該当するかについては、顧客に提供する財又はサービスを識別し、財又はサービスのそれぞれが顧客に提供される前に、当該財又はサービスを企業が**支配しているかどうか**によって判断します。

Point 本人と代理人の区分の判定

本人か代理人かの判定において、企業が財又はサービスを顧客に提供する前に支配しているかどうかを判断するにあたっては、例えば、次の①～③の指標を考慮します（あくまで例示であり、絶対的な基準ではありません。したがって、試験では難しい判定をさせるような問題は出ないと思われます）。

① 企業が財又はサービスを提供するという**約束の履行に対して主たる責任を有している**こと

② 財又はサービスが顧客に提供される前、あるいは財又はサービスに対する支配が顧客に移転した後において、企業が**在庫リスクを有している**こと

③ 財又はサービスの**価格の設定**において企業が**裁量権を有している**こと

企業が本人に該当する場合

企業が本人に該当すると判定された場合、企業の履行義務は当該財又はサービスを企業が自ら提供することです。この場合、財又はサービスの提供と交換に企業が権利を得ると見込む対価の**総額**を収益として認識します。

例題　企業が本人に該当する場合

次の資料に基づいて、A社の仕訳を示しなさい。

[資　料]

1．A社は、主要な航空会社と交渉し、一般販売価格より安く航空券を購入しており、それを販売できるかどうかにかかわらず、航空会社に航空券の代金を支払う。

2．A社は、自らの顧客に航空券を販売し、対価を受け取る。販売価格はA社が自ら決定している。

3．A社は、航空サービスへの顧客の不満を解決するサポートを行っているが、航空券に関する義務（フライト）の履行責任は各航空会社にある。

4．A社は、当該契約について、A社の履行義務は航空券を自ら顧客に提供することであり（顧客に提供される前に、航空券をA社が支配している）、自らは本人に該当すると判断した。

5．A社は航空会社から3,600円で購入した航空券を、現金4,000円で顧客に販売した。

解答

(現　　金)	4,000	(営 業 収 益)	4,000[*1]
(営 業 費 用)[*2]	3,600	(買 掛 金)	3,600

＊1　顧客に移転する航空券と交換に顧客から権利を得る対価の総額4,000円を収益として認識します。なお、勘定科目は「営業収益」または「売上」などとします。

＊2　または売上原価など

〈(参考) 本人と代理人の区分の判定〉

A社は航空券について在庫リスクと価格決定権を有していますが、航空券を転売しているだけで、顧客にサービスを提供するのは航空会社なので、財又はサービスを提供するという約束の履行に対して主たる責任を有しているとはいいにくい状況です。

ただし、この他に「他の当事者が履行するサービスに対する権利を企業が獲得することにより、企業が当該他の当事者に顧客に対してサービスを提供するよう指図する能力を有する場合には、企業は当該権利を支配している」という判断基準が存在します。これに照らすと、A社は、顧客に提供される前に特定のフライトの座席に対する権利を支配しているといえます。以上より、A社は「本人」に該当すると判断されます。

企業が代理人に該当する場合

企業が代理人に該当すると判断された場合、企業の履行義務は、財又はサービスが他の当事者によって提供されるように企業が手配することです。

顧客との約束が他の当事者によって提供されるように企業が手配するとは、言いかえると、企業が他の当事者の代理人として顧客と取引を行うということです。

この場合、他の当事者により提供されるように手配することと交換に企業が権利を得ると見込む**報酬または手数料の金額**（あるいは他の当事者が提供する財又はサービスと交換に受け取る額から当該他の当事者に支払う額を控除した**純額**）を収益として認識します。

例題　**企業が代理人に該当する場合**

次の資料に基づいて、顧客がウェブサイトを通じて、製品Xを4,000円で購入した日におけるA社の仕訳を示しなさい。

［資　料］

1．A社はウェブサイトを運営しており、顧客は当該ウェブサイトを通じて、多くの供給者から製品を直接購入することができる。

2．A社は、B社（供給者）との契約条件に基づき、B社の製品Xが当該ウェブサイトを通じて販売される場合、販売価格の10%に相当する手数料を得る。なお、製品Xの販売価格はB社によって設定されている。

3．A社は、注文が処理される前に顧客に支払を求めており、すべての注文について返金は不要である。

4．A社は、顧客に製品Xが提供されるように手配した後は、顧客に対してそれ以上の義務を負わない。

5．A社は、自らは当取引における代理人であり、その履行義務はB社によって製品Xが提供されるように手配することであると判断した。

(売　掛　金)	400	(営 業 収 益)	400*

＊　B社により製品Xが顧客に提供されるよう手配する履行義務をA社が充足する時に、A社は自らが権利を得る手数料の金額400円（4,000円×10%）を収益として認識します。また、勘定科目は「営業収益」や「手数料収入」、主たる営業収益として「売上」などを用います。

〈（参考）本人と代理人の区分の判定〉

A社が顧客に提供するのはB社が供給する製品Xであり、A社は製品Xが顧客に提供されるように手配しているだけなので、製品Xの提供について主たる責任を有していません。

また、A社は製品Xについて在庫リスクと価格決定権を有しておらず、顧客に提供される前に製品Xの在庫を支配しているとはいえません。したがって、A社は「代理人」と判断できます。

消化仕入契約とは

消化仕入契約とは、百貨店などの小売業が行う仕入形態のひとつで、百貨店がテナントから商品を仕入れた段階では、商品の所有権はテナント側にあり、百貨店側は仕入を認識しません。その後、百貨店が顧客に商品を販売したときに、百貨店がテナントから商品を仕入れ、即座に顧客に移転したと考えます。

百貨店側は、在庫リスクを負わずに売れた分だけ利益を確保できるため、利益率は低く設定されますが、小売業では広く採用されています。

消化仕入契約はその性質上在庫リスクを自身が負うことはなく、商品が提供されるように手配する義務のみを負うことから（取引の実態はテナントと顧客間での商品売買であり、百貨店は場所を貸してマージンを受け取っているだけ）、企業（百貨店）は代理人に該当すると考えて処理します。

例題

消化仕入契約

次の［資料］の取引について、A社が商品を販売したときの仕訳を答えなさい。

［資　料］

1．小売業を営むA社は、商品を仕入れ、店舗に陳列して顧客に対し販売を行っている。

2．仕入先B社とは次の消化仕入契約を締結している。

A社は、店舗への商品納品時には検収を行わず、店舗にある商品の所有権はB社が保有している。また、商品に関する保管管理責任および商品に関するリスクもB社が有している。A社は、店舗に並べる商品の種類や価格等について一定の関与を行うが、個々の商品の品揃えや販売価格の決定権はB社にある。顧客への商品販売時に商品の所有権はB社からA社に移転し、同時に（即座に）顧客に移転する。A社は、商品の販売代金を顧客から受け取り、販売代金に80%を乗じた金額について、B社に対する支払義務を負う。

3．A社は、当契約において、自らの履行義務は商品が提供されるように手配することであり、自らは代理人に該当すると判断した。

4．A社は、商品を10,000円で顧客に現金で販売した。同時に、消化仕入契約に基づき仕入先B社からこの商品を仕入れたことになる。

解答

(現　　　金)	10,000	(買　掛　金)	8,000
		(売　　　上)	2,000*

＊ 消化仕入契約では、契約上、商品が売れた段階で、その商品の仕入れを行ったことになります。しかし、Ａ社は代理人と判定されたので、会計上は、売上、仕入をそれぞれ総額で計上するのではなく、商品販売により受け取った対価10,000円からＢ社に支払う8,000円を控除した純額2,000円を収益として認識します。

〈(参考) 本人と代理人の区分の判定〉

消化仕入契約において、売り場において実際に商品を販売するのはＢ社の店員であり、Ａ社は商品の提供に主たる責任を負ってはいません。

また、商品の在庫リスク、価格決定権などはＢ社にあるので、Ａ社は顧客に提供される前の商品を支配しているとは言えません。

したがってＡ社は通常「代理人」に該当すると判定され、Ａ社の履行義務はＢ社によって商品が提供されるように手配することになります。

問題 >>> 問題編の**問題２**～**問題４**に挑戦しましょう！

3：契約負債

契約負債とは

財又はサービスを顧客に移転する企業の（未履行の）義務に対して、企業が顧客から対価を受け取ったものまたは対価を受け取る期限が到来しているものをいいます。契約負債は、**契約負債**や**前受金**等の適切な科目をもって貸借対照表に表示します。

ポイント制度とは

企業は販売促進戦略の一環として、顧客を囲い込むため、商品またはサービスを顧客に提供する際に、将来企業から商品またはサービスを購入するときに使用することで、使用した金額分の値引きが受けられるポイントを顧客に付与することがあります。これをポイント制度といいます。

企業が顧客に付与するポイントには、自社が運営するポイントと他社が運営するポイントがあります。

自社ポイントを付与する場合

顧客との契約において、商品やサービスの提供に加えて自社ポイントを顧客に付与する場合、自社ポイントが「契約を締結しなければ顧客が受け取れない重要な権利を顧客に提供するもの」であれば、企業は自社ポイントについて別個の履行義務を識別します。

重要な権利を顧客に提供する場合とは、たとえば、将来顧客が企業から商品やサービスを購入したときに、顧客の属する地域や市場における通常の値引きの範囲を超える値引きを顧客に提供する場合のことをいいます。

この場合、自社ポイント（に配分される取引価格）は売上ではなく**契約負債**として処理します。また、取引価格を付与した自社ポイントへ配分する際は、企業が提供する商品やサービスの独立販売価格と自社ポイントの独立販売価格との比率で行います。その後、顧客が自社ポイントを使用する時、あるいは自社ポイントが失効する時に収益を認識します。

自社ポイントには販売価格が存在しないため、自社ポイントが使用される可能性を考慮したうえで、自社ポイントの独立販売価格を見積もる必要があります。

例題

自社ポイントを付与する場合

次の資料に基づいて、(1)A社が商品を販売したとき、(2)X1年度末、(3)X2年度末における仕訳をそれぞれ示しなさい。

［資　料］

1．A社は、A社の商品を顧客が10円分購入するごとに3ポイントを顧客に付与するカスタマー・ロイヤルティ・プログラムを提供している。顧客は、ポイントを使用して、A社の商品を将来購入する際に1ポイント当たり1円の値引きを受けることができる。

2．X1年度中に、A社は顧客に対して商品50,000円を現金で販売し、将来のA社の商品購入に利用できる15,000ポイント（＝50,000円÷10円×3ポイント）を付与した。対価は固定であり、A社が販売した商品の独立販売価格は50,000円であった。

3．A社は商品の販売時点で、将来12,500ポイントが使用されると見込んだ。A社は顧客により使用される可能性を考慮して、ポイントの独立販売価格を12,500円と見積もった。

4．当該ポイントは、契約を締結しなければ顧客が受け取れない重要な権利を顧客に提供するものであるため、A社は、ポイントの付与により履行義務が生じると結論付けた。

5．A社はX2年度末において、使用されるポイント総数の見積りを14,000ポイントに更新した。

6．各年度に使用されたポイント、決算日までに使用されたポイント累計および使用されると見込むポイント総数は次のとおりである。

	X1年度	X2年度
各年度に使用されたポイント	5,500	6,400
決算日までに使用されたポイント累計	5,500	11,900
使用されると見込むポイント総数	12,500	14,000

解答

(1) A社が商品を販売したとき

(現　　　金)	50,000	(売　　　上)	40,000[*1]
		(契 約 負 債)	10,000[*2]

＊1　商品：50,000円

$$\times \frac{\text{商品の独立販売価格50,000円}}{\text{独立販売価格の合計（商品50,000円＋ポイント12,500円）}}$$

＝40,000円

＊2　ポイント：50,000円

$$\times \frac{\text{ポイントの独立販売価格12,500円}}{\text{独立販売価格の合計（商品50,000円＋ポイント12,500円）}}$$

＝10,000円

自社ポイントの独立販売価格は、顧客が使用する可能性を考慮した12,500円となります。顧客に付与された15,000ポイントをそのまま独立販売価格としないように注意しましょう。

(2) X1年度末

(契 約 負 債)	4,400[*3]	(売　　　上)	4,400

＊3　10,000円

$$\times \frac{\text{X1年度末までに使用されたポイント5,500ポイント}}{\text{使用されると見込むポイント総数12,500ポイント}}$$

＝4,400円

(3) X2年度末

(契 約 負 債)	4,100[*4]	(売　　　上)	4,100

＊4　10,000円

$$\times \frac{\text{X2年度末までに使用されたポイント11,900ポイント}}{\text{変更後に使用されると見込むポイント総数14,000ポイント}}$$

＝8,500円

8,500円－X1年度末に計上した収益4,400円＝4,100円

商品の販売にともなって計上された契約負債は、顧客による自社ポイントの使用に応じて契約負債から売上に振り替えます。

他社ポイントを付与する場合

顧客との契約において、商品やサービスの提供に加えて他社ポイントを顧客に付与する場合、他社ポイントが「契約を締結しなければ顧客が受け取れない重要な権利を顧客に提供するもの」でなければ、企業は他社ポイントについて別個の履行義務を識別しません。

この場合には、商品やサービスの販売代金から、他社ポイントの付与により生じた他社への支払額（未払金）を控除した金額を収益として認識します。

他社ポイントの付与により生じた他社への支払額は、第三者のために回収する金額となるので、収益として認識することはできません。

例題　他社ポイントを付与する場合

次の資料に基づいて、A社が商品を販売したときの仕訳を示しなさい。

［資　料］

1．小売業を営むA社は、第三者であるB社が運営するポイントプログラムに参加している。プログラムの下では、A社は、A社の店舗で商品を購入した顧客に対し、購入時に当該ポイントプログラムのメンバーであることが表明された場合には、購入額100円につきB社ポイントが1ポイント付与される旨を伝達する。同時に、A社は、B社に対してその旨を連絡し、B社はA社の顧客に対してB社ポイントを付与する。その後、A社はB社に対し、1ポイントにつき1円を支払う。

2．A社の顧客に対して付与されたB社ポイントは、A社に限らず、B社が運営するポイントプログラムに参加する企業において利用できる。また、それらの企業における商品の購入で獲得されたB社ポイントも、A社で利用できる。
3. A社とB社との間に、上記以外の権利および義務は発生しない。
4. A社は、自社の店舗で商品を顧客に現金10,000円で販売するとともに、顧客に対してB社ポイントが100ポイント付与される旨を伝達した。同時に、A社はB社に対してポイント付与の旨を連絡した。
5. A社は、A社の観点からは、B社ポイントの付与は顧客に重要な権利を提供していないと判断した。A社は、B社ポイントが顧客に対して付与される旨をB社に連絡し、同時にB社ポイントに相当する代金をB社に対して支払う義務を有するのみであると結論付けた。

(現　　　金)	10,000	(売　　　上)	9,900*1
		(未　払　金)	100*2

＊1　10,000円－100円＝9,900円
＊2　B社に対する支払額

A社は、顧客に対する商品販売の履行義務に係る取引価格の算定において、B社のために回収する金額である100円を控除します。

商品券等

商品券等とは、特定の店舗で財又はサービスの購入に充てることができる金券であり、商品券やギフトカードといった名称で発行されています。

商品券には、発行した企業が運営する店舗等でのみ利用できるものと、加盟店で共通して利用できるものがあります。本書では、発行した企業が運営する店舗等でのみ利用できる商品券について、発行側の会計処理を解説します。

商品券等の会計処理

商品券等を販売した時点では、将来、商品やサービスを提供する義務が残るため、収益を認識せず、**契約負債**を計上します。その後、履行義務を充足（商品券の呈示を受けて商品を引き渡すなど）した時点で収益を認識します。

なお、将来にわたって顧客により行使されない部分（非行使部分）について、将来、顧客がその権利を行使しないことが（あらかじめ）見込まれる場合は、顧客が権利を行使するパターンに比例して収益を認識します。一方、顧客がその権利を行使しないことが見込まれない場合は、顧客が残りの権利を行使する可能性が極めて低くなった時に収益を認識します。

Point 非行使部分

非行使部分について、顧客がその権利を行使しないことが(あらかじめ)見込まれるか？

- YES → 顧客による権利行使のパターンと比例的に収益を認識する。
- NO → 顧客が残りの権利を行使する可能性が極めて低くなった時に収益として認識する。

例題 商品券等

下記の取引について、⑴商品券販売時、⑵顧客による商品券利用時の仕訳をそれぞれ示しなさい。

X1年度に、小売業者A社は自社でのみ使用可能な商品券（額面100千円）を顧客に販売し、代金100千円を受領した。A社は過去の実績に基づき、額面金額の10%が非行使になると見込んでいるが、非行使部分に相当する金額を顧客に返金する必要はない。また、10%を非行使部分と扱って権利行使と比例的に収益を計上しても、その後に収益の著しい減額が生じない可能性が高い。

X1年度において、顧客はこの商品券のうち、27千円を利用した。

解答

（仕訳の単位：千円）

(1) 商品券販売時

(現金預金)	100	(契約負債)	100

(2) 顧客による商品券利用時

(契約負債)	27	(売上)	27
(契約負債)	3	(売上)	3*1

＊1　非行使部分について、顧客の権利行使パターンと比例的に収益を認識します。

$$100円\times 10\%\times \frac{今回行使された27円}{行使されると見込まれる合計額90円}＝3円$$

〈参考：顧客による商品券利用時（非行使部分を顧客が行使しないと見込まれない場合）〉

(契約負債)	27	(売上)	27*2

＊2　非行使部分は、顧客が残りの権利を行使する可能性が極めて低くなった時点で収益を認識するため、商品券利用時には認識しません。

非行使部分を顧客が権利行使しないと見込まれない場合とは、当社が顧客の非行使部分を事前に見積もれない場合などが含まれます。

問題 >>> 問題編の**問題5**に挑戦しましょう！

Chapter 7 のまとめ

□ 契約資産と顧客との契約から生じた債権

契約資産

企業が顧客に移転した財又はサービスと交換に受け取る対価に対する企業の権利のうち、顧客との契約から生じた債権以外のもの

顧客との契約から生じた債権

企業が顧客に移転した財又はサービスと交換に受け取る対価に対する企業の権利のうち、無条件のもの

□ 本人と代理人の区分

財又はサービスの提供に、他の当事者が関与している場合

当社が本人に該当する場合	収益を総額で計上
当社が代理人に該当する場合	収益を純額で計上

□ 消化仕入契約

消化仕入契約においては、企業は通常商品の在庫リスクを有しておらず、顧客に提供される前の商品を支配しているとはいえない。

→企業は「代理人」に該当し、収益を純額で計上する。

□ 契約負債

財又はサービスを顧客に移転する企業の（未履行の）義務に対して、企業が顧客から対価を受け取ったものまたは対価を受け取る期限が到来しているもの

□ ポイント制度

販売時に自社が運営するポイントを付与するか、他社が運営するポイントを付与するかによって、処理が異なる。

自社ポイントを付与	自社ポイントについて別個の履行義務を認識し、売上ではなく契約負債として処理。その後、顧客がポイントを使用するか、ポイントが消滅した際に収益を認識。
他社ポイントを付与	他社ポイントについて別個の履行義務を認識せず、販売代金から他社ポイントの付与により生じた他社への支払額（未払金）を控除した金額を収益として認識。

CHAPTER 8

特殊商品売買1

旧来の会計基準では、商品販売を一般商品販売と特殊商品販売に区分して会計処理を規定していましたが、収益認識基準は多様な契約に対応することを目的に開発された基準であるため、これらの区分はあまり意味を持たなくなりました。

本章では、割賦販売と委託販売について、収益認識基準を適用した場合の会計処理について学習します。

Chapter 8

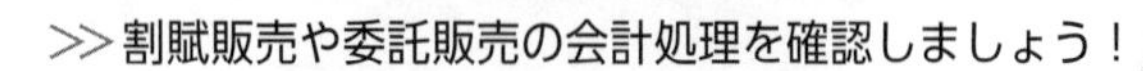

特殊商品売買 1

>> 割賦販売や委託販売の会計処理を確認しましょう！

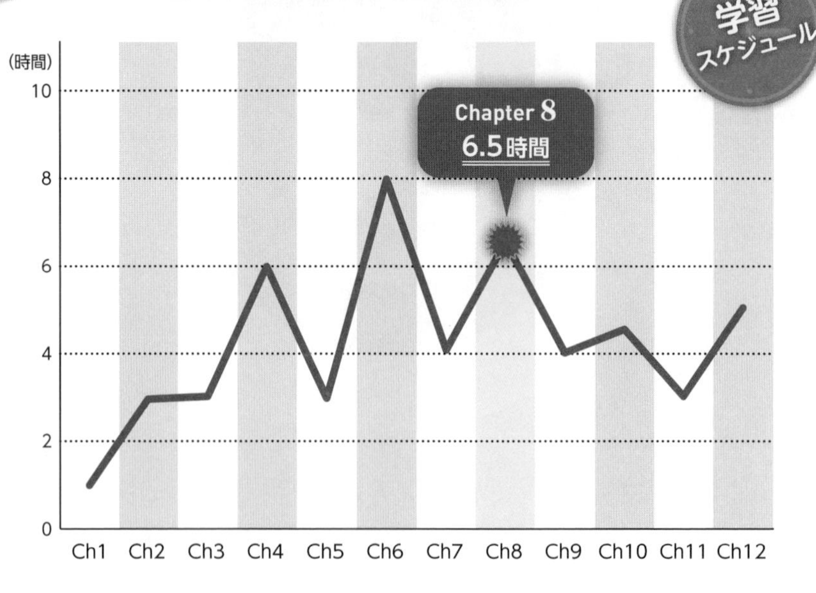

Check List

- □ 割賦販売の会計処理を理解しているか？
- □ 契約における重要な金融要素の処理を理解しているか？
- □ 委託販売の会計処理を理解しているか？
- □ 積送諸掛の会計処理を理解しているか？
- □ 受託販売の会計処理を理解しているか？

Link to

財務諸表論では、特殊商品売買が計算で問われる可能性は低いため、簿記論特有の論点といえます。

1：特殊商品売買とは

商品販売について、従来は「一般商品販売」「委託販売」「試用販売」といった区分に当てはめて、各区分の規程に従い、収益の計上を行ってきました。しかし、ビジネスの現場では日々新たな取引が考案されていて、それに対して１つ１つ会計基準を策定していたら間に合いません。そこで、多様な商品販売取引に対応するため、「収益認識に関する会計基準」が制定されました。今後、実務上は、営業収益に係る契約を一つ一つ吟味して、契約内容に応じて適切な会計処理を採用します。しかし、試験上は、商品販売に係る契約内容を記述すると問題文が長くなるため、「C商品は試用販売を行っている」など、従来の表現を使って出題される可能性があります。したがって、典型的な特殊商品売買の内容と、収益認識の会計処理をおさえておきましょう。

Point 収益認識基準適用下における特殊商品売買

収益認識基準の適用による主な影響は以下の通りです。

割賦販売：回収期限到来基準・回収基準の廃止、金利部分の区分処理

委託販売：売上計算書到達日基準の廃止

試用販売、予約販売、受託販売、未着品売買：特段の影響なし

2：割賦販売とは

割賦販売の意義

割賦販売とは、商品引渡後に月払い等により代金を分割して回収する販売形態です。

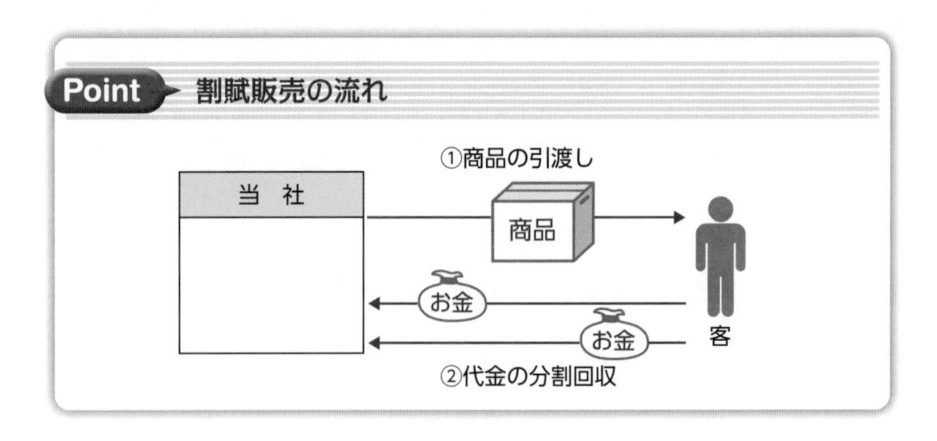

3：割賦販売の会計処理

会計処理

(1) **販売時**

商品の引渡時に販売高の全額を収益として計上し（販売基準）、割賦売上勘定で処理するとともに、掛け代金を割賦売掛金勘定で処理します。

(2) **割賦代金回収時**

回収した代金の金額だけ割賦売掛金を減少させます。

収益認識基準の適用により、割賦販売は通常の商品売買と同様、商品の引渡時に収益を計上します（販売基準）。従来認められていた回収基準・回収期限到来基準は適用できません。

例題 **販売基準**

次の各取引の仕訳を示しなさい。なお、契約における重要な金融要素については考慮しない。

(1) 商品900円を、割賦販売により売り上げた。

(2) 割賦代金のうち400円を現金で回収した。

解答

(1) **販売時**

(割賦売掛金)	900	(割　賦　売　上)	900

(2) **割賦代金回収時**

(現　　　　金)	400	(割賦売掛金)	400

問題 >>> 問題編の**問題1**に挑戦しましょう！

割賦販売では、一般商品販売によって生じた売上や売掛金と区別するために、「割賦売上」「割賦売掛金」勘定が使われることがあります。勘定科目は問題文の指示や答案用紙に従ってください。

4：契約における重要な金融要素

割賦販売における重要な金融要素

割賦販売の場合、通常、販売側にとっては金利の受け取りも重要な収益源であるため、金利部分は重要な要素となります。したがって、特に指示がない限り、対価に含まれる金利部分を区分します。

重要な金融要素の会計処理

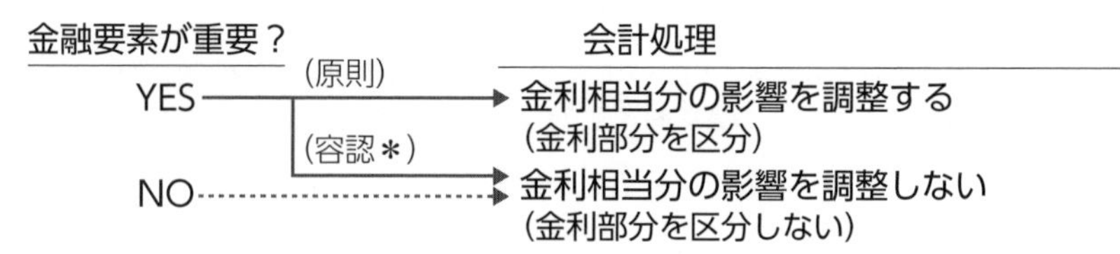

＊財又はサービスの移転から代金回収までの期間が１年以内と見込まれる場合のみ

例題　**掛けによる商品販売（契約における重要な金融要素）**

下記の取引に関して、会計処理⑴⑵のそれぞれの方法で、①商品を引き渡したとき、②回収期日に掛代金を回収したとき、③回収期日より早く掛代金を回収したとき（金利10円を減免する）の仕訳を示しなさい。

商品（現金販売価格980円、掛売上高1,000円）を掛けで売り上げた。なお、掛売上の対価に含まれる金利は重要性があると判断された。

⑴約束した対価の額に含まれる金利相当分の影響を調整する方法（原則）

⑵約束した対価の額に含まれる金利相当分の影響を調整しない方法（容認）

解答

⑴　**金利相当分を調整する方法**

①　**販売時：現金販売価格（を反映する金額）で収益を認識**

(売　掛　金)	980	(売　　上)	980＊

② 掛代金回収時：経過期間に応じて金利を計上

(売　掛　金)	20	(受 取 利 息)	20*
(現　　　金)	1,000	(売　掛　金)	1,000

* 現金販売価格分は販売時に収益を計上し、金利部分は一定期間にわたり収益を計上します。

③ 早期回収した場合：経過期間に応じて金利を計上

(売　掛　金)	10	(受 取 利 息)	10
(現　　　金)	990	(売　掛　金)	990

(2) 金利相当分を調整しない方法

① 販売時：顧客と約束した対価で収益を計上

(売　掛　金)	1,000	(売　　　上)	1,000*

* 金利部分も含めて、販売時に収益を計上します（金利部分が重要ではない場合もこの処理になります）。

② 掛代金回収時

(現　　　金)	1,000	(売　掛　金)	1,000

③ 早期回収した場合：売上を減額して調整

(現　　　金)	990	(売　掛　金)	1,000
(売　　　上)	10		

どのような方法で処理するのか、問題資料や問題文の指示を確認しましょう。なお、(1)の計算を行うには、金利の計算条件（利率など）が明らかであることが前提となります。また、通常、商品売買の代金決済は１年以内であるため、(2)の容認処理を選択できるケースは多いと思われます。

例題

割賦販売（契約における重要な金融要素）

次の各取引について、仕訳を示しなさい。なお、利息相当分は回収期間にわたって均等に配分して計上する。

⑴　商品（現金販売価格1,800円、割賦販売高2,000円）を割賦販売により売り上げた。なお、商品代金は20回の分割払いにより受け取る。

⑵　割賦代金のうち100円を現金で回収した。

解答

⑴　**販売時**

(割賦売掛金)	1,800	(売　　　上)	1,800

⑵　**割賦代金回収時**

(現　　　金)	100	(割賦売掛金)	90*1
		(受取利息)	10*2

＊1　1,800円÷20回＝90円
＊2　(2,000円－1,800円)÷20回＝10円

重要な金融要素の表示

顧客との契約に重要な金融要素が含まれる場合、顧客との契約から生じる収益（売上）と金融要素の影響（受取利息または支払利息）を損益計算書において区分して表示します。

問題 >>> 問題編の**問題２～問題３**に挑戦しましょう！

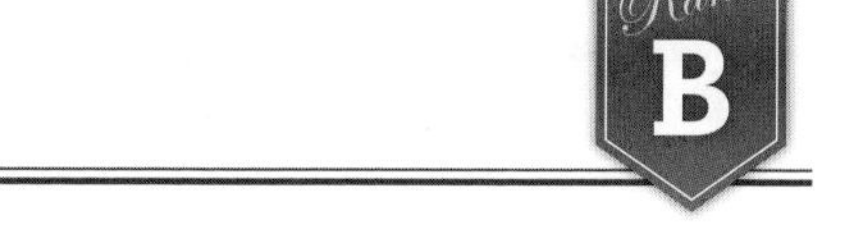

5：委託販売とは

Rank B

委託販売の意義

委託販売とは、委託者が受託者に対して自己の商品の販売を委託する販売形態のことをいいます。

委託者は委託販売に係るすべての費用を負担し、受託者に対する報酬として販売手数料を支払います。

Point 委託販売の流れ

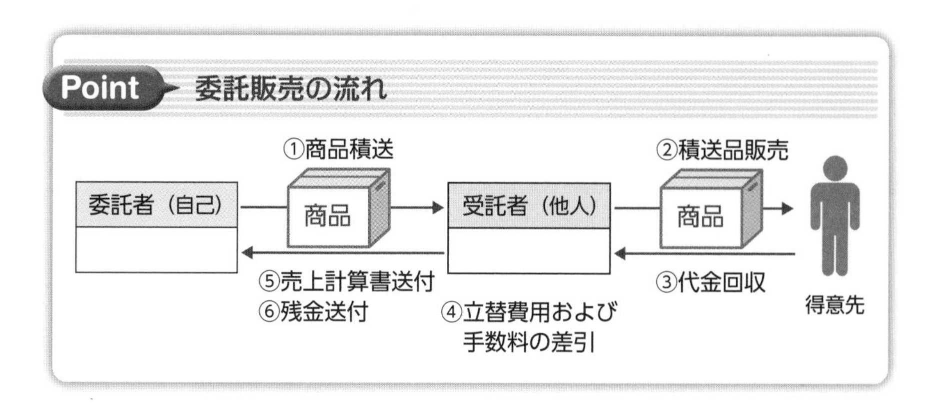

6：委託販売の会計処理

他の当事者が商品に対する支配を獲得しているかどうか

商品を最終顧客に販売するために、販売業者等の**他の当事者**に引き渡す場合には、当該他の当事者がその時点で商品の**支配を獲得したかどうか**を判定します。

他の当事者が商品に対する支配を獲得していない場合には、**委託販売契約**として他の当事者が商品を保有している可能性があり、その場合、他の当事者への商品の引渡時に収益を認識しません。

Point 委託販売（収益認識基準適用下）

以下のように、一連の取引を自社による委託販売と判定した場合、自社は②の時点で収益を計上します（積送品の販売）。この場合は、本質的には従来の販売基準による処理と同じです。

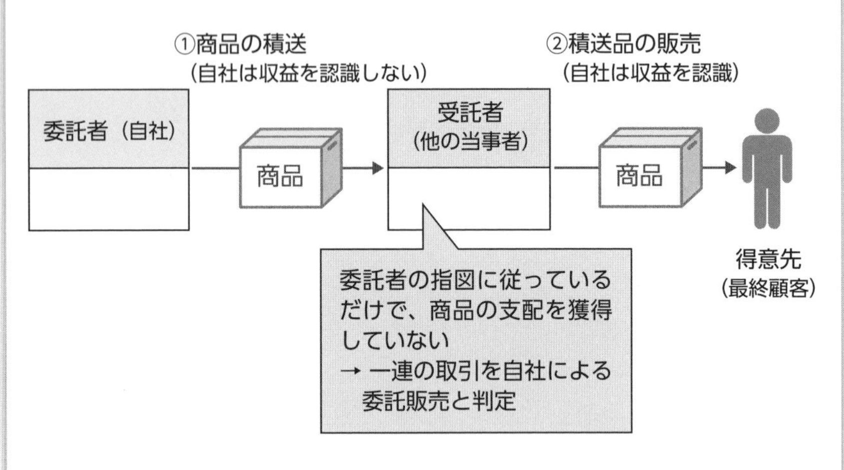

一方、他の当事者が商品の支配を獲得している場合（自らの意思と負担で商品を仕入れた場合など）は、①は通常の商品販売となるため、自社は①の時点で収益を計上します。

契約が委託販売契約であることを示す指標（例示）

(1) 販売業者等が商品を顧客に販売するまで、あるいは所定の期間が満了するまで、企業が商品を支配していること
(2) 企業が、商品の返還を要求することあるいは第三者に商品を販売することができること
(3) 販売業者等が、商品の対価を支払う無条件の義務を有していないこと（ただし、販売業者等は預け金の支払を求められる場合がある）

収益認識基準適用下の委託販売の論点

①委託販売契約にあたる場合 → 他の当事者（販売業者等）への商品引渡しは、販売にはあたらない（商品の積送）。
→ 他の当事者（販売業者等）が商品を販売した時に、収益を計上。

委託販売契約にあたらない場合 → 他の当事者（販売業者等）への商品引渡しは、販売にあたる。
→ 他の当事者への商品引渡時に収益を計上（通常の販売）。

②売上計算書到達日基準（後述 参考 ）の適用は認められない。

収益認識基準適用後も、委託販売と判定される契約については、基本的にこれまでと同様の会計処理を行うと考えられます。ただし、上記②はこれまでの処理と異なります。
なお、収益を総額で計上するか純額で計上するかは、本人か代理人かの論点で扱います。本章では、委託者が本人に該当し、総額で収益を計上することを前提に解説します。

委託販売の収益認識

販売基準	受託者が積送品を販売した日に収益を計上

Point 委託販売の収益認識

X1年度の決算手続中に次のような売上計算書が届いた場合、 販売基準によると、売上は当期の積送品売上となります（会計期間は4月1日から3月31日）。

送り状No.	受託者販売日	計算書到達日
No.1	X2年3月28日	X2年4月1日

委託販売の会計処理（手許商品区分法） 

委託販売の処理方法は、主に手許商品区分法によって行われます。

(1) **商品積送時**

商品を積送したときには、積送品原価を仕入勘定から積送品勘定へ振り替えます。

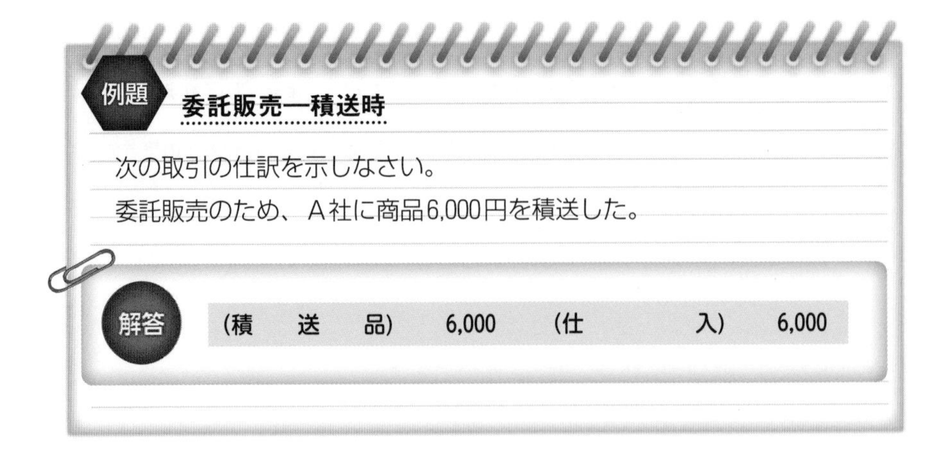

例題 委託販売ー積送時

次の取引の仕訳を示しなさい。

委託販売のため、A社に商品6,000円を積送した。

解答

(積　送　品)	6,000	(仕　　入)	6,000

(2) 受託者が積送品を販売した時

受託者が積送品を販売した時点で、積送品売上を計上します。

なお、積送品売上原価を積送品勘定から仕入勘定に振り替える処理については、タイミングの違いによって、**期末一括法**と**その都度法**の２つの処理方法があります。

期末一括法	積送品売上原価を決算時に一括して積送品勘定から仕入勘定に振り替える方法
その都度法	積送品売上原価を収益認識のつど、積送品勘定から仕入勘定に振り替える方法

これらの処理方法の違いは、後述の未着品売買における場合と同じです。

Point 期末一括法とその都度法

(1) 期末一括法の勘定連絡図

受託者が積送品を販売した時には、積送品売上の計上のみ行います。

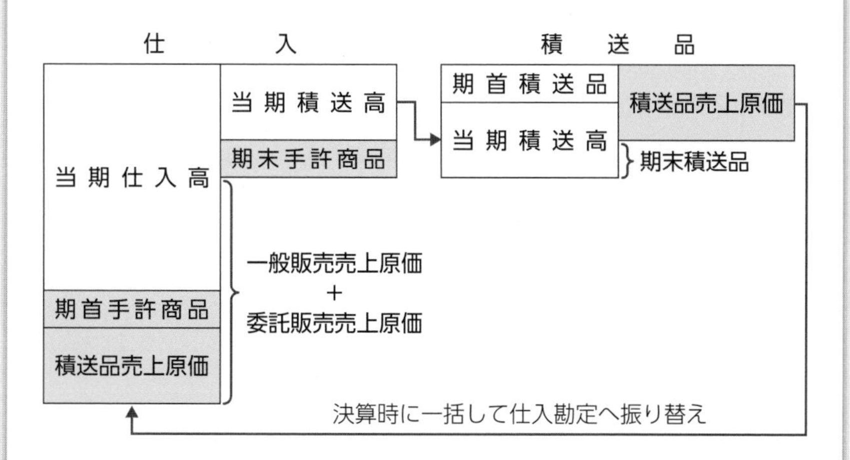

(2) その都度法の勘定連絡図

受託者が積送品を販売した時には、積送品売上の計上をするとともに、積送品売上原価を積送品勘定から仕入勘定へ振り替えます。

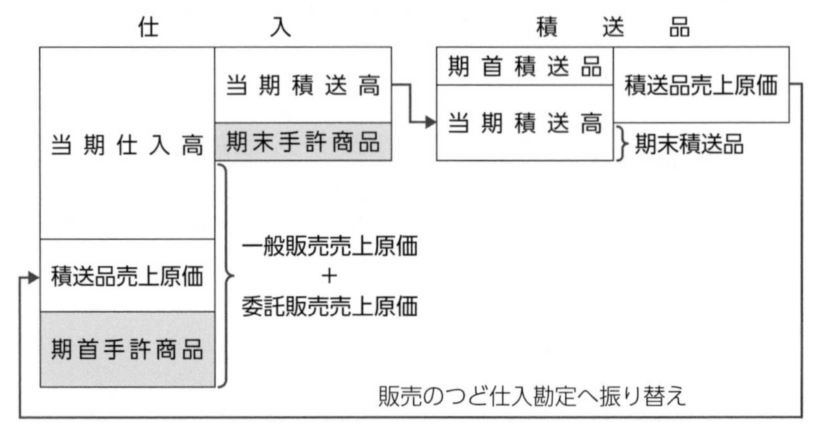

＊ 色の部分…決算整理を行います。

例題 委託販売―受託者が積送品を販売した時および決算時

次の取引について、各問における①受託者が積送品を販売した時と、②決算時の仕訳を示しなさい。

委託販売のため、A社に積送した商品について、本日、A社より8,250円（指値売価。原価率0.6）で掛け販売した旨の連絡を受けた。

問1 期末一括法

問2 その都度法

解答

問１　期末一括法

①　受託者が積送品を販売した時

(積送売掛金)	8,250	(積送品売上)	8,250

②　決算時

(仕入)	4,950	(積送品)	4,950*

＊　積送品売上8,250円×0.6＝4,950円

問２　その都度法

①　受託者が積送品を販売した時

(積送売掛金)	8,250	(積送品売上)	8,250
(仕入)	4,950	(積送品)	4,950

②　決算時

仕訳なし

積送売掛金については、売掛金勘定、積送売掛金勘定、委託販売勘定などの勘定で処理が行われますが、どの勘定で処理を行うかは問題文の指示に従ってください。

問題 >>> 問題編の**問題４**～**問題５**に挑戦しましょう！

7：積送諸掛

積送諸掛の意義

積送諸掛とは委託販売に係る諸費用のことをいい、発送諸掛と販売諸掛があります。

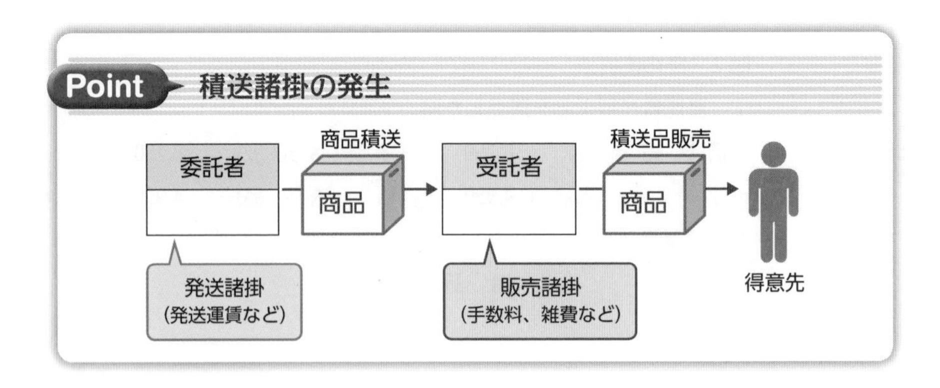

発送諸掛の会計処理

発送諸掛については、積送品勘定に直接加算する方法と積送諸掛費勘定を別に設ける方法があります。

積送諸掛費勘定を別に設ける方法の場合、決算時に期末積送品に係る金額について、積送諸掛費勘定から繰延積送諸掛勘定への振替処理を行います。

販売諸掛の会計処理

販売諸掛については、積送諸掛費などの勘定で、販売費及び一般管理費の区分に計上します。

収益認識基準の適用下においては、自社が代理人であると判定された場合には、収益を純額で計上します。したがって、委託販売において委託者が代理人にすぎないと判定された場合、委託者は収益を純額（手取額）で計上します。この場合は、受託者売上額から販売諸掛を控除した純額をもって収益を計上することになりますが、例外的なケースだと考えられるため、本書では解説を割愛します。

Point 販売諸掛の会計処理

売上計算書は次のように読み取ります。

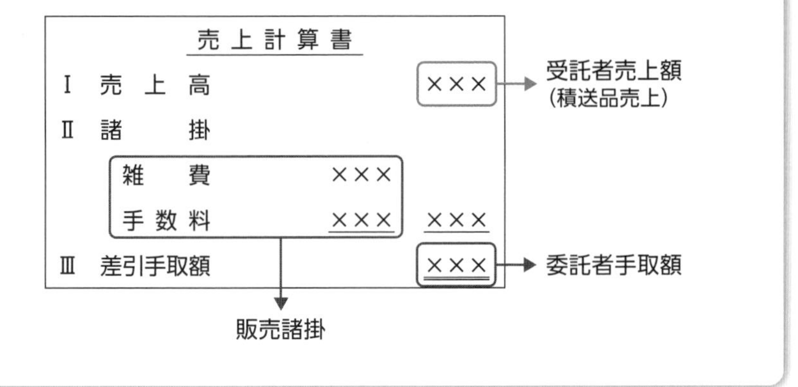

例題

発送諸掛と販売諸掛

次の資料に基づいて、①積送時、②受託者が積送品を販売した時、③決算時の仕訳を示しなさい。

［資　料］

1．期首積送品480円（これに係る発送諸掛24円）

2．委託販売のため、Ａ社に商品4,800円を積送し、発送諸掛240円は現金で支払った。

3．Ａ社より次の売上計算書（本日販売分）が送付された。なお、期末一括法により会計処理を行っている。

売　上　計　算　書（単位：円）		
Ⅰ　売　上　高		6,600
Ⅱ　諸　　　掛		
雑　　費	120	
手 数 料	660	780
Ⅲ　差引手取額		5,820

4．期末積送品1,320円（これに係る発送諸掛66円）

5．発送諸掛は、積送諸掛費勘定を設ける方法で会計処理を行っている。

6．積送品売上は受託者売上額で計上している。

解答

①　積送時

借方	金額	貸方	金額
(積　送　品)	4,800	(仕　　入)	4,800
(積送諸掛費)	240	(現　　金)	240

②　受託者が積送品を販売した時

借方	金額	貸方	金額
(積送諸掛費)	780	(積送品売上)	6,600
(積送売掛金)	5,820		

③ 決算時

(仕　　　入)	3,960	(積　送　品)	3,960*
(積送諸掛費)	24	(繰延積送諸掛)	24
(繰延積送諸掛)	66	(積送諸掛費)	66

＊　期首積送品480円＋当期積送分4,800円－期末積送品1,320円＝3,960円

〈積送諸掛費勘定の分析（単位：円）〉

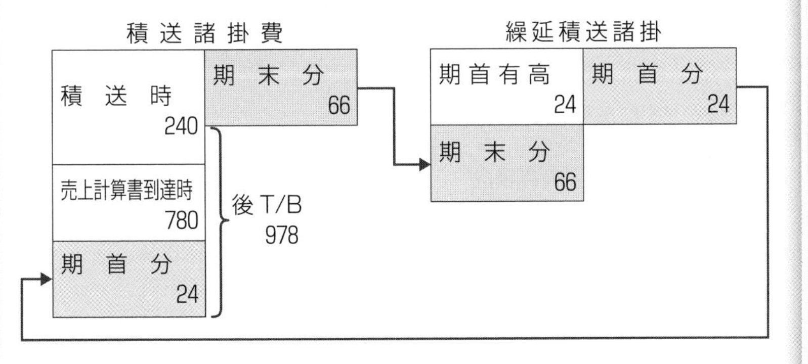

積送諸掛の繰延べについて

発送諸掛を積送品勘定に含めている場合、繰延積送諸掛勘定への振替処理がないのはなぜですか？

発送諸掛を積送品勘定に含めると、特別な処理をしなくても売上原価の算定時に販売分と未販売分に按分されて未販売分が繰り延べられるからです。

問題 >>> 問題編の**問題6**に挑戦しましょう！

参考 受託販売

受託販売の意義

受託販売とは、受託者が委託者に代わって商品を販売することをいいます。

商品の販売は受託者が行いますが、その販売に係る損益はすべて委託者のものとなり、受託者側で生じる損益は販売手数料のみとなります。

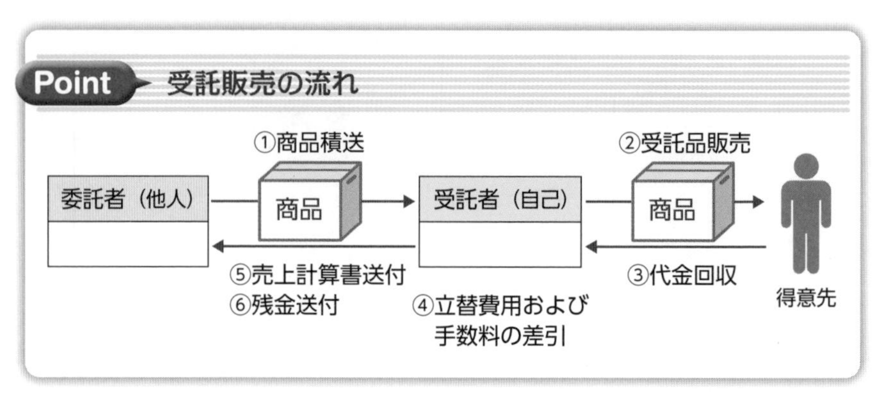

委託販売を受託者側からみた取引が受託販売です。

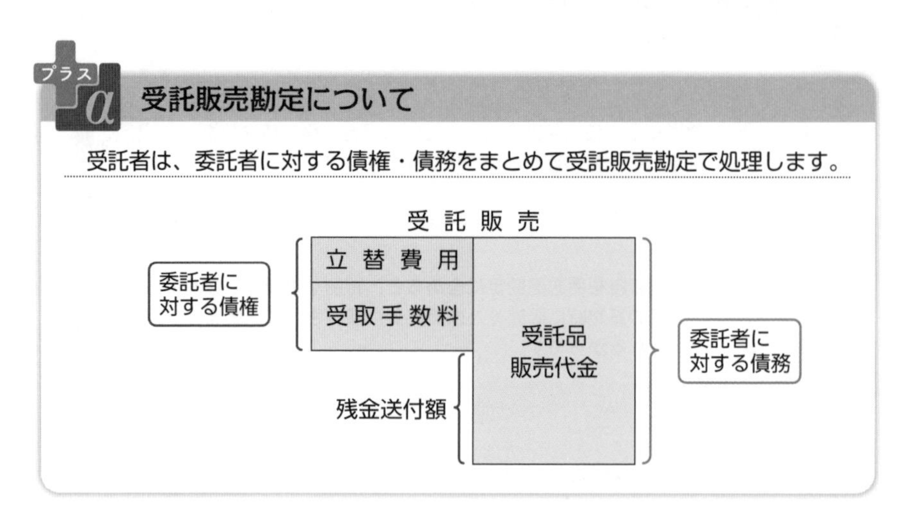

プラスα 受託販売勘定について
受託者は、委託者に対する債権・債務をまとめて受託販売勘定で処理します。
受託販売
立替費用
受取手数料
受託品
販売代金
委託者に
対する債権
委託者に
対する債務
残金送付額

例題 **受託販売**

次の各取引について、受託者側の仕訳を示しなさい。なお、受託者を甲社、委託者を乙社とする。

(1) 甲社は乙社より商品（仕入額7,200円）の販売を委託され受託品を受け取った。

(2) 甲社は受託品を9,900円で売り上げ、代金は現金で受け取った。

(3) 甲社は立替費用として、雑費180円を現金で支払った。

(4) 甲社は売上計算書を作成し、乙社に送付するとともに、販売手数料990円を計上した。

売上計算書		(単位：円)
Ⅰ 売上高		9,900
Ⅱ 諸掛		
雑費	180	
手数料	990	1,170
Ⅲ 差引手取額		8,730

(5) 甲社は残金8,730円を乙社へ送付した。

解答

(1) **受託品受取時**

仕訳なし

(2) **受託品販売時**

(現金)	9,900	(受託販売)	9,900

(3) **立替費用支払時**

(受託販売)	180	(現金)	180

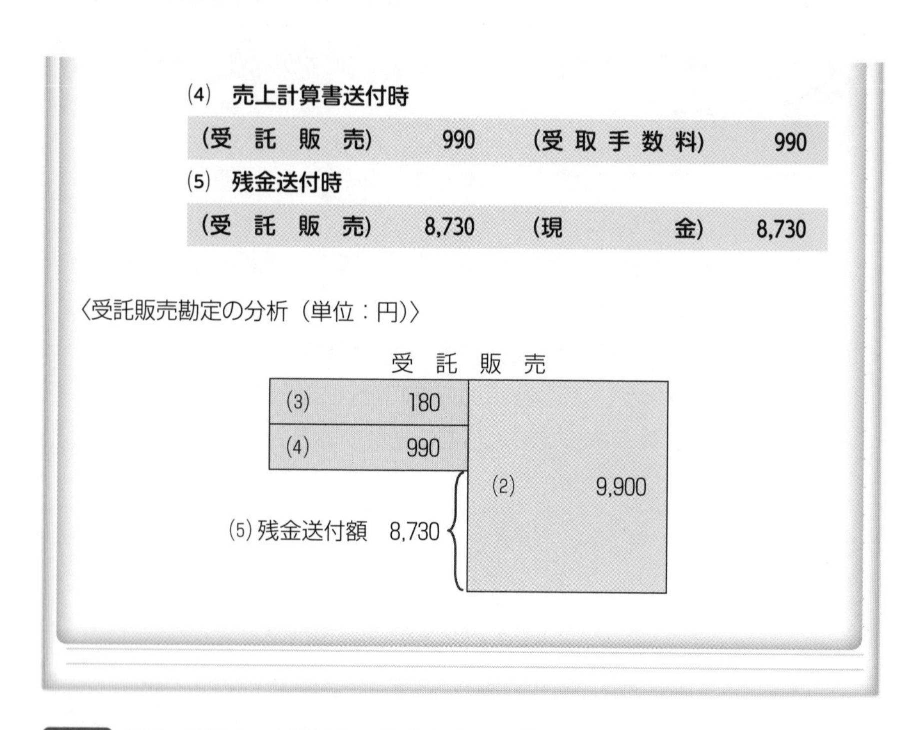

(4) **売上計算書送付時**

(受託販売)	990	(受取手数料)	990

(5) **残金送付時**

(受託販売)	8,730	(現金)	8,730

〈受託販売勘定の分析（単位：円)〉

問題 >>> 問題編の**問題7**に挑戦しましょう！

参考 割賦販売（従来の処理）

Chapter8、9の参考（従来の処理）は、収益認識基準適用前の処理なので、いずれも出題可能性は低いと考えられます。
中小企業は収益認識基準の適用を強制されませんが、国際的な流れに沿わないうえ、会計処理の難易度が高いため、余力のある方だけ目を通しておきましょう。

割賦販売の収益認識（従来の処理）

割賦販売の収益認識方法は、**販売基準**（原則）、**回収基準**、**回収期限到来基準**と定められていました。

販売基準	商品を引き渡した日をもって収益の実現の日とする基準（現行制度上も存続）
回収基準	割賦金の入金日をもって収益の実現の日とする基準
回収期限到来基準	割賦金の回収期限が到来した日をもって収益の実現の日とする基準

利益は、回収基準では割賦金の入金額に対応した金額が計上され、回収期限到来基準では割賦金の回収期限到来額に対応した金額が計上されます。

プラスα 販売基準以外が認められてきた理由

割賦販売は、通常の販売と異なり、その代金を回収するまでの期間が長期にわたるうえに、分割払いであることから、代金を回収できなくなる危険性が高くなります。さらに、貸倒引当金などの計上について特別の配慮が必要になります。

そこで、収益の認識を慎重に行うために、販売基準だけでなく回収基準や回収期限到来基準も認められていました。

従来の会計処理

従来の収益認識方法と会計処理方法の組み合わせは、以下のようになります。

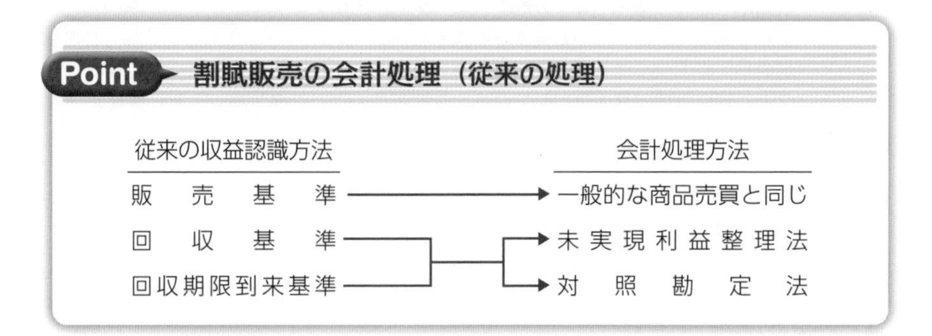

参考 委託販売（従来の処理）

委託販売の収益認識（従来の処理）

委託販売の収益認識については、**販売基準**（原則）、**売上計算書到達日基準**があります。

販売基準	受託者が積送品を販売した日を売上収益の実現の日とする方法
売上計算書到達日基準	売上計算書が販売のつど送付されている場合に、当該売上計算書が到達した日を売上収益の実現の日とみなす方法

Point 委託販売の収益認識（従来の処理）

X1年度の決算手続中に次のような売上計算書が届いた場合の売上計上年度はどちらの収益認識基準を採用しているかによって異なります（会計期間は4月1日から3月31日）。

送り状No.	受託者販売日	計算書到達日
No. 1	X2年3月28日	X2年4月1日

販売基準によると、売上は当期の積送品売上となります。一方、売上計算書到達日基準によると、売上は次期の積送品売上になります。

販売諸掛の会計処理（従来の処理）

販売諸掛については、積送品売上の計上基準との関係で、次に示す2つの処理方法があります。

受託者売上額基準	積送品売上を受託者売上額で計上し、販売諸掛を積送諸掛費勘定で処理する方法
委託者手取額基準	積送品売上を委託者手取額で計上し、販売諸掛を認識しない方法

Chapter 8 のまとめ

□ 割賦販売の収益認識

販売基準	商品を引き渡した日をもって収益を計上

□ 重要な金融要素の会計処理

金融要素が重要？		会計処理
YES	(原則) →	金利相当分の影響を調整する (金利部分を区分)
YES	(容認＊) →	金利相当分の影響を調整しない (金利部分を区分しない)
NO	→	金利相当分の影響を調整しない (金利部分を区分しない)

＊財又はサービスの移転から代金回収までの期間が１年以内と見込まれる場合のみ

□ 委託販売の収益認識

販売基準	受託者が積送品を販売した日に収益を計上

□ 手許商品区分法の原価処理

期末一括法	売上原価を決算時に一括して仕入勘定に振り替える方法
その都度法	売上原価を収益認識のつど、仕入勘定に振り替える方法

発送諸掛の会計処理

① 積送品勘定に直接加算する方法
② 積送諸掛費勘定を別に設ける方法

販売諸掛の会計処理

販売諸掛については、積送諸掛費などの勘定で、販売費及び一般管理費の区分に計上します。

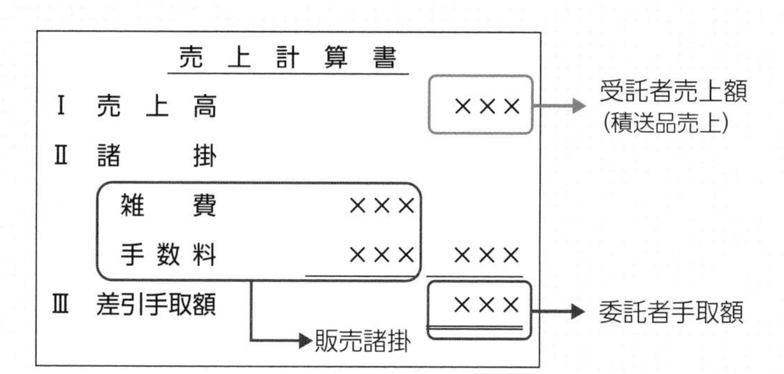

特殊商品売買 2

ここからは、割賦販売と委託販売以外の特殊商品販売について、収益認識基準を適用した場合の会計処理を学習します。

特殊商品販売は、収益認識基準の適用により会計処理方法が整理され、比較的簡単になったといえるでしょう。

Chapter 9

損益会計

特殊商品売買２

>> 未着品売買や試用販売の会計処理を確認しましょう！

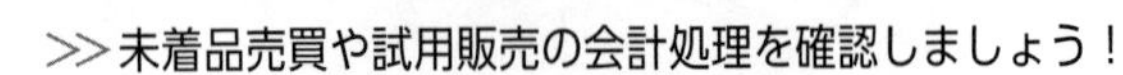

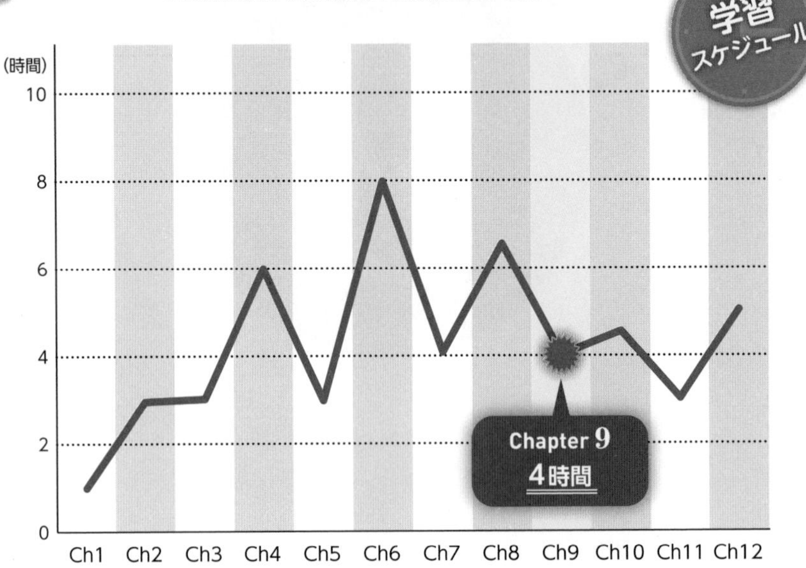

Check List

- □ 未着品売買の会計処理を理解しているか？
- □ 試用販売の会計処理を理解しているか？
- □ 委託買付・受託買付の会計処理を理解しているか？

Link to

財務諸表論では、特殊商品売買が計算で問われる可能性は低いため、簿記論特有の論点といえます。

1：未着品売買

未着品売買の意義

遠隔地の仕入先から商品を仕入れる場合、商品が到着する前に運送会社が発行する**貨物代表証券**を受け取ることになります。この貨物代表証券の受取り、売却および現品引取の一連の取引のことを**未着品売買**といいます。

貨物代表証券は、運送途上の商品に対する権利を表す証券で、海運による貨物代表証券を船荷証券といいます。

未着品売買の種類

未着品売買には、現品引取の場合と商品到着前に貨物代表証券を転売する場合があります。

(1)　**現品引取の場合**

現品引取とは、所持している貨物代表証券と引換えに当社が商品を受け取ることです。

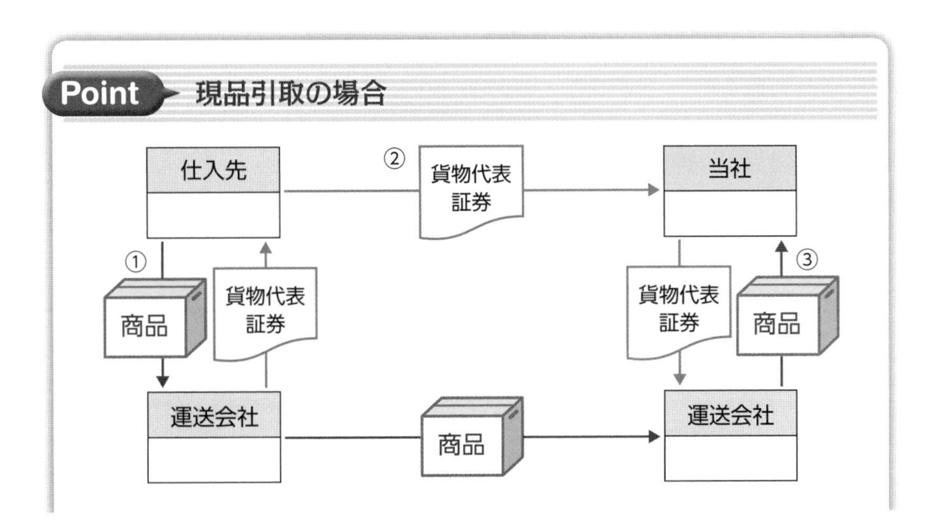

① 注文を受けた仕入先は、運送会社に商品の運搬を依頼して、貨物代表証券を受け取ります。
② 当社は、仕入先から貨物代表証券を受け取ります。
③ 届いた商品を貨物代表証券と引き換えに引き取ります。

(2) 貨物代表証券を転売する場合

貨物代表証券は、現品が到着する前に他社（得意先）に転売することができます。

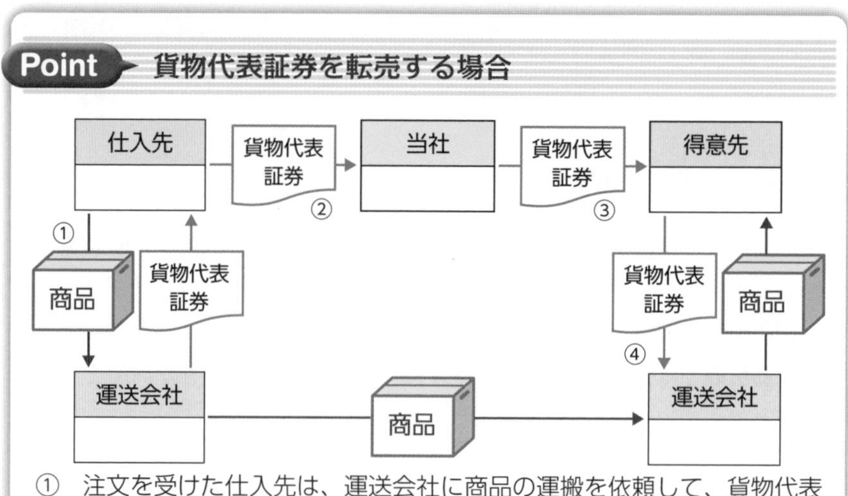

① 注文を受けた仕入先は、運送会社に商品の運搬を依頼して、貨物代表証券を受け取ります。
② 当社は、仕入先から貨物代表証券を受け取ります。
③ 貨物代表証券を商品到着前に他社に転売します。
④ 転売先が届いた商品を貨物代表証券と引き換えに引き取ります。

未着品売買の会計処理（手許商品区分法）

未着品売買の処理方法は、手許商品区分法によって行われます。**手許商品区分法**とは、手許にない商品を手許にある一般商品と区別して把握する方法です。

(1) 貨物代表証券受取時

貨物代表証券を受け取ることにより、実質的に商品を仕入れたことになります。そのため、貨物代表証券の受取高を未着品勘定で処理します。

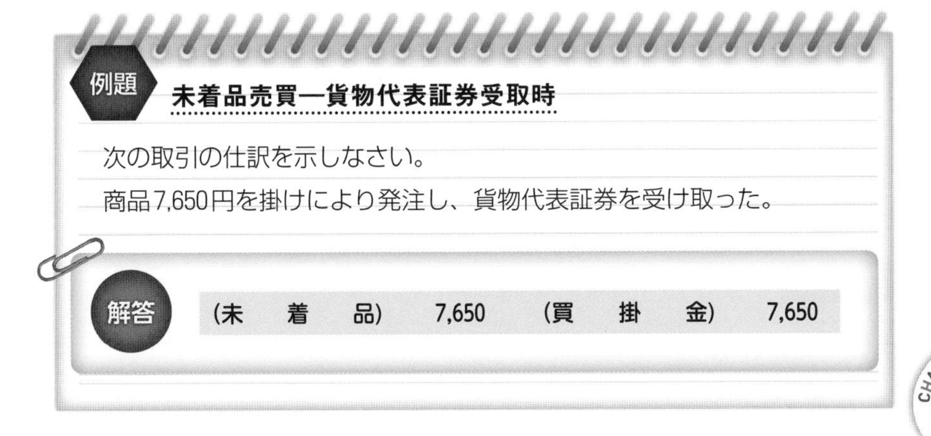

例題 **未着品売買―貨物代表証券受取時**

次の取引の仕訳を示しなさい。
商品7,650円を掛けにより発注し、貨物代表証券を受け取った。

解答

(未着品)	7,650	(買掛金)	7,650

(2) 現品引取時

現品引取時には商品原価を未着品勘定から仕入勘定へ振り替えます。

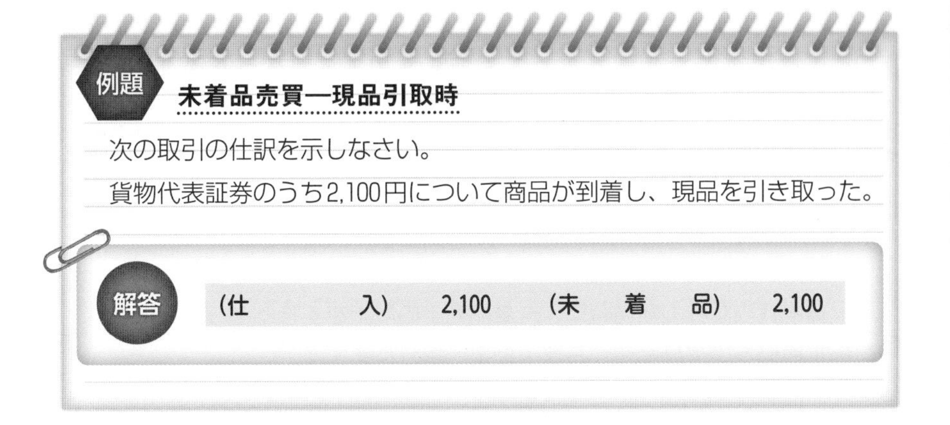

例題 **未着品売買―現品引取時**

次の取引の仕訳を示しなさい。
貨物代表証券のうち2,100円について商品が到着し、現品を引き取った。

解答

(仕入)	2,100	(未着品)	2,100

(3) 貨物代表証券を転売する場合

商品を受け取る前に貨物代表証券を転売した場合には、未着品売上を計上します。

なお、未着品売上原価を未着品勘定から仕入勘定に振り替える処理については、タイミングの違いによって、**期末一括法**と**その都度法**の２つの処理方法があります。

期末一括法	未着品売上原価を決算時に一括して未着品勘定から仕入勘定に振り替える方法
その都度法	未着品売上原価を収益認識のつど、未着品勘定から仕入勘定に振り替える方法

Point 期末一括法とその都度法

(1) 期末一括法の勘定連絡図

貨物代表証券の転売時には、未着品売上の計上のみ行います。

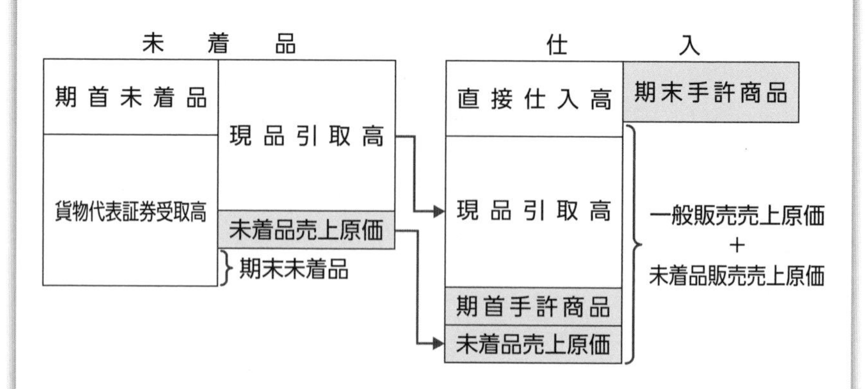

(2) その都度法の勘定連絡図

貨物代表証券の転売時に、未着品売上の計上をするとともに、未着品売上原価を未着品勘定から仕入勘定へ振り替えます。

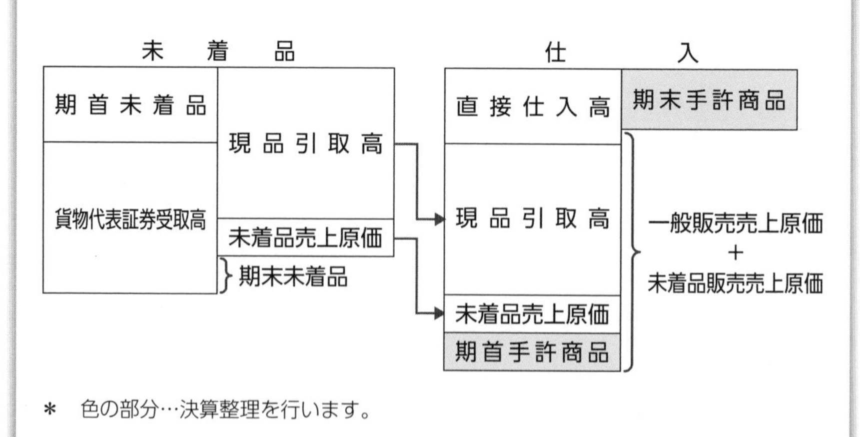

＊ 色の部分…決算整理を行います。

例題　未着品売買ー転売時

次の取引について、各問における①貨物代表証券転売時と②決算時の仕訳を示しなさい。

貨物代表証券6,000円を掛けで売り上げた（売価。原価率0.9）。

問１　期末一括法

問２　その都度法

解答

問１　期末一括法

①　貨物代表証券転売時

借方	金額	貸方	金額
(売　掛　金)	6,000	(未着品売上)	6,000

②　決算時

借方	金額	貸方	金額
(仕　　入)	5,400	(未　着　品)	5,400*

＊　6,000円×0.9＝5,400円

問２　その都度法

①　貨物代表証券転売時

借方	金額	貸方	金額
(売　掛　金)	6,000	(未着品売上)	6,000
(仕　　入)	5,400	(未　着　品)	5,400

②　決算時

仕　訳　な　し

期末一括法とその都度法は、振替時期が異なるだけなので、決算整理後残高試算表の金額は同じになります。

問題 >>> 問題編の**問題１**～**問題２**に挑戦しましょう！

CHAPTER 9 特殊商品売買２

2：試用販売

試用販売の意義

試用販売とは、得意先に商品を引き渡して一定期間試用してもらい、買取りの意思表示があった時点で売買契約が成立する販売形態のことです。

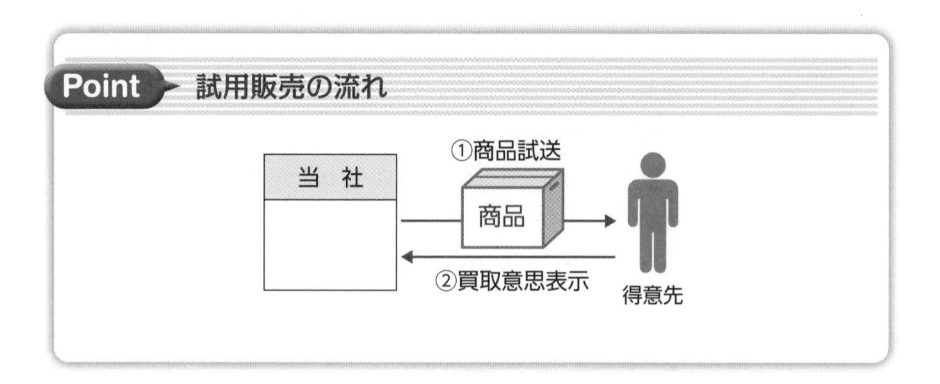

試用販売の収益認識

試用販売では、得意先が買取りの意思表示をした時点で売上収益を計上します。

「試用期間経過後、返品されないときは買い取るものとみなす」旨の契約がある場合には、買取りの意思表示がなくても試用期間が経過した時点で売上収益を認識します。

試用販売の会計処理

(1) **商品試送時**

試用販売は、対照勘定法により処理します。

対照勘定法とは、試送した商品について、売価を「対照勘定」といわれる貸借一対の勘定で備忘記録する方法です。

Point 対照勘定の例

対照勘定の例としては、次のようなものがあります。なお、本試験では、勘定科目は問題文の指示に従ってください。

借方科目：試用未収金、試用販売契約、試用販売売掛金

貸方科目：試用仮売上、試用販売

試用品販売の会計処理としては、対照勘定法だけではなく手許商品区分法も認められていますが、重要性が低いので参考として掲載しています。

例題 試用販売―試送時

次の取引の仕訳を示しなさい。当社は、対照勘定法により会計処理を行っている。なお、対照勘定には、試用未収金および試用仮売上を用いること。

試用販売のため商品1,500円（売価。当期原価率0.6）を試送した。

解答

(試用未収金)	1,500	(試用仮売上)	1,500

⑵ 買取意思表示があった場合

買取意思表示があった場合には、備忘記録を消去するとともに試用品売上を認識します。

例題 試用販売―買取意思表示時

次の取引の仕訳を示しなさい。当社は、対照勘定法により会計処理を行っている。なお、対照勘定には、試用未収金および試用仮売上を用いること。

試送した商品のうち1,400円（売価。前期分500円、当期分900円）につ

いて、買取りの意思表示を受けた。

解答

(売　掛　金)	1,400	(試 用 品 売 上)	1,400
(試 用 仮 売 上)	1,400	(試 用 未 収 金)	1,400

期末試用品原価の算定

売上原価を求めるために、決算時に未買取の試用品の代金に対応する原価を期末試用品として繰り延べます。

なお、期末試用品原価については、期末試用品売価に原価率を掛けて算定します。

期末試用品は、通常、繰越試用品勘定を用いますが、繰越商品勘定で処理する場合もあります。

Point　期末試用品原価の算定

試 用 未 収 金

前期分	××	買　取	××
当期分	××	買　取	××
		未買取	××

×当期試用販売原価率
＝期末試用品原価

期末試用品原価 ＝ 試用未収金期末残高 × 当期試用販売原価率

試用販売の勘定連絡図

試用販売が行われた場合の勘定連絡図は次のようになります。

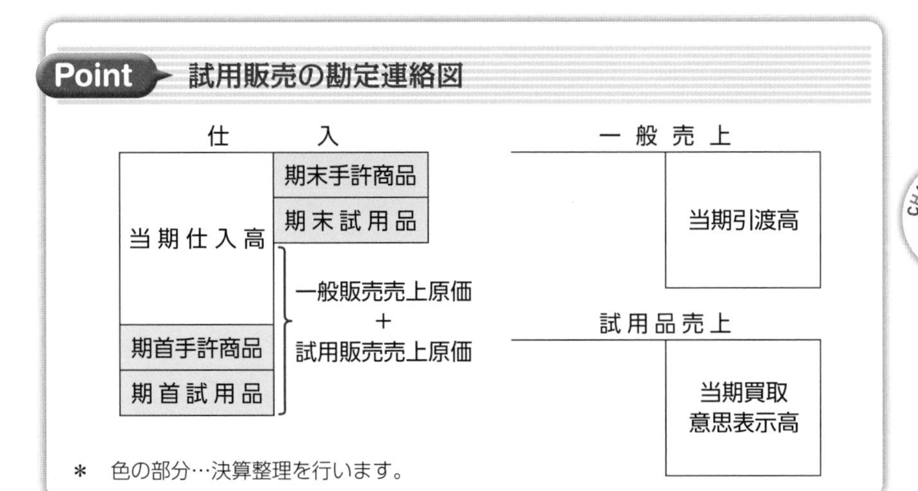

例題 試用販売―決算時

次の資料に基づいて、決算時の仕訳を示しなさい。なお、当社は、対照勘定法により会計処理を行っている。

［資　料］

1. 期首試用品　350円（売価500円）
2. 試用販売のため商品1,500円（売価。当期原価率0.6）を試送し、試用品1,400円（売価。前期分500円、当期分900円）について、買取りの意思表示を受けた。

解答

(仕　　　入)	350	(繰越試用品)	350
(繰越試用品)	360	(仕　　　入)	360

〈試用未収金の分析（単位：円)〉

試用未収金				
前期分	500	買　取	500	
当期分	1,500	買　取	900	
		未買取	600	×0.6＝360（期末）

試用未収金期末残高に原価率を掛けた金額が、期末試用品の原価となります。

問題 ››› 問題編の**問題３**～**問題４**に挑戦しましょう！

3：委託買付・受託買付

委託買付とは

委託買付とは、他人（受託者）に委託して、商品の仕入を行う取引をいいます。委託買付の実態は通常の仕入取引と同様であることから、通常の仕入に準じて処理します。そのため、委託先の買付から生じる損益（立替諸掛、買付手数料など）はすべて委託者に帰属します。

委託買付の会計処理

(1) 債権債務の処理方法

受託者との間に生じるすべての債権債務を**委託買付勘定**で処理します。

なお、委託買付は通常、遠隔地からの商品購入の際に利用されますが、商品より先に貨物代表証券を取得した場合には未着品勘定を用いて処理します。

(2) 貸借対照表表示

委託買付勘定が借方残高の場合、貸借対照表上は**前渡金勘定**で表示し、貸方残高の場合、**買掛金勘定**で表示します。

通常の仕入に準じた処理を行いますが、仕入に係る債権債務は委託買付勘定にまとめられる点に注意が必要です。

例題 委託買付

下記の［資料］に基づいて、(1)〜(3)に示した各時点の仕訳を示しなさい。

［資　料］

(1) 当社（甲社）は乙社に商品の買付を委託し、商品買付代金の一部として手付金3,000円を小切手にて送金した。

(2) かねて乙社に買付を委託していた商品の船荷証券と、以下の買付計算書が乙社より送付されてきた。

買付計算書		
商品代金		6,000
立替諸掛	910	
買付手数料	1,320	2,230
合計		8,230
手付金		3,000
請求金額		5,230

(3) 乙社に対する残金5,230円を小切手にて送金した。

解答

(1) **手付金支払時**

(委託買付)	3,000	(当座預金)	3,000

(2) **船荷証券取得時**

(未着品)	8,230	(委託買付)	8,230

(3) **請求金額支払時**

(委託買付)	5,230	(当座預金)	5,230

代金の一部を前渡しした場合は、委託買付勘定で処理します。

受託買付とは

受託買付とは、他人（委託者）からの委託により商品の仕入を行う取引をいいます。受託者は買付に対する手数料の受け取りを目的とし、受託買付から生じる損益はすべて委託者に帰属します。よって、受託者側で生じる損益は買付手数料（受取手数料）のみとなります。

受託買付の会計処理

(1) 債権債務の処理方法

委託者との間に生じるすべての債権債務を**受託買付勘定**で処理します。

(2) 貸借対照表表示

受託買付勘定が借方残高の場合、貸借対照表上は**立替金勘定**で表示し、貸方残高の場合、**預り金勘定**で表示します。

委託された商品購入に係るすべての債務は委託者が支払うことになるため、受託者が支払った金額はすべて立替金として受託買付勘定に計上しておきます。

例題 受託買付

下記の［資料］に基づいて、(1)〜(5)に示した各時点の仕訳を示しなさい。

［資　料］

(1) 当社（乙社）は甲社から商品の買付を委託され、手付金15,000円を小切手にて受け取った。

(2) かねて甲社から買付を委託されていた商品を25,000円で買い付け、代金は小切手にて支払った。

(3) 甲社に受託買付商品を発送し、諸掛700円を現金で立替払いした。

(4) 以下の買付計算書を作成し、甲社に送付した。

買付計算書		
商品代金		25,000
立替諸掛	700	
買付手数料	2,450	3,150
合　計		28,150
手付金		15,000
請求金額		13,150

(5) 甲社から上記請求金額13,150円を小切手で受け取った。

解答

(1) **手付金受取時**

(現　金)	15,000	(受託買付)	15,000

(2) **受託商品買付時**

(受託買付)	25,000	(当座預金)	25,000

(3) **諸掛立替時**

(受託買付)	700	(現　金)	700

(4) **買付計算書送付時**

(受託買付)	2,450	(受取手数料)	2,450

(5) **請求金額受領時**

(現　金)	13,150	(受託買付)	13,150

受託者が計上する損益は受取手数料のみです。

問題 >>> 問題編の**問題5**～**問題6**に挑戦しましょう！

参考 試用販売・手許商品区分法

試用販売においても、手許商品区分法によって処理する場合があります。

手許商品区分法では、商品試送時に試用品原価を仕入勘定から試用品勘定へ振り替えるとともに、収益の認識にともなって試用品売上原価を試用品勘定から仕入勘定に振り替えます。

試用販売にも、売上原価の振替方法として期末一括法とその都度法の２つの会計処理があります。

例題 試用販売―手許商品区分法

次の資料に基づいて、①試送時、②買取意思表示時、③決算時の仕訳を示しなさい。なお、試用販売は期末一括法により処理する。

［資　料］

１．期首試用品　350円（売価500円）

２．試用販売のため商品900円（売価。当期原価率0.6）を試送した。

３．試送した商品のうち1,400円（売価。前期分500円、当期分900円）について、買取りの意思表示を受けた。

解答

① **試送時**

(試　用　品)	540*	(仕　　　入)	540

＊　900円×当期原価率0.6＝540円

② **買取意思表示時**

(売　掛　金)	1,400	(試 用 品 売 上)	1,400

③ **決算時**

(仕　　　入)	890*	(試　用　品)	890

＊　期首試用品原価350円＋900円×0.6＝890円

Chapter 9 のまとめ

□ 未着品売買の取引分類

現品引取の場合	所持している貨物代表証券と引換えに商品を受け取る取引
貨物代表証券を転売する場合	現品が到着する前に貨物代表証券を転売する取引

□ 期末試用品原価の算定

試用未収金

前期分	××	買　取	××
当期分	××	買　取	××
		未買取	××

×当期試用販売原価率
＝期末試用品原価

期末試用品原価＝試用未収金期末残高×当期試用販売原価率

□ 委託買付の会計処理

基本的には通常の仕入取引に準じた会計処理を行うが、受託者との間に生じるすべての債権債務は**委託買付勘定**を用いて処理する。

また、貸借対照表上、委託買付勘定が借方残高の場合は**前渡金勘定**で表示し、貸方残高の場合は**買掛金勘定**で表示する。

□ 受託買付の会計処理

委託者との間に生じるすべての債権債務を**受託買付勘定**を用いて処理する。

また、貸借対照表上、受託買付勘定が借方残高の場合は**立替金勘定**で表示し、貸方残高の場合は**預り金勘定**で表示する。

CHAPTER 10

工事契約

ここでは、主に建設業（建物の建設工事や土木工事などを行う業種）について学習します。建設業会計では、特有の勘定科目があることを意識して読み進めましょう。

また、工事収益については、収益認識に関する会計基準における「一定の期間にわたり充足される履行義務」として収益を認識することになります。

Chapter 10

損益会計

工事契約

>>ビルを建てていく過程をイメージしましょう。

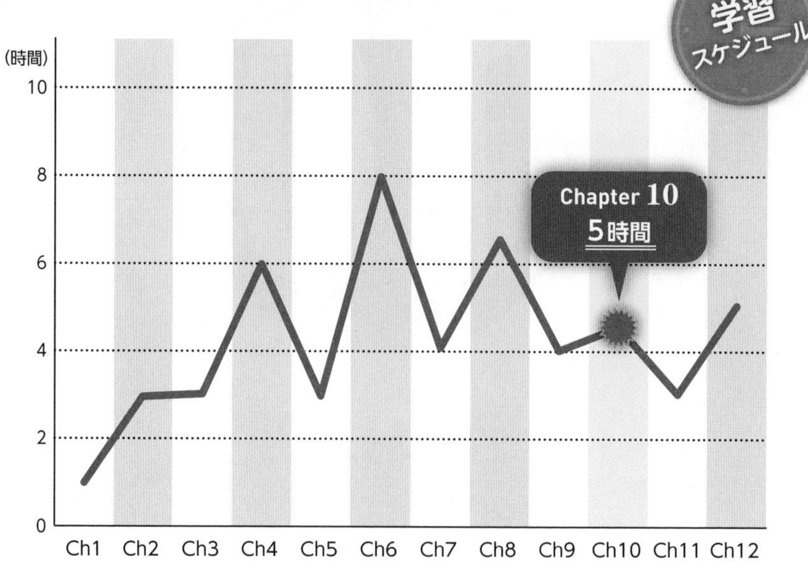

Check List

- □ 建設業会計における特有の勘定科目を正確に覚えているか？
- □ 工事原価の会計処理を理解しているか？
- □ 進捗度に基づいて収益を認識する会計処理を理解しているか？
- □ 完全に履行義務を充足した時点で収益を認識する会計処理を理解しているか？
- □ 原価回収基準の会計処理を理解しているか？
- □ 見積りの変更があった場合の工事収益の算定を理解しているか？
- □ 工事損失引当金を計上する場合の会計処理を理解しているか？

Link to 財務諸表論① Chapter8 工事契約会計

財務諸表論もほぼ同一の学習内容ですが、細かい計算の論点を省略しています。

1：建設業会計

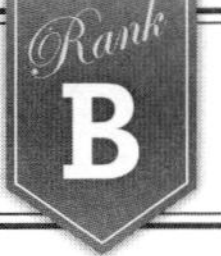

建設業会計とは

建設業では、請負工事契約に基づいて物件ごとに建設工事を行います。建設業会計では、この建設工事の過程について会計処理を行う点が特徴的です。

建設業会計はビルなどを建てていく過程について会計処理をしていきます。

建設業特有の勘定科目

建設業会計では、建設業の特殊性を考慮した勘定科目で会計処理を行います。

Point 建設業特有の勘定科目

		通常の製造業	建設業
借方科目		売掛金	完成工事未収入金*
		仕掛品（製造）	未成工事支出金
		売上原価	完成工事原価
貸方科目		買掛金・未払金	工事未払金
		前受金	未成工事受入金
		売上高	完成工事高

＊　完成前は「契約資産」とすることが多い。

「未成」は、まだ完成していないという意味です。そのため「未成工事受入金」は、工事が完成する前に受け入れたお金、つまり前受金となります。

勘定体系

建設業会計の勘定連絡図は、次のようになります。

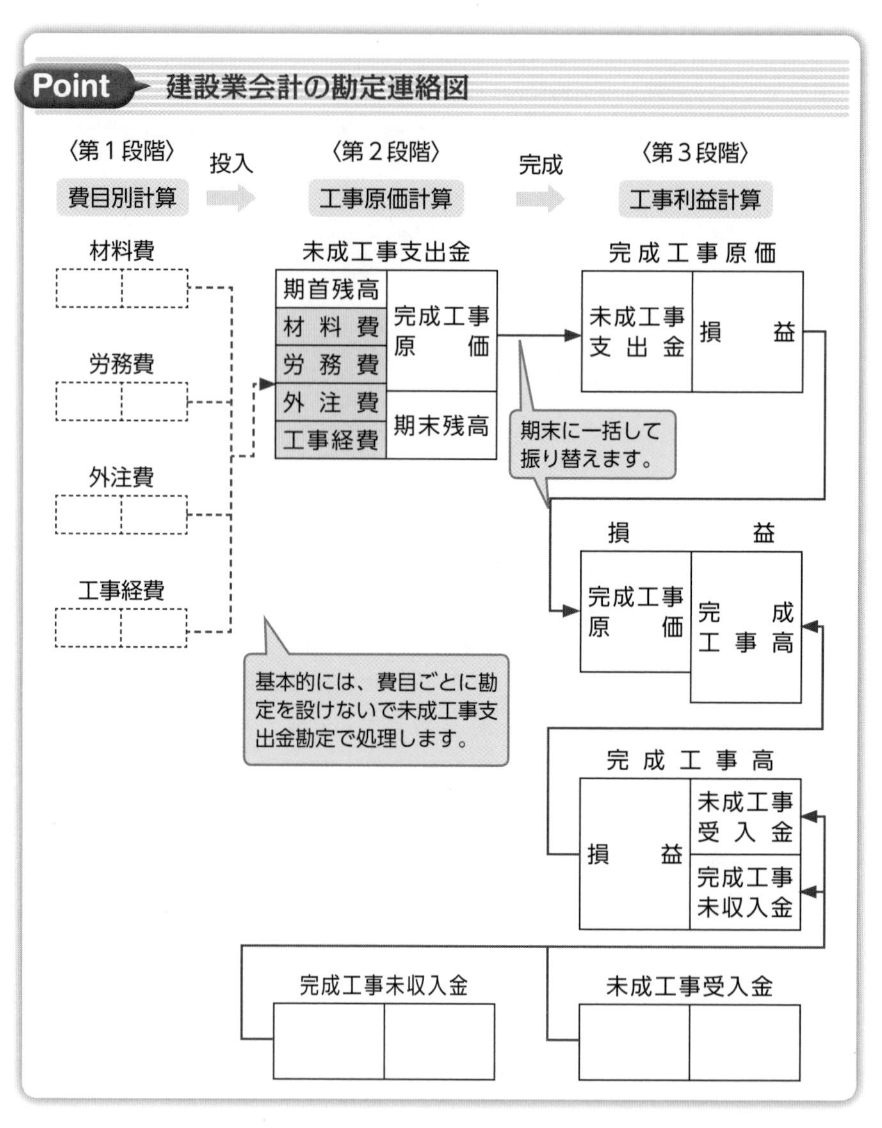

上記の勘定連絡図をここで覚える必要はありませんが、取引例をみていく際には、どの時点の取引かを確認しながらみていきましょう。

2：工事原価の会計処理

材料費の会計処理

工事に使用する材料は、購入時に未成工事支出金勘定に計上し、決算時に未使用分を材料貯蔵品勘定に振り替えます。

なお、工事が翌期以降も継続する場合には、翌期首に材料貯蔵品勘定から未成工事支出金勘定への振戻処理を行います。

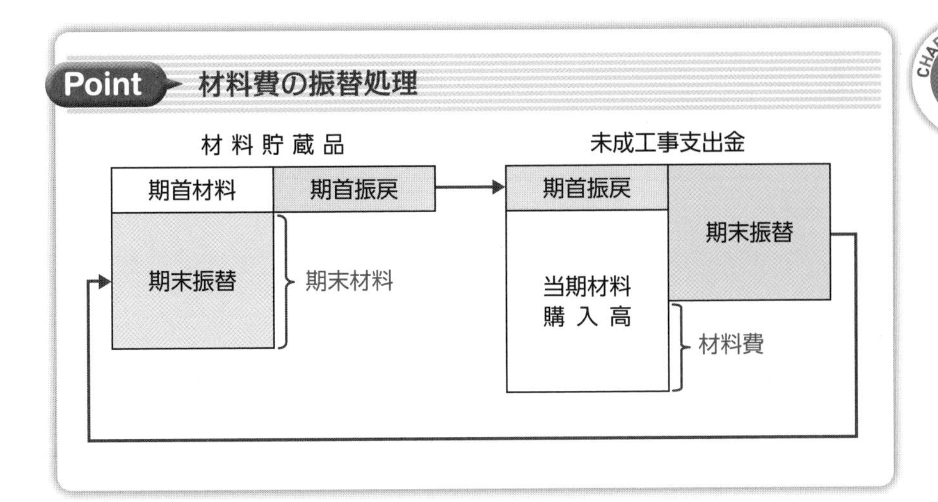

労務費の会計処理

建設業会計における労務費には、工事に直接従事する作業員に対する賃金や給料手当等があります。

労務費は、支出時に未成工事支出金勘定で処理します。

工事現場の管理を仕事にしている事務職員の給料手当等は、労務費ではなく工事経費となる点に注意しましょう。

外注費の会計処理

建設工事において、建設業者１社ですべての作業を行うのが困難な場合、その一部を下請業者に発注します。この下請業者に発注することによる支払額を外注費といいます。

外注費は、支出時に未成工事支出金勘定で処理します。

工事経費の会計処理

建設業会計における工事経費とは、材料費、労務費および外注費以外のすべての工事原価をいいます。

工事経費は、支出時に未成工事支出金勘定で処理します。

工事経費の具体例として、保険料、従業員給料手当、減価償却費などがあります。

例題　工事原価の会計処理

次の資料に基づいて未成工事支出金勘定を作成しなさい。

[資　料]

期首試算表　(単位：千円)

材料貯蔵品	1,500	未払賃金	3,500
前払保険料	1,000		

1．材料貯蔵品前期繰越額1,500千円について、未成工事支出金勘定への振戻処理を行う。

2．材料14,300千円を掛けで購入した。

3．賃金82,500千円を現金で支払った。

4．保険料13,500千円を現金で支払った。

5．決算整理事項

① 未使用材料1,000千円

② 未払賃金4,500千円

③ 前払保険料2,500千円

④　減価償却費4,500千円

6．上記1～5の資料は、すべて工事関係の資料である。

解答

未成工事支出金　（単位：千円）

借方	金額	貸方	金額
材料貯蔵品	1,500	未払賃金	3,500
前払保険料	1,000	材料貯蔵品	1,000
工事未払金	14,300	前払保険料	2,500
現金	96,000		
未払賃金	4,500		
減価償却累計額	4,500		

（仕訳の単位：千円）

(1)　期首仕訳

①　材料費

(未成工事支出金)	1,500	(材料貯蔵品)	1,500

②　賃金

(未払賃金)	3,500	(未成工事支出金)	3,500

③　支払保険料

(未成工事支出金)	1,000	(前払保険料)	1,000

(2)　期中仕訳

①　材料費

(未成工事支出金)	14,300	(工事未払金)	14,300

②　賃金

(未成工事支出金)	82,500	(現金)	82,500

③　支払保険料

(未成工事支出金)	13,500	(現金)	13,500

(3)　決算時

①　材料費

(材料貯蔵品)	1,000	(未成工事支出金)	1,000

②　賃金

(未成工事支出金)	4,500	(未払賃金)	4,500

③ 支払保険料

(前 払 保 険 料)	2,500	(未成工事支出金)	2,500

④ 減価償却費

(未成工事支出金)	4,500	(減価償却累計額)	4,500

この例題では、期首試算表に計上されている勘定科目については、期首振戻と期末振替が行われる結果、未成工事支出金勘定の借方と貸方の両方に計上されます。

費目別の勘定による会計処理

工事原価は、各費目の支出額を未成工事支出金勘定で処理していますよね。工業簿記みたいに材料費勘定とか労務費勘定とかはないのですか？

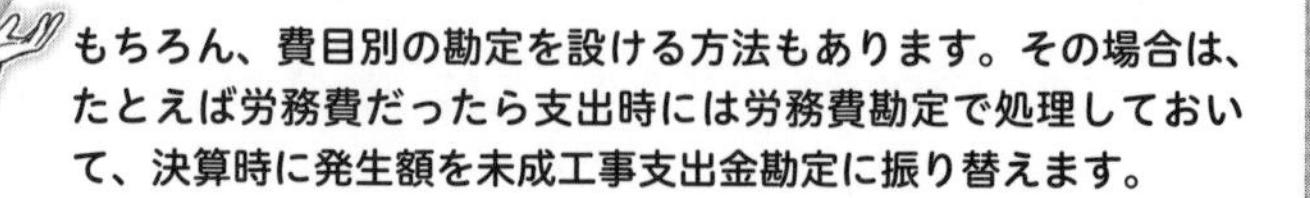

もちろん、費目別の勘定を設ける方法もあります。その場合は、たとえば労務費だったら支出時には労務費勘定で処理しておいて、決算時に発生額を未成工事支出金勘定に振り替えます。

3：工事収益の会計処理（収益認識基準）

工事契約の意義

工事契約とは、仕事の完成に対して対価が支払われる請負契約のうち、土木、建築などの基本的な仕様や作業内容を顧客の指示に基づいて行うことです。

要するに、どういった建物を建てるかお客さんに要望を聞いて行う工事のことです。

工事収益の会計処理

工事契約が一定の期間にわたり充足される履行義務に該当する場合、工事収益の会計処理は次のように分類できます。

①　進捗度に基づき収益を認識（＊1）
②　完全に履行義務を充足した時点で収益を認識（＊2）
③　原価回収基準（＊3）

＊1　進捗度を合理的に見積もることができる場合

＊2　期間がごく短い場合のみ適用可（容認規定）

＊3　進捗度を合理的に見積もることができないものの、履行義務を充足する際の費用を回収できると見込む場合に、進捗度を合理的に見積もることができるときまで。ただし（以下は容認規定）、契約の初期段階に収益を認識せず、当該進捗度を合理的に見積もることができるときから収益を認識することもできる。

進捗度を合理的に見積もることができず、かつ原価回収基準が適用されない場合は、履行義務を完全に充足するか、進捗度を合理的に見積もることができるようになったときに、収益を計上します。

進捗度に基づき収益を認識する方法

工事契約が、一定の期間にわたり充足される履行義務であり、履行義務の充足に係る進捗度を合理的に見積もることができる場合は、工事の進捗度に基づいて収益を一定の期間にわたり認識します。

工事の進捗度は、決算日までに実施した工事に関して発生した工事原価の工事原価総額に対する割合を決算日における工事進捗度とする方法（原価比例法）などを採用します。

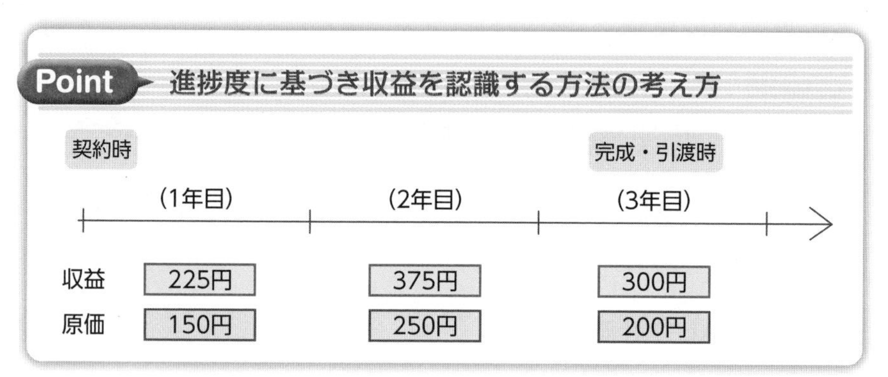

完成前でも工事の進み具合に応じて工事収益と工事原価を計上します。

進捗度に基づき収益を認識する方法による会計処理 

(1) 工事代金前受時

工事代金を前受けした場合、未成工事受入金勘定で処理します。

(2) 決算時

① 完成工事高

決算において、工事進捗度に応じた工事収益を完成工事高として計上します。なお、代金を後日受け取る場合、相手科目は完成工事未収入金（完成前は契約資産）勘定で処理します。

契約資産、完成工事未収入金は金銭債権として扱うため、貸倒引当金の設定対象になります。

② 完成工事原価

完成工事高に対する原価を未成工事支出金勘定から完成工事原価勘定に振り替えます。

Point 進捗度に基づき収益を認識する方法の勘定連絡図

未成工事支出金	
材料費	完成工事原価
労務費	
外注費	
工事経費	

→

完成工事原価	
未成工事支出金	損益

原価比例法（下記）の場合、当期に発生した工事原価を全額振り替えるので、未成工事支出金勘定の期末残高はゼロになります。

(3) 進捗度に基づき収益を認識する方法における工事収益の算定

① 工事進捗度の見積り

進捗度に基づき収益を認識する方法は、工事の進捗状況に基づいて工事収益を計上するため、工事収益の算定にあたって決算日における工事進捗度を見積もる必要があります。

Point 決算日における工事進捗度の見積り方法

決算日における工事進捗度の見積り方法には、通常、原価比例法を用います。

原価比例法	決算日までに実施した工事に関して発生した工事原価が、工事原価総額に占める割合をもって決算日における工事進捗度とする方法

$$工事進捗度 = \frac{決算日までに発生した工事原価累計額}{見積工事原価総額}$$

例）見積工事原価総額600円、1年目の工事原価実際発生額150円のときの工事進捗度

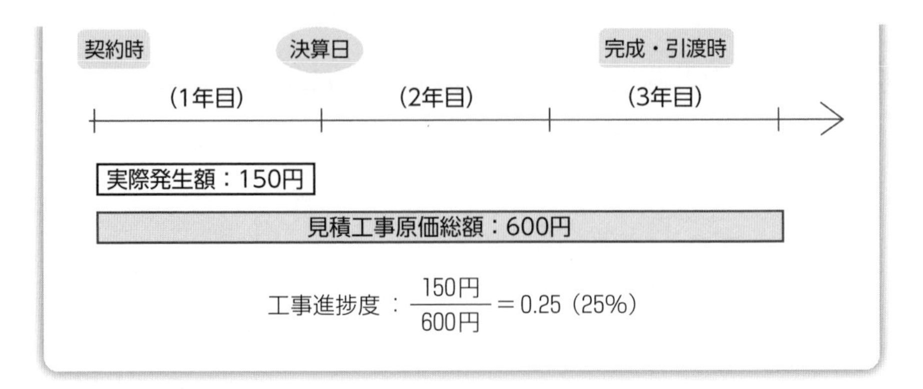

履行義務の充足に係る進捗度の適切な見積りの方法には、アウトプット法とインプット法があります。どちらの方法によるかは、財又はサービスの性質を考慮して判断します。なお、原価比例法はインプット法の一つとなります。

② 工事収益の算定

原価比例法に基づいた工事収益の算定方法は、次のようになります。

Point 進捗度に基づき収益を認識する方法における工事収益の算定

各期に計上する工事収益の金額は、工事収益総額に工事進捗度を掛けた金額から、過年度に計上した工事収益を控除した金額となります。

⑴ 第１年度の工事収益

完成工事高＝工事収益総額×工事進捗度

⑵ 第２年度以降の工事収益

完成工事高＝工事収益総額×工事進捗度－過年度工事収益累計額

⑶ 完成引渡年度の工事収益

完成工事高＝工事収益総額－過年度工事収益累計額

完成引渡年度は工事進捗度が100%なので、工事収益総額から過年度の工事収益累計額を引くことで完成工事高を求めます。

例題 進捗度に基づき収益を認識する方法

次の資料に基づいて、各年度の仕訳を示しなさい。

[資　料]

(1) X1年度

① 当社は、建物の建設についての契約を締結した。なお、工事契約は一定の期間にわたり充足される履行義務であり、履行義務の充足にかかる進捗度を合理的に見積もることができる。

② 契約で取り決められた当初の工事収益総額は50,000千円であり、工事原価総額の当初見積額は25,000千円である。また、契約時に工事代金の一部として12,500千円を受け取った。

③ X1年度の発生原価は、総額で7,500千円である。

(2) X2年度

X2年度の発生原価は、総額で12,000千円である。

(3) X3年度

建物が完成し、引渡しが完了した。X3年度の発生原価は、総額で5,500千円である。

(4) 当社は、決算日における工事進捗度を原価比例法により算定している。

解答

(仕訳の単位：千円)

(1) X1年度（工事中）

① 工事代金前受時

(現金預金)	12,500	(未成工事受入金)	12,500

② 工事原価支払時

(未成工事支出金)	7,500	(現金預金)	7,500

③ 決算時

(イ) 完成工事原価の計上

(完成工事原価)	7,500	(未成工事支出金)	7,500

⑷ 完成工事高の計上

(未成工事受入金)	12,500	(完 成 工 事 高)	15,000
(契 約 資 産)	2,500		

⑵ X2年度（工事中）

① 工事原価支払時

(未成工事支出金)	12,000	(現 金 預 金)	12,000

② 決算時

⑴ 完成工事原価の計上

(完成工事原価)	12,000	(未成工事支出金)	12,000

⑷ 完成工事高の計上

(契 約 資 産)	24,000	(完 成 工 事 高)	24,000

⑶ X3年度（完成・引渡し）

① 工事原価支払時

(未成工事支出金)	5,500	(現 金 預 金)	5,500

② 完成・引渡時

(契 約 資 産)	11,000	(完 成 工 事 高)	11,000
(完成工事未収入金)	37,500	(契 約 資 産)	37,500

③ 決算時

(完成工事原価)	5,500	(未成工事支出金)	5,500

⑴ X1年度

① 完成工事原価：7,500千円

② 完成工事高

⑴ 工事進捗度：$\dfrac{\text{決算日までに発生した工事原価累計額7,500千円}}{\text{見積工事原価総額25,000千円}}$

＝0.3

⑷ 完成工事高：請負価額50,000千円×0.3＝15,000千円

決算整理後残高試算表　（単位：千円）

完成工事原価	7,500	完成工事高	15,000
契約資産	2,500		

完成工事高計上時に、あらかじめ受け取っていた未成工事受入金を取り崩した差額を契約資産とします。

⑵ X2年度

① 完成工事原価：12,000千円

② 完成工事高

(イ) 工事進捗度：$\dfrac{\text{決算日までに発生した工事原価累計額(7,500千円＋12,000千円)}}{\text{見積工事原価総額25,000千円}}$

＝0.78

(ロ) 完成工事高：請負価額50,000千円×0.78

－X1年度完成工事高15,000千円＝24,000千円

決算整理後残高試算表　(単位：千円)

完成工事原価	12,000	完成工事高	24,000
契約資産	26,500＊		

＊ 前期末契約資産2,500千円＋当期発生契約資産24,000千円＝26,500千円

⑶ X3年度

① 完成工事原価：5,500千円

② 完成工事高：請負価額50,000千円－過年度工事収益累計額(15,000千円＋24,000千円)

＝11,000千円

決算整理後残高試算表　(単位：千円)

完成工事原価	5,500	完成工事高	11,000
完成工事未収入金	37,500＊		

＊ 前期末契約資産26,500千円＋当期発生契約資産11,000千円＝37,500千円

完成引渡年度は、完成引渡時に完成工事高を計上します。

完全に履行義務を充足した時点で収益を認識する方法

工事契約について、契約における取引開始日から完全に履行義務を充足すると見込まれる時点までの期間がごく短い場合には、一定の期間にわたり収益を認識せず、完全に履行義務を充足した時点で収益を認識することができます。

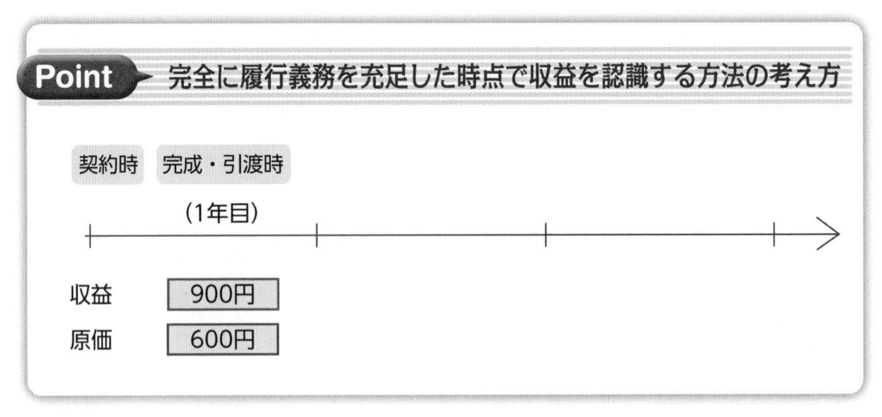

工事が完成し、引渡しをした期に一括で工事収益と工事原価を計上します。なお、「ごく短い」とは、おおむね3カ月程度となります。

完全に履行義務を充足した時点で収益を認識する方法による会計処理

(1) 工事代金前受時

工事代金を前受けした場合、未成工事受入金勘定で処理します。

工事代金前受時の処理は、進捗度に基づき収益を認識する方法と同じです。

(2) 完成・引渡年度

① 完成工事高

工事が完成し、顧客に引き渡した時点で完成工事高を計上します。なお、代金を後日受け取る場合、相手科目は完成工事未収入金勘定で処理します。

② 完成工事原価

完成時までに発生した原価の総額を未成工事支出金勘定から完成工事原

価勘定に振り替えます。

Point 完全に履行義務を充足した時点で収益を認識する方法の勘定連絡図

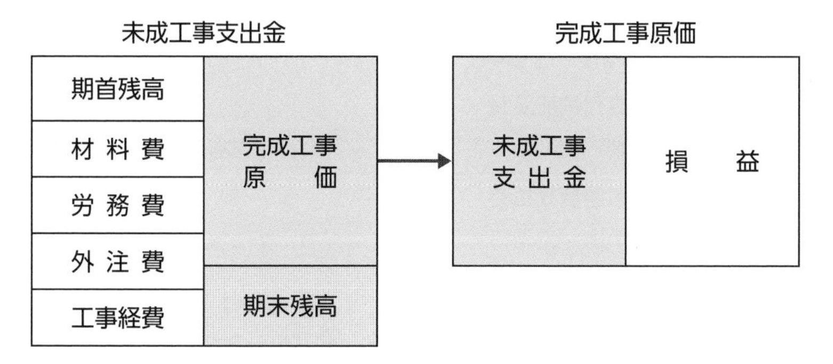

建設中の工事に関する原価は、未成工事支出金勘定に計上しておき、完成し、引き渡した期に完成工事原価勘定へ振り替えます。

したがって、未成工事支出金勘定の期末残高は、当期末に未完成の工事についての原価になります。

例題 完全に履行義務を充足した時点で収益を認識する方法

次の資料に基づいて、各年度の仕訳を示しなさい。

［資　料］

(1)　X1年度

①　当社は、建物の建設についての契約を締結した。なお、契約における取引開始日から完全に履行義務を充足すると見込まれる時点までの期間がごく短いため、建物を引き渡した時点で収益を認識する。

②　契約で取り決められた当初の工事収益総額は50,000千円であり、工事原価総額の当初見積額は25,000千円である。また、契約時に工事代金の一部として12,500千円を受け取った。

③　X1年度の発生原価は、総額で7,500千円である。

(2)　X2年度

建物が完成し、引渡しが完了した。X2年度の発生原価は、総額で17,500千円である。

解答

（仕訳の単位：千円）

(1) X1年度（工事中）

① 工事代金前受時

（現金預金）	12,500	（未成工事受入金）	12,500

② 工事原価支払時

（未成工事支出金）	7,500	（現金預金）	7,500

③ 決算時

仕訳なし

(2) X2年度（完成・引渡し）

① 工事原価支払時

（未成工事支出金）	17,500	（現金預金）	17,500

② 完成・引渡時

（未成工事受入金）	12,500	（完成工事高）	50,000
（完成工事未収入金）	37,500		

③ 決算時

（完成工事原価）	25,000	（未成工事支出金）	25,000

(1) X1年度

完全に履行義務を充足した時点で収益を認識する方法の場合、工事が完成し、引渡しをした期に工事収益と工事原価を計上します。したがって、建物が未完成であるX1年度では、工事収益と工事原価は計上されません。

決算整理後残高試算表　（単位：千円）

未成工事支出金	7,500	未成工事受入金	12,500

(2) X2年度

完全に履行義務を充足した時点で収益を認識する方法の場合、完成・引渡年度に工事収益総額50,000千円を完成工事高に計上し、発生した原価の総額25,000千円を未成工事支出金から完成工事原価に振り替えます。

決算整理後残高試算表			(単位：千円)
完成工事原価	25,000	完成工事高	50,000
完成工事未収入金	37,500		

完全に履行義務を充足した時点で収益を認識する方法では、工事が完成し、引渡しをした期に未成工事支出金勘定を完成工事原価勘定に振り替えます。

原価回収基準

原価回収基準とは、履行義務の充足に係る進捗度を合理的に見積もることができる時まで、履行義務を充足する際に発生する費用のうち、回収することが見込まれる費用の金額で収益を認識する方法のことです。

ざっくりいうと、かかった費用（原価）のうち回収できると判断した金額をそのまま収益（売上）として計上しようという方法です。

原価回収基準は、進捗度を合理的に見積もることができないものの、履行義務を充足する際に生じる費用を回収できると見込まれる場合に適用します。

たとえば、進捗度が不明であるけれど、当期に発生した原価は10,000円とわかっており、少なくとも、この10,000円は回収可能と判断したときは、原価回収基準に基づくと売上は10,000円となります。

例題 原価回収基準

次の資料に基づいて、各年度の完成工事高を求めなさい。

[資　料]

1．X1年度期首に建物の建設工事を50,000千円で請け負った。また、工期は３年であり、工事契約は一定の期間にわたり充足される履行義務である。

2．各年度の実際工事原価は以下のとおりである。なお、発生した原価については、各年度において全額回収することができると見込まれている。

X1年度	X2年度	X3年度
7,500千円	12,000千円	5,500千円

3．X1年度およびX2年度の各決算日において、当該履行義務の充足に係る進捗度を合理的に見積もることができない。

4．X3年度に建物が完成し、引渡しが完了した。

解答

X1年度： 7,500千円
X2年度：12,000千円
X3年度：30,500千円

(1) X1年度の完成工事高

X1年度の実際工事原価の全額を完成工事高として計上します。

⇒ 7,500千円

(2) X2年度の完成工事高

X2年度の実際工事原価の全額を完成工事高として計上します。

⇒ 12,000千円

［資料］2．により費用（原価）がすべて回収できると見込まれるため、X1年度とX2年度については、回収することが見込まれる費用（原価）の金額をそのまま完成工事高として計上します。

(3) X3年度の完成工事高

50,000千円－(7,500千円＋12,000千円)＝30,500千円

(4) 各年度の完成工事高と完成工事原価

（単位：千円）

	完成工事原価	完成工事高
X1年度	7,500	7,500
X2年度	12,000	12,000
X3年度	5,500	30,500
合計	25,000	50,000

X3年度に建物の完成・引渡しという履行義務が完了するので、X3年度の完成工事高は、請負金額からX1年度とX2年度の完成工事高の合計を差し引いた30,500千円となります。

原価回収基準の適用要件を満たしている場合、容認処理として、契約の初期段階では収益を認識せず、進捗度を合理的に見積もることができるときから収益を認識することもできます。この場合、合理的な見積りが可能となるまで収益が全く計上されない点が、原価回収基準と異なります。

問題 >>> 問題編の**問題1**に挑戦しましょう！

4：工事収益総額・見積工事原価総額の変更

見積りの変更

　進捗度に基づき収益を認識する方法において、履行義務の充足に係る進捗度は、各決算日に見直します。また、見積りを変更する場合は、会計上の見積りの変更として処理します。

工事収益総額の変更

　工事途中において、工事収益総額を変更した場合、次のように工事収益を求めます。

Point 工事収益総額の変更

　工事収益総額を変更した場合には、変更後の工事収益総額に基づいて工事収益を算定します。

完成工事高
　＝変更後工事収益総額×工事進捗度－過年度工事収益累計額
　（変更後工事収益総額×工事進捗度：当期末における変更後工事収益累計額）

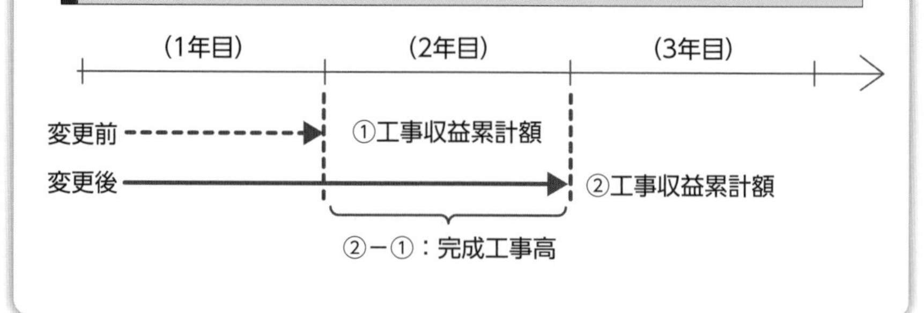

例題　工事収益総額の変更

次の資料に基づいて、各年度の完成工事高を求めなさい。

［資　料］

(1)　X1 年度

①　当社は、建物の建設についての契約を締結した。なお、工事契約は一定の期間にわたり充足される履行義務であり、履行義務の充足にかかる進捗度を合理的に見積もることができる。

②　契約で取り決められた当初の工事収益総額は50,000千円であり、工事原価総額の当初見積額は25,000千円である。

③　X1 年度の発生原価は、総額で7,500千円である。

(2)　X2 年度

①　X2 年度の発生原価は、総額で12,000千円である。

②　X2 年度末に工事収益総額を52,500千円に変更した。

(3)　X3 年度

建物が完成し、引渡しが完了した。X3 年度の発生原価は、総額で7,000千円である。

(4)　当社は、決算日における工事進捗度を原価比例法により算定している。

解答

X1 年度：15,000千円
X2 年度：25,950千円
X3 年度：11,550千円

(1)　X1 年度の完成工事高

$$50{,}000千円 \times \frac{7{,}500千円}{25{,}000千円} = 15{,}000千円$$

(2)　X2 年度の完成工事高

X2 年度以降の完成工事高は、変更後の工事収益総額52,500千円を用いて算定します。

$$52{,}500千円 \times \frac{7{,}500千円 + 12{,}000千円}{25{,}000千円} - 15{,}000千円 = 25{,}950千円$$

(3) X3年度の完成工事高

52,500千円－(15,000千円＋25,950千円)＝11,550千円

(4) 各年度の完成工事原価と完成工事高

(単位：千円)

	完成工事原価	完成工事高
X1年度	7,500	15,000
X2年度	12,000	25,950
X3年度	7,000	11,550
合　計	26,500	52,500

完成工事原価は、実際発生額となるため、必ずしも見積工事原価総額とは一致しません。

見積工事原価総額の変更

工事途中に、見積工事原価総額を変更した場合、次のように工事収益を求めます。

Point 見積工事原価総額の変更

見積工事原価総額を変更した場合には、変更後の見積工事原価総額に基づいて工事進捗度を求め、工事収益を算定します。

完成工事高

$$＝工事収益総額 \times \frac{決算日までに発生した工事原価累計額}{変更後の見積工事原価総額}$$

－過年度工事収益累計額

例題　見積工事原価総額の変更

次の資料に基づいて、各年度の完成工事高を求めなさい。

［資　料］

(1)　X1年度

①　当社は、建物の建設についての契約を締結した。なお、工事契約は一定の期間にわたり充足される履行義務であり、履行義務の充足にかかる進捗度を合理的に見積もることができる。

②　契約で取り決められた当初の工事収益総額は50,000千円であり、工事原価総額の当初見積額は25,000千円である。

③　X1年度の発生原価は、総額で7,500千円である。

(2)　X2年度

①　X2年度の発生原価は、総額で12,000千円である。

②　X2年度末の見積工事原価総額を26,000千円に変更した。

(3)　X3年度

建物が完成し、引渡しが完了した。X3年度の発生原価は、総額で7,000千円である。

(4)　当社は、決算日における工事進捗度を原価比例法により算定している。

解答

X1年度：15,000千円
X2年度：22,500千円
X3年度：12,500千円

(1)　X1年度の完成工事高

$$50{,}000\text{千円} \times \frac{7{,}500\text{千円}}{25{,}000\text{千円}} = 15{,}000\text{千円}$$

(2)　X2年度の完成工事高

X2年度以降の工事進捗度は、変更後の見積工事原価総額26,000千円を用いて算定します。

$$50{,}000千円 \times \frac{7{,}500千円 + 12{,}000千円}{26{,}000千円} - 15{,}000千円 = 22{,}500千円$$

(3) X3年度の完成工事高

50,000千円－(15,000千円＋22,500千円)＝12,500千円

(4) 各年度の完成工事原価と完成工事高

（単位：千円）

	完成工事原価	完成工事高
X1年度	7,500	15,000
X2年度	12,000	22,500
X3年度	7,000	12,500
合　計	26,500	50,000

完成工事原価報告書

建設業会計では、損益計算書の添付書類として完成工事原価報告書（Cost Report＝C/R）を作成します。完成工事原価報告書は完成工事原価の内訳明細書であり、未成工事支出金勘定の記入内容を報告式に記載したものです。

完成工事原価報告書

Ⅰ	材　料　費	×××
Ⅱ	労　務　費	×××
Ⅲ	外　注　費	×××
Ⅳ	工事経費	×××
	完成工事原価	×××

損益計算書

Ⅰ	完成工事高	×××
Ⅱ	**完成工事原価**	×××
	完成工事総利益	×××
Ⅲ	販売費及び一般管理費	×××

貸借対照表

完成工事未収入金	×××	工事未払金	×××
未成工事支出金	×××	未成工事受入金	×××

問題 >>> 問題編の**問題2**に挑戦しましょう！

5：工事損失引当金

工事損失引当金とは

工事契約について、工事原価総額等が工事収益総額を超過する可能性が高く、かつ、その金額を合理的に見積もることができる場合には、その超過すると見込まれる額（工事損失）のうち、当該工事契約に関してすでに計上された損益の額を控除した残額を**工事損失引当金**として計上します。

工事損失引当金は、次期以降に見込まれる赤字分（損失分）を、当期に引当金として先に計上しておこうとするものです。

工事損失引当金の会計処理

(1) 設定時の会計処理

工事収益総額と工事原価総額を比較して工事損失が見込まれる場合、工事契約の全体から見込まれる工事損失から、当期までの工事損益を控除した金額を工事損失引当金として計上します。

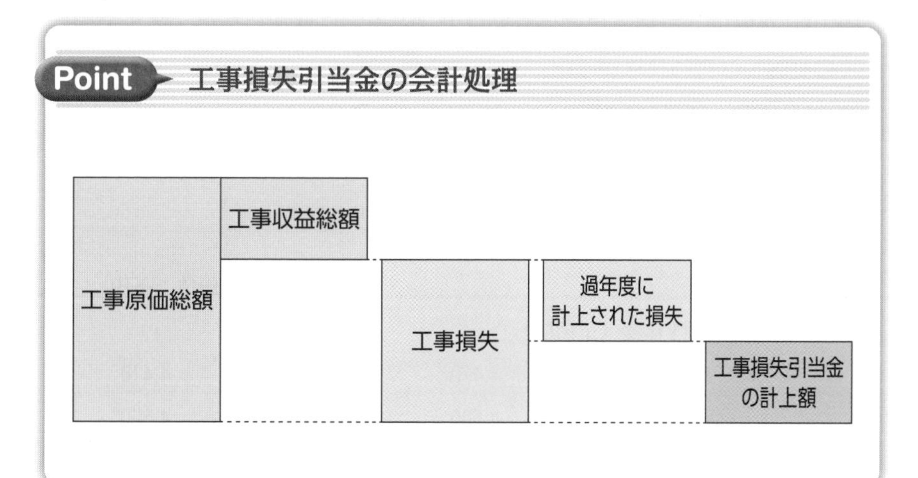

⑵ 取崩時の会計処理

工事の進捗や完成・引渡しにより工事損失が確定したときは、確定した分の工事損失引当金を取り崩します。

工事損失引当金は、工事の進捗の程度にかかわらず適用されます。

例題 工事損失引当金

次の資料に基づいて、各年度の仕訳（工事原価支払時の仕訳は除く）を示しなさい。

［資　料］

⑴ 当社は、建物の建設についての契約を締結した。なお、工事契約は一定の期間にわたり充足される履行義務であり、履行義務の充足にかかる進捗度を合理的に見積もることができる。

⑵ 工事収益総額15,000千円、請負時（X1年度）の見積工事原価総額14,700千円

⑶ 実際の発生原価

X1年度：4,410千円　X2年度：8,190千円　X3年度：3,150千円

⑷ X2年度に、見積工事原価総額は15,750千円に増加したが、請負金額の見直しは行われなかった。

⑸ X3年度に建物が完成し、引渡しが完了した。

⑹ 当社は、決算日における工事進捗度を原価比例法により算定している。

解答

（仕訳の単位：千円）

⑴ X1年度（工事中）

（完成工事原価）	4,410	（未成工事支出金）	4,410
（契約資産）	4,500	（完成工事高）	4,500*

＊　$15{,}000\text{千円} \times \dfrac{4{,}410\text{千円}}{14{,}700\text{千円}} = 4{,}500\text{千円}$

(2) X2年度（工事中）

① 工事原価および工事収益の計上

(完成工事原価)	8,190	(未成工事支出金)	8,190
(契約資産)	7,500	(完成工事高)	7,500*

＊ 15,000千円 × $\frac{4,410千円 + 8,190千円}{15,750千円}$ − 4,500千円 = 7,500千円

② 工事損失引当金の計上

(完成工事原価)	150	(工事損失引当金)	150

(3) X3年度（完成・引渡し）

① 工事原価および工事収益の計上

(完成工事原価)	3,150	(未成工事支出金)	3,150
(契約資産)	3,000	(完成工事高)	3,000*
(完成工事未収入金)	15,000	(契約資産)	15,000

＊ 15,000千円 −（4,500千円 + 7,500千円）= 3,000千円

② 工事損失引当金の取崩し

(工事損失引当金)	150	(完成工事原価)	150

(1) 工事損失引当金の設定

X2年度に見積工事原価総額が増加した結果、請負金額を上回り、工事損失が見込まれます。そこで、工事損失引当金を設定します。

① 見積もられた工事損失の総額：

請負金額15,000千円－変更後の工事原価総額15,750千円＝△750千円

② X1年度の損益：4,500千円－4,410千円＝90千円（利益）

③ X2年度の損益：7,500千円－8,190千円＝△690千円（損失）

④ X2年度末までに発生した工事損失：

△690千円＋90千円＝△600千円

⑤ 今後見込まれる工事損失：

750千円－600千円＝150千円（工事損失引当金）

(2) 工事損失引当金の取崩し

完成・引渡しにより工事損失が確定するので、工事損失引当金を取り崩します。

工事損失引当金の繰入額は、完成工事原価に含め、取崩額は、完成工事原価から控除します。

問題 >>> 問題編の**問題３**に挑戦しましょう！

参考 工事契約に関する会計基準（旧基準）

工事契約に係る認識基準

従来適用されていた工事契約に関する会計基準では、工事契約に係る認識基準として、**工事進行基準**と**工事完成基準**という２つの方法がありました。

工事契約に係る認識基準とは、工事契約に関する工事収益および工事原価を認識するための基準のことです。

工事契約に関する会計基準は、収益認識基準が新しく設定されたことにより廃止されました。

工事進行基準の意義

工事進行基準とは、工事契約に関して、工事収益総額、工事原価総額および決算日における工事進捗度を合理的に見積もり、これに応じて当期の工事収益および工事原価を認識する方法です。

収益認識基準でいう、進捗度に基づき収益を認識する方法と同様の会計処理を行っていました。

工事完成基準の意義

工事完成基準とは、工事契約に関して、工事が完成し、目的物の引渡しを行った時点で、工事収益および工事原価を認識する方法です。

収益認識基準でいう、完全に履行義務を充足した時点で収益を認識する方法と同様の会計処理を行っていました。

プラスα 工事契約に係る認識基準について

工事契約に関して、工事の進行途上においても、その進捗部分について成果の確実性が認められる場合には工事進行基準を適用し、この要件を満たさない場合には工事完成基準を適用していました。

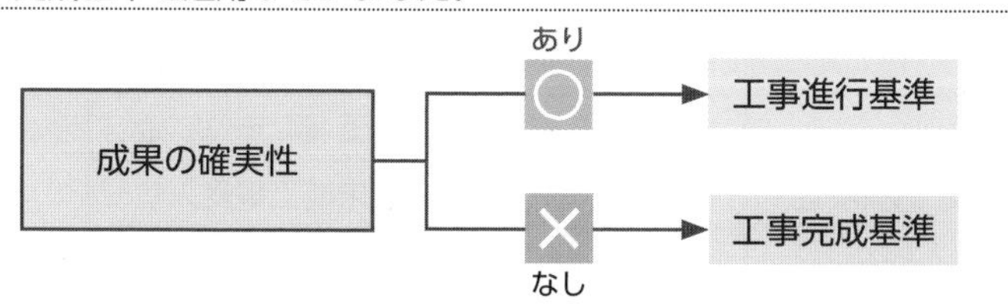

なお、成果の確実性が認められるには、工事収益総額、工事原価総額、および決算日における工事進捗度を、信頼性をもって見積もることができる必要があります。

Chapter 10 のまとめ

□ 建設業会計における勘定科目

	通常の製造業	建設業
借方科目	売掛金	完成工事未収入金*
	仕掛品（製造）	未成工事支出金
	売上原価	完成工事原価
貸方科目	買掛金・未払金	工事未払金
	前受金	未成工事受入金
	売上高	完成工事高

＊　完成前は「契約資産」とすることが多い。

□ 材料費の振替処理

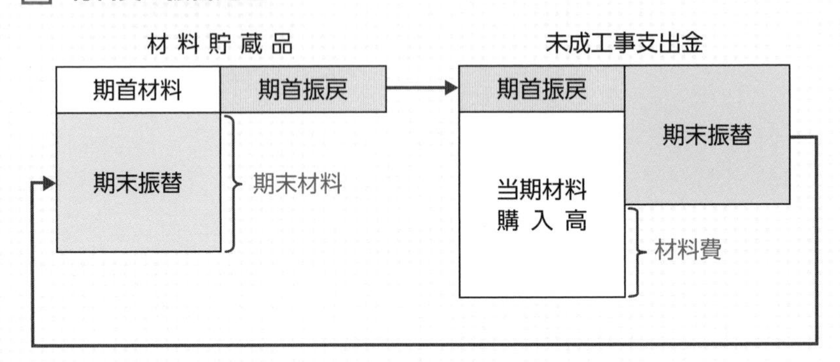

□ 一定の期間にわたり充足される履行義務の会計処理

① 進捗度に基づき収益を認識（＊1）
② 完全に履行義務を充足した時点で収益を認識（＊2）
③ 原価回収基準（＊3）

＊1　進捗度を合理的に見積もることができる場合
＊2　期間がごく短い場合のみ適用可（容認規定）
＊3　進捗度を合理的に見積もることができないものの、履行義務を充足する際の費用を回収できると見込む場合に、進捗度を合理的に見積もることができるときまで。ただし（以下は容認規定）、契約の初期段階に収益を認識せず、当該進捗度を合理的に見積もることができるときから収益を認識することもできる。

□ 工事進捗度の算定方法（原価比例法）

$$工事進捗度＝\frac{決算日までに発生した工事原価累計額}{見積工事原価総額}$$

□ 進捗度に基づき収益を認識する方法における工事収益の算定

(1) 第1年度の工事収益

完成工事高＝工事収益総額×工事進捗度

(2) 第2年度以降の工事収益

完成工事高＝工事収益総額×工事進捗度－過年度工事収益累計額

(3) 完成引渡年度の工事収益

完成工事高＝工事収益総額－過年度工事収益累計額

□ 見積りの変更があった場合の工事収益の算定

(1) 工事収益総額を変更した場合

完成工事高
＝変更後工事収益総額×工事進捗度－過年度工事収益累計額
当期末における変更後工事収益累計額

(2) 見積工事原価総額を変更した場合

$$\text{完成工事高}=\text{工事収益総額}\times\frac{\text{決算日までに発生した工事原価累計額}}{\text{変更後の見積工事原価総額}}-\text{過年度工事収益累計額}$$

税金

社会において経済活動を行う企業には、さまざまな税金が関係してきます。そして、会計処理を行う際にも、その税金の特徴に応じて処理方法が異なってきます。

そのため、それぞれの税金がどのような目的で課されるものなのか、また、どのような会計処理をするのかを中心におさえていきましょう。

Chapter 11

損益会計

税　金

>>会社にはいろいろな税金が課されます。

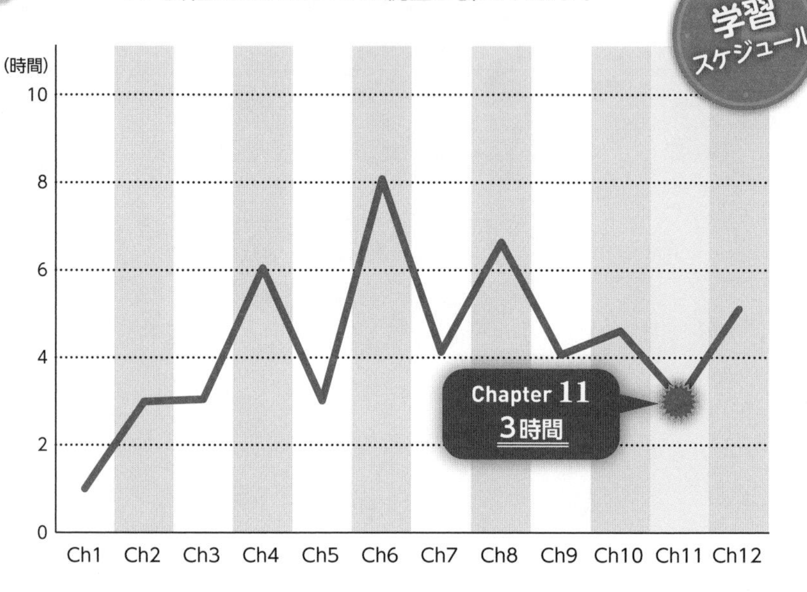

Check List

- □ 租税公課の会計処理を理解しているか？
- □ 消費税等の会計処理を理解しているか？
- □ 法人税等の会計処理を理解しているか？
- □ 源泉所得税等の会計処理を理解しているか？

Link to **財務諸表論① Chapter9 税金**

財務諸表論でも、税金の学習内容はほぼ同じです。ただし、事業税の考え方などは、学習しておくと計算の理解も深まりますので関連づけて学習しましょう。

1：租税公課とは

税金の分類

税金はその処理方法に準じて、次のように分類されます。

租税公課	費用処理するもの
取得税、登録免許税、関税など	取得した資産の付随費用として処理するもの
法人税、住民税、事業税（所得割）	利益の控除として処理するもの
消費税	企業の負担にはならないもの

ここは、本試験で直接的に問われることはないので、軽く確認して次に進みましょう。

租税公課の会計処理

租税公課とは、税金のうち費用処理をするもので、租税公課勘定により処理します。

Point 租税公課の具体例

租税公課に該当する税金には、次のものがあります。

- 固定資産税
- 事業税のうち外形標準課税による付加価値割および資本割
- 印紙税
- 利子税
- 延滞金（納期限延長によるもの）

なお、税務上は、不動産取得税なども租税公課として取り扱うことができますが、会計上は、原則として取得した資産の付随費用として処理します。

例題 **租税公課**

次の各取引の仕訳を示しなさい。

(1) 固定資産税7,500円を現金で納付した。

(2) 収入印紙975円および切手30円を現金で購入したが未処理である。なお、期末において収入印紙225円および切手15円が未使用であることが判明した。

解答

(1) 固定資産税納付時

借方	金額	貸方	金額
(租　税　公　課)	7,500	(現　　　　金)	7,500

(2) 収入印紙および切手

① 取得時

借方	金額	貸方	金額
(租　税　公　課)	975*1	(現　　　　金)	1,005
(通　信　費)	30*2		

*1 収入印紙代
*2 切手代

② 未使用分の振替処理

借方	金額	貸方	金額
(貯　蔵　品)	240*	(租　税　公　課)	225
		(通　信　費)	15

* 未使用の収入印紙および切手は、貯蔵品勘定で処理します。

事業税と外形標準課税

事業税とは、法人の行う事業および個人の行う一定の事業に対して、その事業の事務所または事業所がある都道府県が課す税金で、法人の所得金額に対して課税される税金のことです。

なお、資本金１億円超の法人については外形標準課税の適用対象となり、事業税の一部は、資本金等および付加価値など、外観から客観的に判断できる基準に基づいて税額を算定します。

この場合、事業税の総額は、次のように算定します。

> **事業税額 ＝ 所得割額（法人税等）＋ 付加価値割額（租税公課）**
> 　　　　　　　　　　　　　　　　　　　　（付加価値割額：外形基準部分）
>
> **＋ 資本割額（租税公課）**
> 　　（資本割額：外形基準部分）

所得割額は法人税等として処理し、外形基準部分は租税公課として処理することをおさえておけば十分です。

問題 >>> 問題編の**問題１**に挑戦しましょう！

2：消費税等の概要

消費税等の意義

消費税等とは、国内における商品の販売、サービスの提供等に対して課税される間接税であり、国税である消費税と地方消費税の総称のことです。

間接税とは税金を負担する人（担税者）と税金を納める人（納税義務者）が異なる税金のことです。消費税等では、担税者は一般消費者、納税義務者は事業者となります。

Point 消費税等のしくみ

消費税等の納付額は、事業者が得意先などから預かった消費税等から仕入先などに支払った消費税等を控除した残額となります。

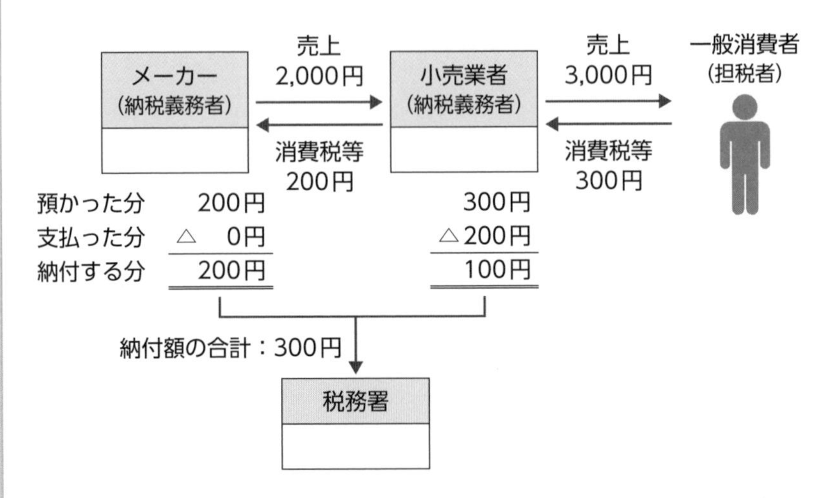

預かった分から支払った分を控除することで、取引全体の納付額は担税者が負担する消費税等の300円となります。

消費税等の税額計算

消費税等は、国税である消費税が消費税率7.8％および地方消費税が消費税額×$\frac{22}{78}$（消費税率換算値2.2％）として算定されます。

Point 消費税等の税率

例）売上高が1,000円の場合の消費税等

⑴ 消費税額：売上高1,000円×消費税率7.8％＝78円

⑵ 地方消費税額：消費税額78円×地方消費税率$\frac{22}{78}$＝22円

⑶ ⑴＋⑵＝消費税等100円

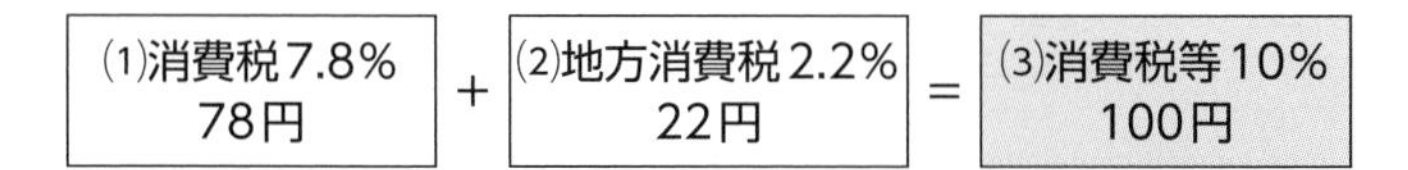

簿記の学習上は、簡便的に合計税率10％で消費税等を計算してかまいません。

消費税等の申告および納付

消費税等は、課税期間末日の翌日から起算して２カ月以内に確定申告を行って納付します。なお、会社は通常、中間申告・納付を行うため、確定申告により納付すべき消費税等は、年税額から中間納付額を差し引いた額となります。

Point 消費税等の申告および納付

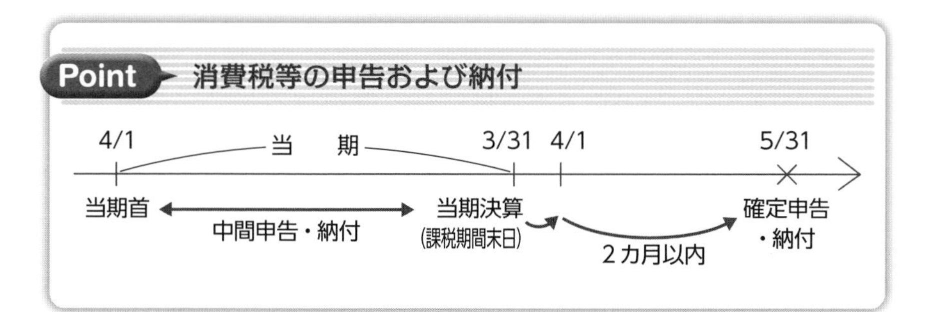

3：消費税等の会計処理

税抜方式の会計処理

税抜方式とは、仕入先等に支払った消費税等を仮払消費税等勘定で、得意先等から預かった消費税等を仮受消費税等勘定で処理する方式です。決算時に、両者を相殺し、その差額を未払消費税等または未収消費税等で処理します。

Point 税抜方式の会計処理

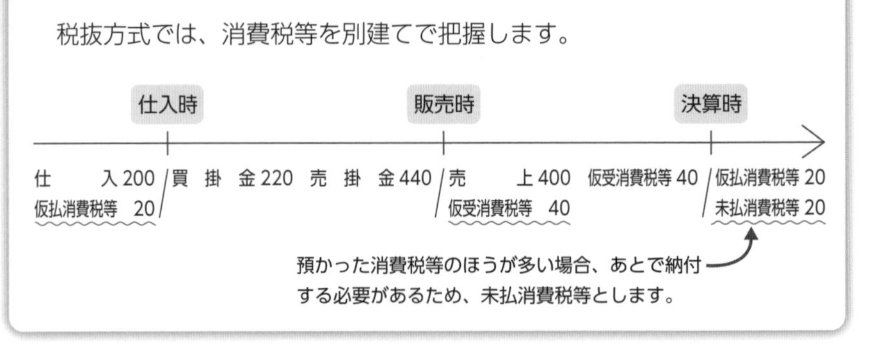

決算時に、仮受消費税等（預かった消費税等）＜仮払消費税等（支払った消費税等）である場合、あとで還付を受けるので未収消費税等が計上されます。

例題 税抜方式の会計処理

次の各取引の仕訳を示しなさい。なお、消費税等の税率は10%であり、税抜方式を採用している。

(1)　商品3,300円（税込み）を掛けで仕入れた。
(2)　商品8,800円（売価。税込み）を掛けで売り上げた。
(3)　営業費990円（税込み）を現金で支払った。
(4)　機械1,100円（税込み）を購入し、現金で支払った。

(5) 消費税等150円について現金で中間納付を行った。

(6) 決算日を迎えた。

解答

(1) **仕入時**

(仕　　　入)	3,000	(買　掛　金)	3,300
(仮払消費税等)	300*		

＊ 3,300円×$\frac{0.1}{1.1}$＝300円

(2) **売上時**

(売　掛　金)	8,800	(売　　　上)	8,000
		(仮受消費税等)	800*

＊ 8,800円×$\frac{0.1}{1.1}$＝800円

(3) **営業費支払時**

(営　業　費)	900	(現　　　金)	990
(仮払消費税等)	90*		

＊ 990円×$\frac{0.1}{1.1}$＝90円

(4) **機械購入時**

(機　　　械)	1,000	(現　　　金)	1,100
(仮払消費税等)	100*		

＊ 1,100円×$\frac{0.1}{1.1}$＝100円

(5) **中間納付時**

(仮払消費税等)	150	(現　　　金)	150

(6) **決算時**

(仮受消費税等)	800	(仮払消費税等)	640*1
		(未払消費税等)	160*2

＊1 300円+90円+100円+150円＝640円
＊2 貸借差額

仮に、決算時の仮払消費税等が900円であった場合、未払消費税等ではなく、借方に未収消費税等100円が計上されます。

（参考）消費税額の計算

実務上は、消費税の確定額（消費税の申告書上で計算）と、仮受消費税等と仮払消費税等を相殺した金額との間に差額が生じ、これを雑収入または雑損失として処理します。この差額は通常、端数処理の違いによって生じます（仕訳上は取引ごとに消費税を計上するが、税務申告書上は一括計算して、百円未満を切捨てることによる）。

商品売買における返品等

商品売買において返品等がある場合、返品等の会計処理に合わせて消費税等の精算処理を行います。

例題　返品等

次の各取引の仕訳を示しなさい。なお、消費税等の税率は10%であり、税抜方式を採用している。

(1)　商品11,000円（売価。税込み）が返品され、代金については売掛金から差し引いた。

(2)　商品について5,500円（税込み）の値引があり、代金については買掛金から差し引いた。

解答

(1)　売上戻り時

借方	金額	貸方	金額
(売　　　上)	10,000	(売　掛　金)	11,000
(仮受消費税等)	1,000*		

＊　$11{,}000円 \times \frac{0.1}{1.1} = 1{,}000円$

(2)　仕入値引時

借方	金額	貸方	金額
(買　掛　金)	5,500	(仕　　　入)	5,000
		(仮払消費税等)	500*

＊　$5{,}500円 \times \frac{0.1}{1.1} = 500円$

返品等の処理は、仕入時・売上時の逆仕訳となります。

貸倒引当金の設定および貸倒れ

(1) 貸倒引当金設定時の会計処理

通常、期末売掛金は税込金額で計上されているため、貸倒引当金は税込金額に対して設定します。

(2) 貸倒時の会計処理

税抜方式では、売掛金が貸し倒れた場合、仮受消費税等の減額処理を行います。

例題 貸倒れ

次の各取引の仕訳を示しなさい。なお、消費税等の税率は10%であり、税抜方式を採用している。

(1) 期首売掛金4,400円（税込み）が貸し倒れた。なお、当該売掛金については、一般債権として貸倒引当金が設定されている。

(2) 当期に発生した売掛金2,200円（税込み）が貸し倒れた。

解答

(1) 前期発生売掛金の貸倒時

借方	金額	貸方	金額
(貸倒引当金)	4,000	(売掛金)	4,400
(仮受消費税等)	400*		

＊ $4,400円 \times \frac{0.1}{1.1} = 400円$

(2) 当期発生売掛金の貸倒時

借方	金額	貸方	金額
(貸倒損失)	2,000	(売掛金)	2,200
(仮受消費税等)	200*		

＊ $2,200円 \times \frac{0.1}{1.1} = 200円$

前期発生の売掛金の場合は、貸倒引当金の取崩しに、当期発生の売掛金の場合は、貸倒損失の計上になります。

貸倒引当金に対する消費税額について

貸倒引当金を設定するときは債権の税込金額に対して設定するのに、取り崩すときは債権の税抜金額で取り崩すのはなぜですか？

実は、貸倒引当金の設定や取崩しを税込金額で処理するか、税抜金額で処理するかは、特に決まりはありません。なので、本試験では問題文の指示に従うことになります。
本書では、過去の本試験にならって設定は税込金額、取崩しは税抜金額で会計処理をしています。処理に統一感がなくてスッキリしませんが、消費税額に対して設定した貸倒引当金は、洗替法で考えた場合、翌期に戻入処理されて、２事業年度を通した損益はゼロになるので問題は発生しません。

有形固定資産の買換え

有形固定資産の買換取引は、有形固定資産の購入と売却の複合取引なので、仮払消費税等と仮受消費税等が１つの取引から生じます。

有形固定資産の買換えの具体的な会計処理は、簿記論２で詳しく解説します。ここでは、消費税額の算定方法だけおさえておきましょう。

例題　有形固定資産の買換え

次の取引の仕訳を示しなさい。なお、消費税等の税率は10%であり、税抜方式を採用している。

X1年4月1日に車両22,000円（税込み）を購入した。当該車両について、当期首（X4年4月1日）に車両の買換えを行い、新車両33,000円（税込み）を購入した。その際の、適正評価額および下取価額は4,400円（税込み）であり、差額代金は現金で支払った。なお、当該車両は耐用年数4年、残存価額をゼロとする定額法により減価償却を行っている。

解答

（減価償却累計額）	15,000	（車　両）	20,000
（車両売却損）	1,000	（現　金）	28,600
（車　両）	30,000	（仮受消費税等）	400
（仮払消費税等）	3,000		

(1)　旧車両の売却

旧車両を下取価額で売却したものとして仕訳を行います。

（減価償却累計額）	15,000*2	（車　両）	20,000*1
（現　金）	4,400	（仮受消費税等）	400*3
（車両売却損）	1,000		

＊1　車両（税込み）22,000円×$\frac{1}{1.1}$＝20,000円

＊2　車両20,000円×$\frac{1年}{4年}$×経過年数3年＝15,000円

＊3　下取価額4,400円×$\frac{0.1}{1.1}$＝400円

(2)　新車両の購入

（車　両）	30,000*1	（現　金）	33,000
（仮払消費税等）	3,000*2		

＊1　新車両（税込み）33,000円×$\frac{1}{1.1}$＝30,000円

＊2　購入価額33,000円×$\frac{0.1}{1.1}$＝3,000円

(3)　(1)＋(2)→解答

旧車両は、下取価額で売却したと考えます。なお、有形固定資産の売却に係る仮受消費税等の金額は下取価額（売却価額）に基づいて算定します。

問題 >>> 問題編の**問題２**～**問題５**に挑戦しましょう！

4：法人税等の会計処理

法人税等の意義

法人税等とは、法人税、住民税及び事業税（所得割）の総称のことです。

法人税等の申告および納付

法人税等は、決算によって確定した利益に基づいて算定し、決算日の翌日から起算して２カ月以内に確定申告を行って納付します。なお、会社は通常、中間申告・納付を行うため、確定申告により納付すべき法人税等は、年税額から中間納付額を差し引いた額となります。

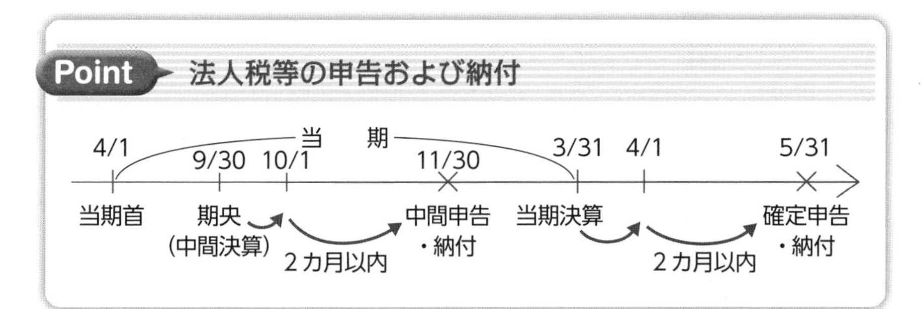

期央とは、一会計期間の真ん中のことです。４月１日から３月31日までの１年間の場合は、９月30日が期央になります。

法人税等の会計処理

法人税等の会計処理方法には、**一勘定制**と**二勘定制**の２つの方法があります。

一勘定制	法人税等について、法人税等勘定のみを設定する方法
二勘定制	法人税等について、法人税等勘定と仮払法人税等勘定の２つの勘定を設定する方法

例題　法人税等

次の取引の、各問における仕訳を示しなさい。

(1) 法人税等の中間申告を行い5,100円を現金で納付した。

(2) 法人税等の年税額は12,000円であった。

(3) 翌期に、確定申告を行い、法人税等を現金で納付した。

問１　一勘定制を採用した場合

問２　二勘定制を採用した場合

解答

問１　一勘定制を採用した場合

(1) **中間納付時**

(法 人 税 等)	5,100	(現　　金)	5,100

(2) **決算時**

(法 人 税 等)	6,900	(未払法人税等)	6,900*

＊　年税額12,000円－中間納付額5,100円＝6,900円

(3) **確定納付時**

(未払法人税等)	6,900	(現　　金)	6,900

問２　二勘定制を採用した場合

(1)　中間納付時

(仮払法人税等)	5,100	(現　　　金)	5,100

(2)　決算時

(法　人　税　等)	12,000	(仮払法人税等)	5,100
		(未払法人税等)	6,900

(3)　確定納付時

(未払法人税等)	6,900	(現　　　金)	6,900

中間納付を行っているため、確定納付する金額は、年税額から中間納付分を控除した金額になります。

問題 >>> 問題編の**問題６**に挑戦しましょう！

5：源泉所得税等

源泉所得税等の意義

公社債の利子や株式の配当等は、受け取る際に所得税等が課税され天引きされます。この時、天引きされた税金を**源泉所得税等**といいます。

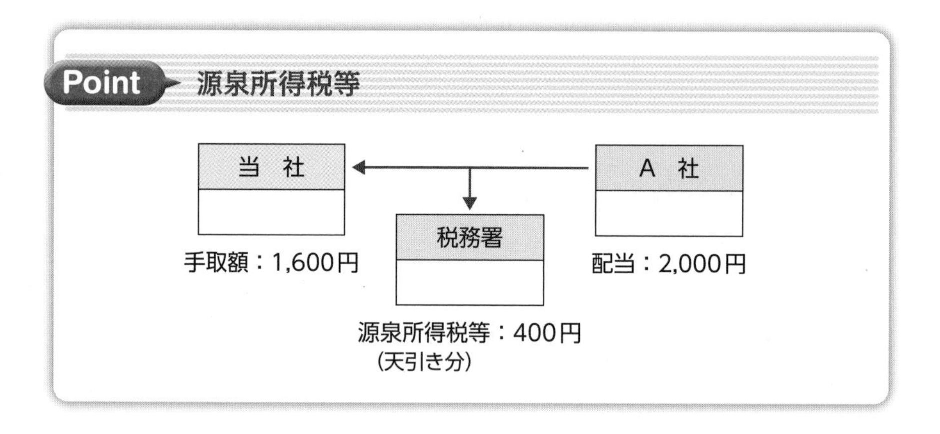

源泉所得税等の会計処理

源泉所得税等は、法人税等の一部を前払いしたものなので、法人税等納付額から控除することができます。

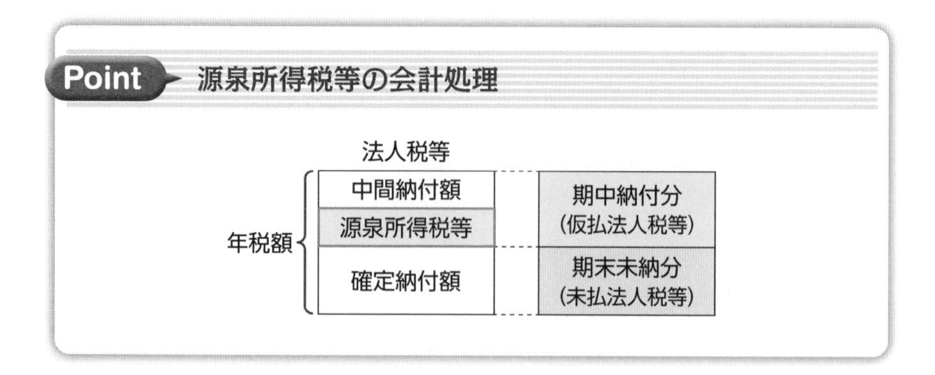

上記は、配当を受け取った側の会社の会計処理です。

例題 源泉所得税等

次の取引の仕訳を示しなさい。

(1) 法人税等の中間申告を行い5,100円を現金で納付した(二勘定制で処理)。

(2) 当社は配当金3,000円(源泉所得税750円控除後)を現金で受け取った。
なお、源泉所得税は全額当期の法人税等から控除できるものである。

(3) 法人税等の年税額は12,000円である。

解答

(1) **中間納付時**

借方	金額	貸方	金額
(仮払法人税等)	5,100	(現　金)	5,100

(2) **配当金受取時**

借方	金額	貸方	金額
(仮払法人税等)	750	(受取配当金)	3,750
(現　金)	3,000		

(3) **決算時**

借方	金額	貸方	金額
(法人税等)	12,000	(仮払法人税等)	5,850*
		(未払法人税等)	6,150

＊　中間納付額5,100円＋源泉所得税等750円＝5,850円

法人税等

年税額 12,000円	法人税等	
	中間納付額 5,100円	期中納付分 (仮払法人税等) 5,850円
	源泉所得税等 750円	
	確定納付額 6,150円	期末未納分 (未払法人税等) 6,150円

問題 >>> 問題編の**問題7～問題8**に挑戦しましょう!

参考 税込方式（消費税等）

消費税の取り扱い（収益認識基準）

収益認識に関する会計基準の施行により、消費税のように第三者のために回収する額は、収益に含めることができなくなりました。したがって、収益認識基準を適用する企業では、消費税に関する会計処理として**税込方式は採用できません。**

税込方式の会計処理

税込方式とは、仕入先等に支払った消費税等を資産の取得原価または費用に含め、得意先等から預かった消費税等を収益に含める方式です。決算時に、納付すべき消費税額を租税公課で処理します。

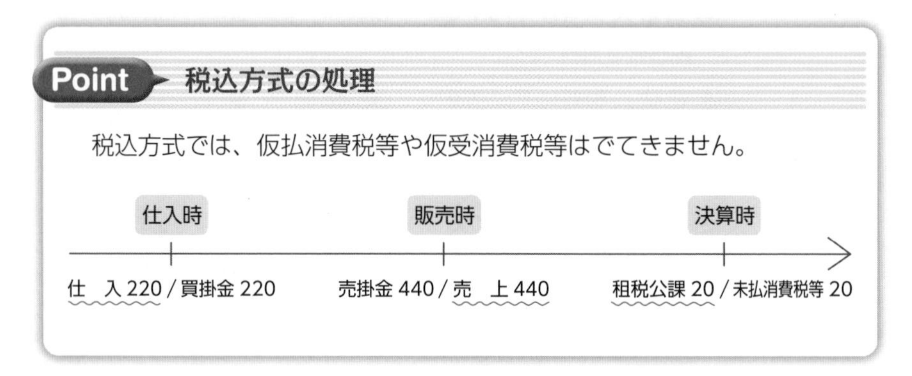

Point 税込方式の処理
税込方式では、仮払消費税等や仮受消費税等はでてきません。
仕入時
販売時
決算時
仕　入 220 / 買掛金 220
売掛金 440 / 売　上 440
租税公課 20 / 未払消費税等 20

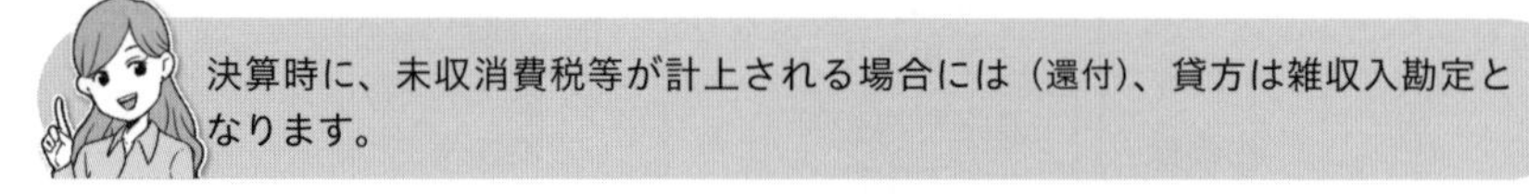

決算時に、未収消費税等が計上される場合には（還付）、貸方は雑収入勘定となります。

例題 税込方式の会計処理

次の各取引の仕訳を示しなさい。なお、消費税等の税率は10%であり、税込方式を採用している。

(1) 商品3,300円（税込み）を掛けで仕入れた。
(2) 商品8,800円（売価。税込み）を掛けで売り上げた。
(3) 営業費990円（税込み）を現金で支払った。
(4) 機械1,100円（税込み）を購入し、現金で支払った。
(5) 消費税等150円について現金で中間納付を行った。
(6) 決算日を迎えた。

解答

(1) **仕入時**

(仕　　　入)	3,300	(買　掛　金)	3,300

(2) **売上時**

(売　掛　金)	8,800	(売　　　上)	8,800

(3) **営業費支払時**

(営　業　費)	990	(現　　　金)	990

(4) **機械購入時**

(機　　　械)	1,100	(現　　　金)	1,100

(5) **中間納付時**

(租　税　公　課)	150	(現　　　金)	150

(6) **決算時**

(租　税　公　課)	160	(未払消費税等)	160*

＊ (8,800円－3,300円－990円－1,100円)× $\frac{0.1}{1.1}$ －150円＝160円

税込方式では、税込金額となっている収入・支出から消費税額を算定し、そこから中間納付額を差し引いて未払消費税等を求めます。

Chapter 11 のまとめ

□ 租税公課の会計処理

租税公課とは、税金のうち費用処理をするもので、租税公課勘定により処理します。

〈租税公課の具体例〉

・固定資産税

・事業税のうち外形標準課税による付加価値割および資本割

・印紙税

・利子税

・延滞金（納期限延長によるもの）

□ 消費税等の会計処理

税抜方式	仕入先等に支払った消費税等を仮払消費税等勘定で、得意先等から預かった消費税等を仮受消費税等勘定で処理する方式
税込方式	仕入先等に支払った消費税等を資産の取得原価または費用に含め、得意先等から預かった消費税等を収益に含める方式（収益認識基準の下では採用不可）

□ 法人税等の会計処理

一勘定制	法人税等について、法人税等勘定のみを設定する方法
二勘定制	法人税等について、法人税等勘定と仮払法人税等勘定の２つの勘定を設定する方法

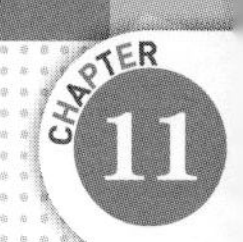

□ 源泉所得税等の会計処理

源泉所得税等は、法人税等の一部を前払いしたものなので、法人税等納付額から控除することができます。

法人税等

	法人税等		
年税額	中間納付額		期中納付分（仮払法人税等）
	源泉所得税等		
	確定納付額		期末未納分（未払法人税等）

CHAPTER 12

税効果会計

今まで皆さんが学習してきた論点は、基本的には会計上の話しかでてきませんでした。しかし、税効果会計は税務上の処理に会計上の処理が影響を受けるという少し変わった論点となります。

なぜ、税効果会計を行う必要があるのかという点をおさえつつ、会計処理をみていきましょう。

Chapter 12

損益会計

税効果会計

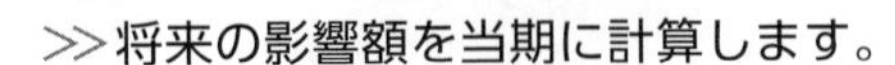

>> 将来の影響額を当期に計算します。

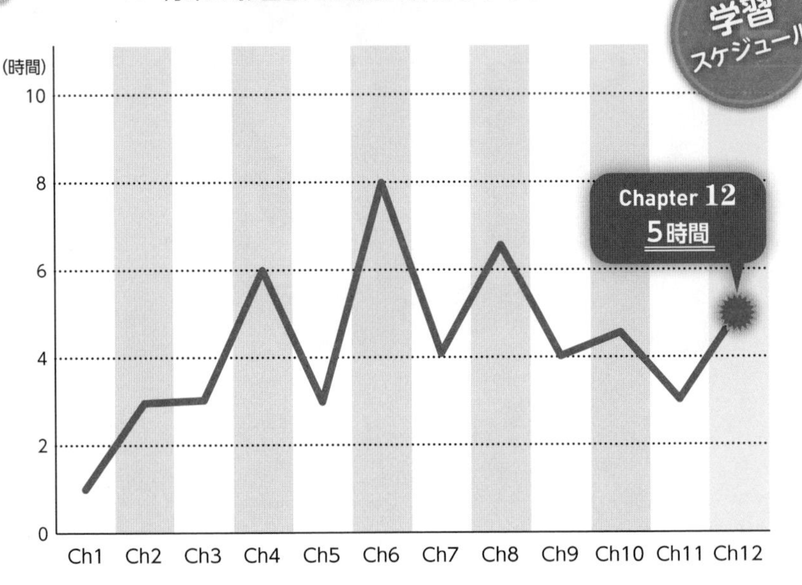

Check List

- □ 損金と益金を理解しているか？
- □ 税務調整の流れを理解しているか？
- □ 一時差異を理解しているか？
- □ 永久差異を理解しているか？
- □ 税効果会計を理解しているか？
- □ 将来減算一時差異の効果を理解しているか？
- □ 将来減算一時差異の会計処理の流れを理解しているか？
- □ 将来加算一時差異の効果を理解しているか？
- □ 将来加算一時差異の会計処理の流れを理解しているか？

Link to 財務諸表論① Chapter10 税効果会計

財務諸表論では、税効果会計の理論的な根拠を学習します。繰延法、資産負債法と関連づけて学習していきましょう。

1：税務調整と差異

法人税等の算定方法

法人税等は、税務上の利益である所得金額を算定し、これに法人税等の税率を掛けて求めます。

Point 法人税等の算定方法

法人税等は、会計上の利益に対して課せられる税金ですが、実際には所得金額に基づいて算定されます。

法人税等	＝	所得金額 （税務上の利益）	×	税　率

ここは、本試験では直接的に問われないので、軽く確認して次に進みましょう。

損金と益金

会計の目的が企業の財政状態および経営成績の把握なのに対して、税法の目的は課税の公平です。

したがって、両者の目的の違いから、認識される費用・収益の範囲にも違いが生じるため、税法では費用・収益のことを**損金**・**益金**といって区別します。

税務調整

税務調整とは、会計上の費用・収益を税務上の損金・益金に調整することで、結果として会計上の利益を所得金額へと調整する手続きのことです。

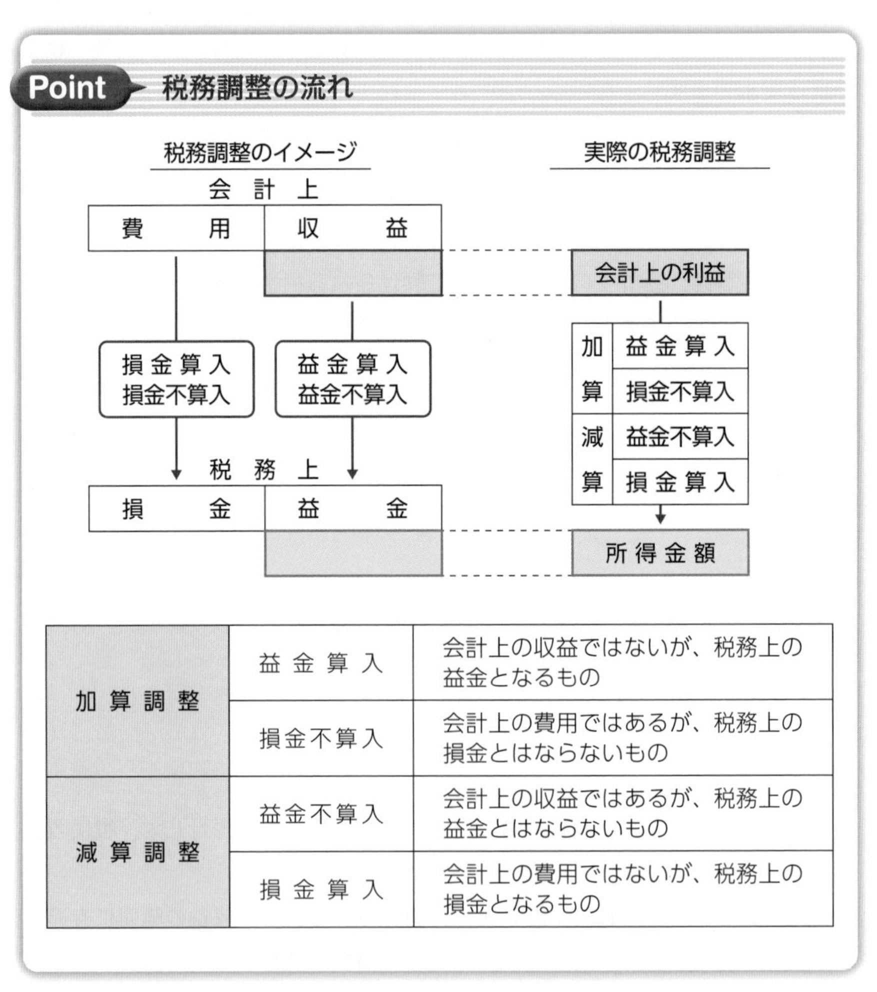

加算調整	益金算入	会計上の収益ではないが、税務上の益金となるもの
	損金不算入	会計上の費用ではあるが、税務上の損金とはならないもの
減算調整	益金不算入	会計上の収益ではあるが、税務上の益金とはならないもの
	損金算入	会計上の費用ではないが、税務上の損金となるもの

税務調整は、会計上の費用・収益と税務上の損金・益金の範囲が異なるために必要となります。

差異について

税務調整などによって生じる、各科目の会計上と税務上の金額的なズレを「差異」といいます。その差異には、**一時差異**と**永久差異**があります。

(1) **一時差異**

① **一時差異の意義**

一時差異とは、会計上の資産・負債の金額と税務上の資産・負債の金額との一時的なズレのことです。

Point 一時差異

例）X1年度において、取得原価1,500円の商品の時価が1,200円になったため、計上した商品評価損300円が税務上否認され、加算調整が行われた場合の一時差異

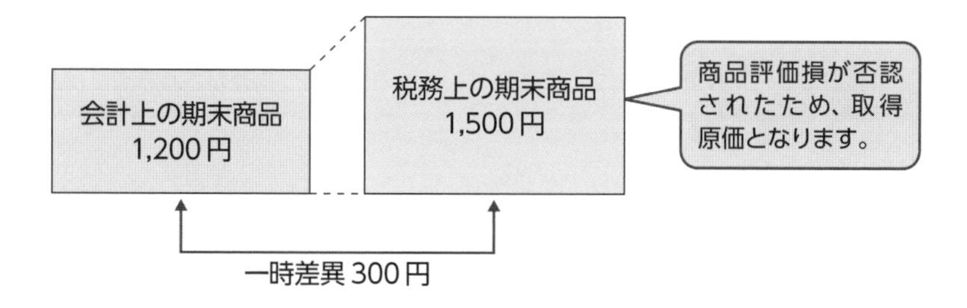

例）X2年度において、商品の販売にともない、税務上、X1年度に加算調整された商品評価損300円が認容され、減算調整が行われた場合の一時差異

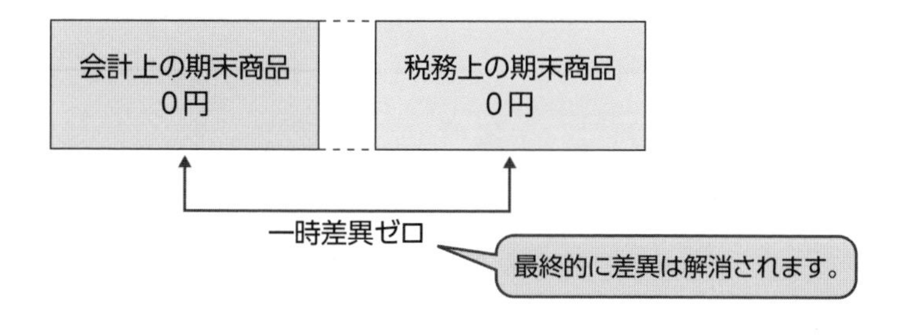

「否認」は、会計上の収益・費用が、税務上の益金・損金として認められないこと、「認容」は、会計上は収益・費用としていないが、税務上は益金・損金として認められることです。

② 一時差異の分類

一時差異には、将来における法人税等を減少または増加させる効果があり、その効果によって次の2つに分類することができます。

分　類	意　義	具体例
将来減算一時差異	将来減算一時差異とは、将来において減算調整が行われ、法人税等が減少する一時差異	・商品評価損 ・引当金繰入限度超過額 ・減価償却限度超過額 ・未払事業税
将来加算一時差異	将来加算一時差異とは、将来において加算調整が行われ、法人税等が増加する一時差異	・固定資産圧縮積立金

詳細については後述します。ここでは、一時差異が2つに分類される点だけおさえておきましょう。

(2) 永久差異

① 永久差異の意義

永久差異とは、会計上の資産・負債の金額と税務上の資産・負債の金額にはズレが生じず、会計上の費用・収益の金額と税務上の費用・収益の金額のみにズレが生じる差異のことです。

Point 永久差異

例）X1年度において、受取配当金150円が否認され、減算調整が行われた場合の永久差異

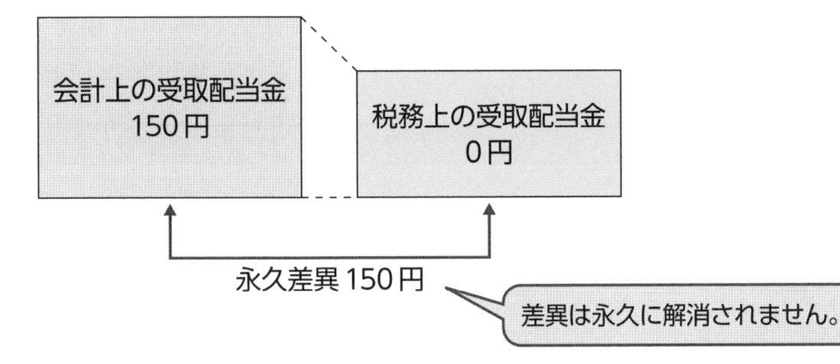

② **永久差異の具体例**

永久差異となるものには、次のものがあります。

永久差異	受取配当金等の益金不算入額
	交際費等の損金不算入額
	寄附金の損金不算入額
	損金不算入の罰科金

問題 >>> 問題編の**問題1**に挑戦しましょう！

2：税効果会計とは

税効果会計の意義

税効果会計とは、一時差異に起因する将来における法人税等の増減効果を、当期の決算に反映させる会計手続のことです。なお、永久差異は将来における法人税等の増減効果が生じないため、税効果会計の適用対象とはなりません。

Point 税効果会計

税効果会計を適用することで、将来の法人税等の支払額に対する影響額が当期の貸借対照表に反映されます。

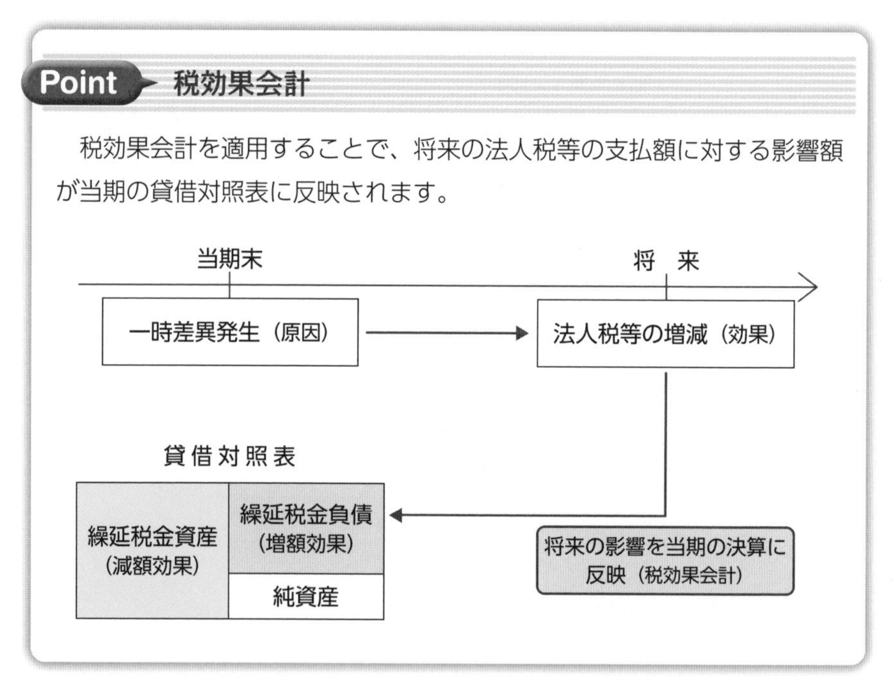

税効果会計の適用対象となるのは一時差異だけで、永久差異は適用外である点をしっかりとおさえておきましょう。

税効果会計の処理方法

税効果会計の処理方法には、繰延法と資産負債法があります。

繰延法は、発生年度における法人税等の額と税引前当期純利益とを期間的に対応させることを目的としているのに対して、資産負債法は、将来の法人税等の支払額に対する影響を表示することを目的としています。

本書では、資産負債法の考え方に基づいて説明していきます。

法人税等は、P/L上は費用項目の区分には計上されませんが、その本質は費用だと考えられています。これは、公共サービス、行政サービスを受ける対価としての費用と捉えられるためです。
したがって、支払利息や支払家賃などと同様、未払額、前払額を調整して、会計上、当期の費用として計上すべき額をP/Lに表示します。例えば、利息を10,000支払い、会計上当期の費用となるのは7,500で、残りは前払いである場合、支払額が10,000であることに変わりはありませんが、会計上の費用配分によって2,500は翌期の費用となります。法人税についても同様に、税務署に納付する法人税等は10,000と決まっていても、会計上の費用配分によって、一部が繰り延べられる（繰延税金資産）、または見越し計上されます（繰延税金負債）。この差異を期間差異と呼びます。
ただし、この考え方ではその他有価証券評価差額金に係る一時差異を説明できません。現行制度では、会計上の費用・収益のズレを、会計上の資産・負債と課税所得計算上の資産・負債のズレとして認識する「資産負債法」を採用し、期間差異を含む、一時差異すべてに税効果会計を適用しています。

3：将来減算一時差異

将来減算一時差異の意義

将来減算一時差異とは、将来において減算調整が行われ、法人税等が減少する一時差異のことです。

Point 将来減算一時差異の効果

例）当期末に将来減算一時差異が200円生じた場合の法人税等の減少効果（法定実効税率30%）

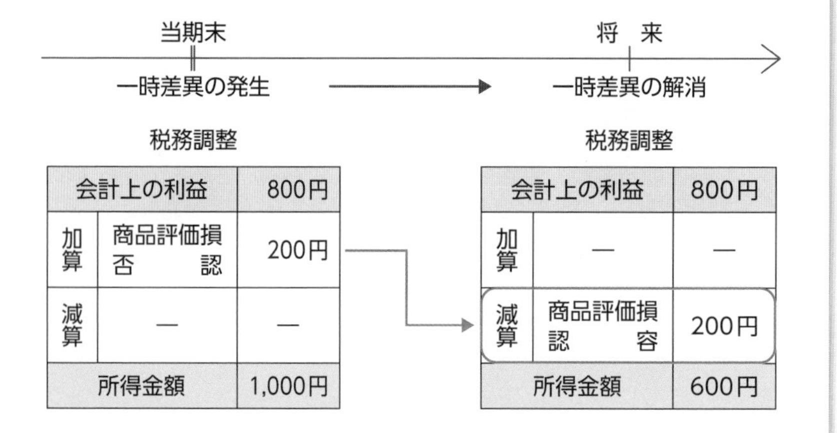

当期末の税務調整

会計上の利益		800円
加算	商品評価損否認	200円
減算	―	―
所得金額		1,000円

将来の税務調整

会計上の利益		800円
加算	―	―
減算	商品評価損認容	200円
所得金額		600円

一時差異が解消した期の所得金額が、会計上の利益に比べて200円分減少します。この結果、一時差異が解消した期の法人税等の金額（600円×30%＝180円）は、会計上の利益に基づいて計算した金額（800円×30%＝240円）に比べて60円減少します。

将来減算一時差異は、差異が解消する期に所得金額を減算調整する差異です。発生した期の税務調整では加算調整となります。

将来減算一時差異の会計処理

(1) 繰延税金資産

税効果会計では、将来減算一時差異によって生ずる将来の法人税等の減少効果を当期において認識し、その効果を**繰延税金資産勘定**で処理します。

繰延税金資産の計上額は、将来減算一時差異に法定実効税率を掛けて算定します。

繰延税金資産＝将来減算一時差異×法定実効税率

繰延税金資産は、一時差異が解消する期の税金を発生した期に前払いしていると考えられるため、法人税等の前払額に相当するといえます。

(2) 法人税等調整額

繰延税金資産は決算ごとに評価し、相手勘定を**法人税等調整額勘定**として処理します。なお、法人税等調整額勘定は、法人税等勘定に対する評価勘定です。

法人税等の納付額は、税務上の処理で確定しています。そのため、法人税等の金額を直接調整せずに、法人税等調整額で間接的に調整します。

プラスα 税効果会計に係る損益計算書の表示

法人税等調整額は純額で表示し、貸方残高の場合は法人税等から控除し、借方残高の場合は法人税等に加算します。

貸方残高の場合

税引前当期純利益		××
法人税等	××	
法人税等調整額	△××	××
当期純利益		××

借方残高の場合

税引前当期純利益		××
法人税等	××	
法人税等調整額	＋××	××
当期純利益		××

商品評価損

(1) 一時差異の発生年度

税務上、商品評価損は、税金逃れの目的で不正に計上することを防止するため、一定の場合を除いて、加算調整（損金不算入）が行われます。この結果、将来減算一時差異が生じるため、繰延税金資産を計上します。

(2) 一時差異の解消年度

商品が販売または廃棄された事業年度において、減算調整（損金算入）が行われます。この結果、将来減算一時差異が解消するため、繰延税金資産を取り崩します。

差異が解消したときは、発生したときの逆仕訳を行います。

例題　税効果会計―棚卸資産

次の各取引の仕訳を示しなさい。なお、法定実効税率は30%である。

(1) X1年度において、税務上、商品評価損50円が否認され、加算調整が行われた。

(2) X2年度において、商品の販売にともない、税務上、X1年度に加算調整された商品評価損50円が認容され、減算調整が行われた。

解答

(1) **X1年度**

(繰延税金資産)	15	(法人税等調整額)	15

(2) **X2年度**

(法人税等調整額)	15	(繰延税金資産)	15

(1) X1年度の会計処理

将来の法人税等が減少することを当期の決算に反映させるために、繰延税金資産を計上するとともに貸方に法人税等調整額を計上します。

① 一時差異

会計上の期末商品：××
税務上の期末商品：××
}一時差異50円（商品評価損）

② 繰延税金資産

一時差異50円×30%＝15円

(2) X2年度の会計処理

商品が販売され、将来減算一時差異が解消されたので、繰延税金資産を取り崩すとともに法人税等調整額を借方に計上します。

会計上の期末商品：ゼロ
税務上の期末商品：ゼロ
}一時差異ゼロ→差異解消

会計上と税務上の期末商品の差異は、商品評価損の金額と一致するため、商品評価損50円が一時差異となります。

貸倒引当金繰入限度超過額

税務上、損金計上できる貸倒引当金繰入額（税務上は洗替法により考えるため、貸倒引当金の設定額ともいえます）には限度額があり、これを超える金額は、加算調整（損金不算入）が行われ将来減算一時差異が生じます。

そして、翌期における貸倒引当金の取崩しにともない、減算調整（損金算入）が行われ、将来減算一時差異が解消します。

会計処理の流れは、商品評価損と同じです。

例題 **税効果会計—貸倒引当金**

次の各取引の仕訳を示しなさい。なお、法定実効税率は30%である。

(1) X1年度において税務上、貸倒引当金繰入限度超過額300円（貸倒引当金繰入額900円、貸倒引当金繰入限度額600円）が否認され、加算調整が行われた。

(2) X2年度において貸倒引当金の取崩処理にともない、税務上、X1年度に加算調整された貸倒引当金繰入限度超過額300円が認容され、減算調整が行われた。

解答

(1) **X1年度**

(繰延税金資産)	90	(法人税等調整額)	90

(2) **X2年度**

(法人税等調整額)	90	(繰延税金資産)	90

(1) X1年度の会計処理

① 一時差異

会計上の貸倒引当金：900円 ⎫
税務上の貸倒引当金：600円 ⎭ 一時差異300円

② 繰延税金資産

一時差異300円×30%＝90円

(2) X2年度の会計処理

会計上の貸倒引当金：ゼロ ⎫
税務上の貸倒引当金：ゼロ ⎭ 一時差異ゼロ→差異解消

賞与引当金繰入限度超過額

税務上、賞与は実際に賞与の支給をした際に損金として認められるため、賞与引当金の計上は認められません。したがって、賞与引当金の全額について、加算調整（損金不算入）が行われ、将来減算一時差異が生じます。

そして、翌期における賞与引当金の取崩し（賞与の支給）にともない、減算調整（損金算入）が行われ、将来減算一時差異が解消します。

例題　税効果会計—賞与引当金

次の各取引の仕訳を示しなさい。なお、法定実効税率は30%である。

(1)　X1年度において税務上、賞与引当金繰入限度超過額150円（賞与引当金繰入額150円、賞与引当金繰入限度額ゼロ）が否認され、加算調整が行われた。

(2)　X2年度において賞与引当金の取崩処理にともない、税務上、X1年度に加算調整された賞与引当金繰入限度超過額150円が認容され、減算調整が行われた。

解答

(1)　**X1年度**

(繰延税金資産)	45	(法人税等調整額)	45

(2)　**X2年度**

(法人税等調整額)	45	(繰延税金資産)	45

(1)　X1年度の会計処理

①　一時差異

会計上の賞与引当金：150円 ┐
税務上の賞与引当金：ゼロ ┘ 一時差異150円

②　繰延税金資産

一時差異150円×30%＝45円

(2)　X2年度の会計処理

会計上の賞与引当金：ゼロ ┐
税務上の賞与引当金：ゼロ ┘ 一時差異ゼロ→差異解消

減価償却限度超過額

税務上、損金計上できる減価償却費には限度額があり、これを超える金額については加算調整（損金不算入）が行われ、将来減算一時差異が生じます。

そして、一定の場合を除いて、減価償却資産が売却または除却された事業年度において減算調整（損金算入）が行われ、将来減算一時差異が解消します。

例題　**税効果会計―減価償却限度超過額**

次の各取引の仕訳を示しなさい。なお、法定実効税率は30%である。

(1)　X1年度において税務上、減価償却限度超過額300円（減価償却費900円、減価償却限度額600円）が否認され、加算調整が行われた。

(2)　X2年度は、X1年度と同様に減価償却を行っている。

(3)　X3年度において、有形固定資産の売却にともない、税務上、X1年度およびX2年度に加算調整された減価償却限度超過額600円（減価償却累計額1,800円、減価償却限度額1,200円）が認容され、減算調整が行われた。

解答

(1)　**X1年度**

(繰延税金資産)	90	(法人税等調整額)	90

(2)　**X2年度**

(繰延税金資産)	90	(法人税等調整額)	90

(3)　**X3年度**

(法人税等調整額)	180	(繰延税金資産)	180

(1)　X1年度の会計処理

①　一時差異

会計上の減価償却累計額：900円 ┐
税務上の減価償却累計額：600円 ┘一時差異300円

②　繰延税金資産

一時差異300円×30%＝90円

(2) X2年度の会計処理

① 一時差異

会計上の減価償却累計額：900円＋900円＝1,800円
税務上の減価償却累計額：600円＋600円＝1,200円
→一時差異600円

② 繰延税金資産

一時差異600円×30%＝180円

③ 繰延税金資産の追加計上額

X2年度の繰延税金資産180円－X1年度の繰延税金資産90円
＝90円

(3) X3年度の会計処理

会計上の減価償却累計額：ゼロ
税務上の減価償却累計額：ゼロ
→一時差異ゼロ→差異解消

Study 本試験における税効果の取扱い

いろいろな取引で一時差異が発生することはわかったのですが、本試験では、どの取引が税効果会計の対象になるかを自分で判断できないといけないのですか？

そのことなら心配しなくても大丈夫です。本試験では税効果会計の処理を行うかどうかは、取引ごとに指示が与えられるので、それに従って解答しましょう。

例題

将来減算一時差異のまとめ

次の資料に基づいて、決算整理後残高試算表を作成しなさい。なお、法定実効税率は30%である。

［資　料］

決算整理前残高試算表　（単位：円）

借方科目	金額	貸方科目	金額
売　掛　金	90,000	貸倒引当金	300
繰越商品	15,000	建物減価償却累計額	54,000
建　物	600,000		
繰延税金資産	15,690		
仕　入	300,000		

1．決算整理事項

(1)　期末商品棚卸高は18,000円、商品評価損は1,600円である。この商品評価損は、税務上否認されるため、税効果会計を適用する。

(2)　差額補充法による貸倒引当金繰入額は2,400円である。税務上の貸倒引当金繰入限度額は900円であり、貸倒引当金繰入限度超過額に対して税効果会計を適用する。

(3)　賞与引当金繰入額は25,800円である。税務上、賞与は支払時に損金算入されるため、賞与引当金に対して税効果会計を適用する。

(4)　建物の減価償却費は18,000円である。税務上の減価償却限度額は10,000円（当期首における減価償却限度額の累計は30,000円）であり、減価償却限度超過額に対して税効果会計を適用する。

2．前期末における繰延税金資産の発生に関する原因別の内訳

	繰延税金資産
商品評価損否認	270円
貸倒引当金繰入限度超過額	420円
賞与引当金繰入限度超過額	7,800円
減価償却限度超過額（累計）	7,200円
合　計	15,690円

解答

決算整理後残高試算表　(単位：円)

売掛金	90,000	貸倒引当金	2,700
繰越商品	16,400	賞与引当金	25,800
建物	600,000	建物減価償却累計額	72,000
繰延税金資産	18,360	法人税等調整額	2,670
仕入	297,000		
商品評価損	1,600		
貸倒引当金繰入額	2,400		
賞与引当金繰入額	25,800		
建物減価償却費	18,000		

(1)　売上原価の算定と棚卸資産の期末評価

(仕入)	15,000	(繰越商品)	15,000
(繰越商品)	18,000	(仕入)	18,000
(商品評価損)	1,600	(繰越商品)	1,600
(繰延税金資産)	210*	(法人税等調整額)	210

＊　商品評価損1,600円×法定実効税率30%－前T/B270円＝210円（増加）

(2)　貸倒引当金

(貸倒引当金繰入額)	2,400	(貸倒引当金)	2,400
(繰延税金資産)	120*	(法人税等調整額)	120

＊　（貸倒設定額2,700円－繰入限度額900円）×法定実効税率30%－前T/B420円＝120円（増加）

〈貸倒引当金繰入限度超過額〉

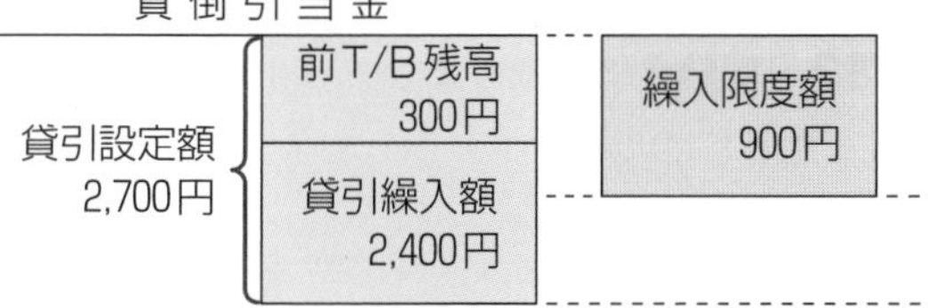

貸倒引当金繰入限度超過額は、貸倒引当金繰入額ではなく、貸倒引当金設定額と貸倒引当金繰入限度額との差額になります。貸倒引当金繰入額と貸倒引当金繰入限度額との差額としないように注意しましょう。

(3) 賞与引当金

(賞与引当金繰入額)	**25,800**	**(賞 与 引 当 金)**	**25,800**
(法人税等調整額)	**60**	**(繰 延 税 金 資 産)**	**60***

＊ 賞与引当金25,800円×法定実効税率30%－前T/B7,800円＝△60円（減少）

(4) 減価償却

(建物減価償却費)	**18,000**	**(建物減価償却累計額)**	**18,000**
(繰 延 税 金 資 産)	**2,400***	**(法人税等調整額)**	**2,400**

＊ （建物減価償却累計額72,000円－償却限度額累計40,000円）
×法定実効税率30%－前T/B7,200円＝2,400円（増加）

	① 前期末の繰延税金資産	② 当期末の繰延税金資産	③ 発生or解消（②－①）
商品評価損	270円	480円	210円
貸倒引当金	420円	540円	120円
賞与引当金	7,800円	7,740円	△60円
減 価 償 却	7,200円	9,600円	2,400円
合　　計	15,690円	18,360円	2,670円

前期末の繰延税金資産が問題文の資料に与えられている場合は、当期末の繰延税金資産を算定し、差額で法人税等調整額を求めると効率的です。前期末の商品が当期中に販売されたのかどうか、問題文に記載がないですが、前期末と当期末の一時差異が判明していれば、差額で会計処理を行うことができます。

問題 ≫≫ 問題編の**問題２**～**問題４**に挑戦しましょう！

4：将来加算一時差異

将来加算一時差異の意義

将来加算一時差異とは、将来において加算調整が行われ、法人税等が増加する一時差異のことです。

Point 将来加算一時差異の効果

例）当期末に将来加算一時差異が200円生じた場合の法人税等の増加効果（法定実効税率30%）

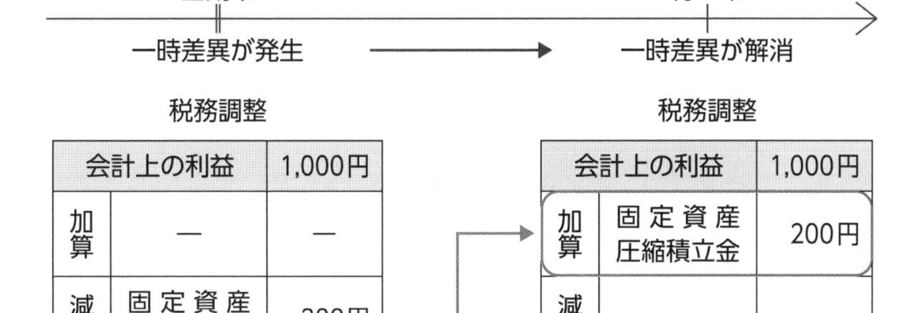

税務調整（当期末）

会計上の利益		1,000円
加算	—	—
減算	固定資産圧縮積立金	200円
所得金額		800円

税務調整（将来）

会計上の利益		1,000円
加算	固定資産圧縮積立金	200円
減算	—	—
所得金額		1,200円

一時差異が解消した期の所得金額が、会計上の利益に比べて200円分増加します。一時差異が解消した期の法人税等の金額（1,200円×30%＝360円）は、会計上の利益に基づいて計算した金額（1,000円×30%＝300円）に比べて60円増加します。

将来加算一時差異の会計処理

(1) 繰延税金負債

税効果会計では、将来加算一時差異によって生じる将来の法人税等の増加効果を当期において認識し、その効果を**繰延税金負債勘定**で処理します。

繰延税金負債の計上額は、将来加算一時差異に法定実効税率を掛けて算定します。

繰延税金負債＝将来加算一時差異×法定実効税率

繰延税金負債は、一時差異が解消する期の税金が発生した期に未払いになっていると考えられるため、法人税等の未払額に相当するといえます。

(2) 法人税等調整額

繰延税金負債は決算ごとに評価し、相手勘定を法人税等調整額勘定として処理します。

将来加算一時差異に関する具体的な会計処理は、簿記論２で詳しく解説します。ここでは、概要だけおさえておきましょう。

5：税率の変更

税率が変更された場合

税効果会計では、繰延税金資産または繰延税金負債の金額は、回収または支払いが行われると見込まれる期の税率に基づいて計算します。

ここで、決算日までに税率の変更があった場合、過年度に計上した繰延税金資産および繰延税金負債を新たな税率に基づいて再計算します。

税率を変更したことによる修正差額

税率が変更された場合、繰延税金資産または繰延税金負債に修正差額が生じます。この場合、元々の税率で計上していた繰延税金資産または繰延税金負債の金額を加減算して修正するとともに、相手勘定は法人税等調整額とします。

Point 税率が変更された場合

例）X1年度の将来減算一時差異が200円、法定実効税率40％であり、繰延税金資産を計上していたが、X2年度になり将来減算一時差異は200円のままであったが法定実効税率が30％に変わった場合

80円を60円に修正するため、修正差額20円分だけ繰延税金資産を減らす。
⇒貸方に繰延税金資産、相手勘定は法人税等調整額
（借）法人税等調整額20（貸）繰延税金資産20

その他有価証券などの評価替えによって評価・換算差額等が生じる場合、上記とは異なる処理をします。このことについては、その他有価証券へ税効果会計を適用する場合の処理を含め簿記論２で紹介します。

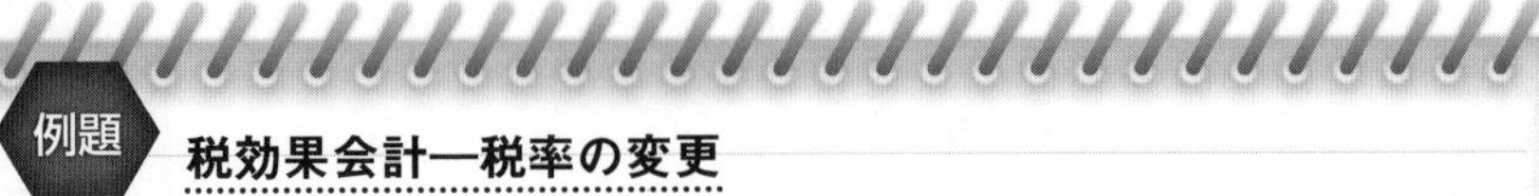

例題 **税効果会計―税率の変更**

次の資料に基づいて、X2年度末の税効果会計に関する仕訳を示しなさい。法人税等の実効税率はX1年度は40%、X2年度は税率の変更が行われ30%になった。

〈資料〉一時差異の内容　　　　　　　　　　　　　（単位：円）

	X1年度	X2年度
〈将来減算一時差異〉		
①棚卸資産評価損	18,000	6,000
②貸倒引当金繰入限度超過額	15,000	20,000

解答

(法人税等調整額)	5,400	(繰延税金資産)	5,400

(1)　X1年度末

(繰延税金資産)	13,200	(法人税等調整額)	13,200*

＊　将来減算一時差異（18,000円＋15,000円）×変更前税率40%
　　＝13,200円

(2)　X2年度末

(法人税等調整額)	5,400*	(繰延税金資産)	5,400

＊　将来減算一時差異（6,000円+20,000円）×変更後税率30%＝7,800円
　　7,800円－13,200円＝△5,400円（繰延税金資産を減額）

(3)　X2年度　決算整理後残高試算表

決算整理後残高試算表

繰延税金資産	**7,800**	
法人税等調整額	**5,400**	

X2年度の決算整理後残高試算表の繰延税金資産は、X2年度の将来減算一時差異を変更後の法定実効税率で計算した金額となります。

Chapter 12 のまとめ

□ 税務調整

税務調整：会計上の費用･収益を税務上の損金･益金に調整することで、結果として会計上の利益を所得金額へと調整する手続き

加算調整	益金算入	会計上の収益ではないが、税務上の益金となるもの
	損金不算入	会計上の費用ではあるが、税務上の損金とはならないもの
減算調整	益金不算入	会計上の収益ではあるが、税務上の益金とはならないもの
	損金算入	会計上の費用ではないが、税務上の損金となるもの

□ 一時差異の分類

分類	意義
将来減算一時差異	将来減算一時差異とは、将来において減算調整が行われ、法人税等が減少する一時差異
将来加算一時差異	将来加算一時差異とは、将来において加算調整が行われ、法人税等が増加する一時差異

□ 繰延税金資産・繰延税金負債の計算方法

繰延税金資産＝将来減算一時差異×法定実効税率

繰延税金負債＝将来加算一時差異×法定実効税率

索　引

あ行

か行

さ行

た行

な行

は行

ま行

ら行

わ行

memo

〈執　筆〉TAC出版開発グループ
資格書籍に特化した執筆者グループ。会計士試験・司法試験等、難関資格の合格者が集結し、会計系から法律系まで幅広く、資格試験対策書の執筆・校閲をオールマイティにこなす。TAC税理士講座とタッグを組み、「みんなが欲しかった！　税理士　簿記論の教科書＆問題集」「みんなが欲しかった！　税理士　財務諸表論の教科書＆問題集」を執筆。主な著書に「みんなが欲しかった！　簿記の教科書日商１級」ほか。
〈装　幀〉Malpu Design

2025年度版
みんなが欲しかった！　税理士　簿記論の教科書＆問題集
1　損益会計編

(2014年度版　2013年10月20日　初版　第１刷発行)
2024年８月９日　初　版　第１刷発行

編著者　TAC株式会社（税理士講座）
発行者　多田敏男
発行所　TAC株式会社　出版事業部（TAC出版）
〒101-8383
東京都千代田区神田三崎町3-2-18
電話 03(5276)9492(営業)
FAX 03(5276)9674
https://shuppan.tac-school.co.jp
印　刷　株式会社　光　邦
製　本　東京美術紙工協業組合

ISBN 978-4-300-11288-5
N.D.C. 336

税理士講座のご案内

チャレンジコース

受験経験者・独学生待望のコース!

4月上旬開講!

開講科目	簿記・財表・法人 所得・相続・消費

基礎知識の底上げ

徹底した本試験対策

チャレンジ講義 + チャレンジ演習 + 直前対策講座 + 全国公開模試

受験経験者・独学生向けカリキュラムが一つのコースに!

※チャレンジコースには直前対策講座(全国公開模試含む)が含まれています。

直前対策講座

5月上旬開講!

本試験突破の最終仕上げ!

学習メディア	教室講座・ビデオブース講座 Web通信講座・DVD通信講座・資料通信講座

＼全11科目対応／

開講科目	簿記・財表・法人・所得・相続・消費 酒税・固定・事業・住民・国徴

直前期に必要な対策が
すべて揃っています!

- 徹底分析!「試験委員対策」
- 即時対応!「税制改正」
- 毎年的中!「予想答練」

※直前対策講座には全国公開模試が含まれています。

チャレンジコース・直前対策講座ともに詳しくは2月下旬発刊予定の
「チャレンジコース・直前対策講座パンフレット」をご覧ください。

(2024年2月現在)

書籍のご購入は

1 全国の書店、大学生協、ネット書店で

2 TAC各校の書籍コーナーで

資格の学校TACの校舎は全国に展開!
校舎のご確認はホームページにて

資格の学校TAC ホームページ
https://www.tac-school.co.jp

3 TAC出版書籍販売サイトで

CYBER BOOK STORE TAC出版書籍販売サイト

TAC 出版 で 検索

https://bookstore.tac-school.co.jp/

新刊情報をいち早くチェック!

たっぷり読める立ち読み機能

学習お役立ちの特設ページも充実!

TAC出版書籍販売サイト「サイバーブックストア」では、TAC出版および早稲田経営出版から刊行されている、すべての最新書籍をお取り扱いしています。
また、会員登録(無料)をしていただくことで、会員様限定キャンペーンのほか、送料無料サービス、メールマガジン配信サービス、マイページのご利用など、うれしい特典がたくさん受けられます。

サイバーブックストア会員は、特典がいっぱい!(一部抜粋)

通常、1万円(税込)未満のご注文につきましては、送料・手数料として500円(全国一律・税込)頂戴しておりますが、1冊から無料となります。

専用の「マイページ」は、「購入履歴・配送状況の確認」のほか、「ほしいものリスト」や「マイフォルダ」など、便利な機能が満載です。

メールマガジンでは、キャンペーンやおすすめ書籍、新刊情報のほか、「電子ブック版TACNEWS(ダイジェスト版)」をお届けします。

書籍の発売を、販売開始当日にメールにてお知らせします。これなら買い忘れの心配もありません。

TAC税理士講座
税理士 財務諸表論
計算問題の解き方
これで本試験も怖くない!
現役講師の㊙テクニックを完全公開

書籍の正誤に関するご確認とお問合せについて

書籍の記載内容に誤りではないかと思われる箇所がございましたら、以下の手順にてご確認とお問合せをしてくださいますよう、お願い申し上げます。
なお、正誤のお問合せ以外の**書籍内容に関する解説および受験指導などは、一切行っておりません。**
そのようなお問合せにつきましては、お答えいたしかねますので、あらかじめご了承ください。

1 「Cyber Book Store」にて正誤表を確認する

TAC出版書籍販売サイト「Cyber Book Store」の
トップページ内「正誤表」コーナーにて、正誤表をご確認ください。

CYBER BOOK STORE TAC出版書籍販売サイト

URL:https://bookstore.tac-school.co.jp/

2 1の正誤表がない、あるいは正誤表に該当箇所の記載がない ⇒ 下記①、②のどちらかの方法で文書にて問合せをする

★ご注意ください★

お電話でのお問合せは、お受けいたしません。
①、②のどちらの方法でも、お問合せの際には、「お名前」とともに、
「対象の書籍名（○級・第○回対策も含む）およびその版数（第○版・○○年度版など）」
「お問合せ該当箇所の頁数と行数」
「誤りと思われる記載」
「正しいとお考えになる記載とその根拠」
を明記してください。
なお、回答までに1週間前後を要する場合もございます。あらかじめご了承ください。

① ウェブページ「Cyber Book Store」内の「お問合せフォーム」より問合せをする

【お問合せフォームアドレス】

https://bookstore.tac-school.co.jp/inquiry/

② メールにより問合せをする

【メール宛先　TAC出版】

syuppan-h@tac-school.co.jp

※土日祝日はお問合せ対応をおこなっておりません。
※正誤のお問合せ対応は、該当書籍の改訂版刊行月末日までといたします。

乱丁・落丁による交換は、該当書籍の改訂版刊行月末日までといたします。なお、書籍の在庫状況等により、お受けできない場合もございます。
また、各種本試験の実施の延期、中止を理由とした本書の返品はお受けいたしません。返金もいたしかねますので、あらかじめご了承くださいますようお願い申し上げます。

TACにおける個人情報の取り扱いについて
■お預かりした個人情報は、TAC(株)で管理させていただき、お問合せへの対応、当社の記録保管にのみ利用いたします。お客様の同意なしに業務委託先以外の第三者に開示、提供することはございません（法令等により開示を求められた場合を除く）。その他、個人情報保護管理者、お預かりした個人情報の開示等及びTAC(株)への個人情報の提供の任意性については、当社ホームページ(https://www.tac-school.co.jp)をご覧いただくか、個人情報に関するお問い合わせ窓口(E-mail:privacy@tac-school.co.jp)までお問合せください。

（2022年7月現在）

この冊子には、問題集の問題と解答・解説がとじこまれています。

別冊ご利用時の注意

この色紙を残したまま冊子をていねいに抜き取り、ご利用ください。また、抜き取りの際の損傷についてのお取替えはご遠慮願います。

問題集
みんなが欲しかった！ 税理士
簿記論の教科書&問題集 1

みんなが欲しかった！　税理士

簿記論の教科書＆問題集 1

問題

Chapter 2　一般商品売買 1

原価率(1)

基礎　8分　解答>>>44P

問1　下記の【資料】に基づいて、決算整理仕訳および決算整理後残高試算表を示しなさい。

【資　料】

(1)

決算整理前残高試算表　（単位：円）

借方科目	金額	貸方科目	金額
繰越商品	32,500	売上	305,000
仕入	249,000		

(2)　期末商品棚卸高 [各自推定] 円

(3)　売価は原価率が80%となるように設定している。

問2　下記の【資料】に基づいて、決算整理仕訳および決算整理後残高試算表を示しなさい。

【資　料】

(1)

決算整理前残高試算表　（単位：円）

借方科目	金額	貸方科目	金額
繰越商品	32,500	売上	305,000
仕入	249,000		

(2)　期末商品棚卸高 [各自推定] 円

(3)　売価は原価の25%増しになるように設定している。

問3　下記の【資料】に基づいて、原価率を算定しなさい。

【資　料】

(1)

決算整理前残高試算表　（単位：円）

借方科目	金額	貸方科目	金額
繰越商品	32,500	売上	305,000
仕入	249,000		

(2)　期末商品棚卸高　37,500円

問4　下記の**【資料】**に基づいて、利益加算率を算定しなさい。

【資　料】

(1)

決算整理前残高試算表　（単位：円）

借方科目	金額	貸方科目	金額
繰越商品	32,500	売上	305,000
仕入	249,000		

(2)　期末商品棚卸高　37,500円

問題2　原価率(2)

応用　5分　解答>>>46P

問1　下記の**【資料】**に基づいて、決算整理後残高試算表を示しなさい。

【資料１】

決算整理前残高試算表　（単位：千円）

借方科目	金額	貸方科目	金額
繰越商品	12,000	売上	540,000
仕入	440,000		

【資料２】

(1)　当期の利益率は20％である。

(2)　期末商品 [各自推定] 千円

問2　下記の**【資料】**に基づいて、決算整理前残高試算表を示しなさい。

【資料１】

決算整理後残高試算表　（単位：千円）

借方科目	金額	貸方科目	金額
繰越商品	600	売上	11,800
仕入	[各自推定]		

【資料２】

(1)　当期の原価率は70％である。

(2)　期首商品　1,000千円

問3　下記の**【資料】**に基づいて、決算整理後残高試算表を示しなさい。

【資料１】

決算整理前残高試算表　（単位：千円）

借方科目	金額	貸方科目	金額
繰越商品	750	売上	[各自推定]
仕入	6,000		

【資料２】

(1)　売上原価率は80％である。

(2)　期末商品　450千円

問題3 返品等

基礎 3分 解答>>>48P

下記の【資料】に基づいて、決算整理後残高試算表を作成しなさい。

【資料1】

決算整理前残高試算表　（単位：千円）

借方科目	金額	貸方科目	金額
繰越商品	3,620	売上	37,800
仕入	31,160	仕入戻し	400
売上戻り	500	仕入値引・割戻	280
売上値引・割戻	340		

【資料2】決算整理事項等

(1) 商品の返品・値引き・割戻しに関する事項

① 期中においては、独立勘定で処理を行っている。

② 決算整理において、仕入勘定および売上勘定から減額処理を行うものとする。

(2) 期末商品実地棚卸高　4,500千円

問題4 割引

基礎 2分 解答>>>50P

次の取引について仕訳を示しなさい。なお、当社は商品の引渡しから代金の決算まで1年以内と見込まれており、約束した対価の額について重要な金融要素の影響を調整していない。

(1) 買掛金72,000円の決済を行ったが、支払期日前に支払ったため、720円の割引を受け残額は現金で支払った。

(2) 売掛金25,000円に対して1％の割引を行い、残額は現金で受け取った。

問題5 返品等と原価率

応用 8分 解答>>>51P

下記の【資料】に基づいて、決算整理後残高試算表を完成しなさい。

【資料1】

決算整理前残高試算表　（単位：円）

借方科目	金額	貸方科目	金額
繰越商品	60,000	売上	683,000
仕入	599,200		
販売費	13,500		

【資料２】

1　仕入勘定から仕入戻し3,500円、仕入値引・割戻5,500円、仕入割引800円が控除されており、売上勘定から売上戻り10,000円、売上値引・割戻7,000円が控除されている。

2　期末商品帳簿棚卸高［各自推定］円

3　売価は原価の15％増しに設定している。

4　売上の対価に関して、重要な金融要素の影響はない。

問題6　他勘定振替⑴

基礎　3分　解答>>>53P

次の取引について仕訳を示しなさい。なお、商品売買取引については三分法を採用している。

⑴　原価1,500円の商品が火災により焼失した。なお、火災保険は付していない。

⑵　原価7,000円の商品を備品として使用することとした。

⑶　原価10,000円の商品が盗難にあった。

⑷　原価8,000円の商品を見本品として提供した。

問題7　他勘定振替⑵

基礎　3分　解答>>>54P

下記の**【資料】**に基づいて、⑴決算整理仕訳および⑵決算整理後残高試算表を示しなさい。

【資料１】

決算整理前残高試算表　（単位：円）

借方科目	金額	貸方科目	金額
繰越商品	8,620	売上	143,000
仕入	112,500		

【資料２】決算整理事項等

⑴　期中に商品倉庫に火災が発生し、在庫商品2,350円（原価）が焼失したが、未処理となっている。なお、火災保険は付していない。

⑵　期末商品実地棚卸高12,800円

Chapter 3　一般商品売買 2

問題1　分記法(1)・売上原価対立法(1)・三分法

基礎　8分　解答>>>56P

下記の【資料】に基づいて、各問の場合における決算整理仕訳および各残高試算表を示しなさい。なお、仕訳が不要な場合は借方科目欄に「仕訳不要」と記入すること。

問1　分記法

問2　売上原価対立法

問3　三分法（売上原価を仕入勘定で算定する方法）

問4　三分法（売上原価を売上原価勘定で算定する方法）

【資　料】

	原　価	売　価
①　期 首 商 品	1,200円	——
②　当 期 仕 入 高	24,000円	——
③　当 期 売 上 高	——	30,400円
④　期 末 商 品	880円	——

問題2　分記法(2)・売上原価対立法(2)

応用　10分　解答>>>59P

下記の【資料】に基づいて、次の各問に答えなさい。なお、商品の売買はすべて掛けにより行っている。

問1　商品売買の会計処理について、分記法および売上原価対立法を採用した場合における決算整理前残高試算表のＡ～Ｄにあてはまる金額を求めなさい。

①　分記法を採用した場合

決算整理前残高試算表　（単位：千円）

商　　　品	A	商 品 販 売 益	B

②　売上原価対立法を採用した場合

決算整理前残高試算表　（単位：千円）

商　　　品	C	売　　　上	
売 上 原 価	D		

問2　商品売買の会計処理について、①分記法および②売上原価対立法を採用した場

合の決算整理仕訳を示しなさい。なお、仕訳が不要の場合には借方科目欄に「仕訳不要」と記入すること。

【資　料】商品売買に関する事項（期中の取引については日付の代わりに取引番号を付している。）

（単位：千円）

日付	摘　　要	受入金額	払出金額	残　　高	売上金額
4／1	前期繰越	200,000	——	200,000	——
(1)	仕　　入	1,235,000	——	1,435,000	——
(2)	売　　上	——	1,300,000	135,000	1,625,000
(3)	仕　　入	1,150,000	——	1,285,000	——
(4)	仕　　入	856,000	——	2,141,000	——
(5)	売　　上	——	2,000,000	141,000	2,500,000

問題3 総記法

基礎　8分　解答>>>62P

下記の【資料】に基づいて、商品販売益および期首商品棚卸高の金額を答えなさい。

【資料１】

決算整理前残高試算表　（単位：円）

	商　品	11,400

【資料２】決算整理事項等

1　当期商品仕入高は60,000円である。
2　期末商品棚卸高は7,320円である。
3　当期の売上利益率は25％である。

Chapter 4　一般商品売買３

払出単価の決定方法（先入先出法）

基礎　6分　解答>>>64P

当社の商品売買取引に関する下記の【資料】に基づいて、次の各問に答えなさい。

問１　繰越商品勘定および仕入勘定の記入・締切を示しなさい（日付は省略）。なお、記入にあたって「諸口」は使用しないこと。

問２　仮に、商品売買の記帳方法について売上原価対立法を採用した場合の商品販売時（【資料】５⑤⑥）における仕訳を示しなさい。

問３　当期における⑴純仕入高（前期の繰越商品は除く。）と⑵売上総利益の金額を答えなさい。

【資　料】

1　売買された商品は１種類のみであり、商品の売買はすべて掛けにより行っている。

2　商品売買の記帳方法は三分法を採用している。

3　商品の払出単価の決定方法として先入先出法を採用している。

4　前期の商品繰越高は1,960,000円（原価@800円、2,450個）であった。

5　商品売買取引に関する事項（各取引の冒頭に付された数字は取引の発生順番を示している。）

　①　当期仕入高　6,250個（原価@800円）

　②　当期仕入分に対する返品　300個

　③　当期仕入分に対する値引　162,000円

　④　当期仕入分に対する割戻し　76,000円

　⑤　売上　3,200個（売価@1,400円）

　⑥　売上　2,500個（売価@1,200円）

6　期末商品帳簿棚卸数量については、棚卸減耗や品質の低下は生じていない。

問題２　期末商品の評価⑴

基礎　8分　解答>>>68P

下記の【資料】に基づいて、次の各問に答えなさい。

問１　決算整理仕訳を示しなさい。

問２　繰越商品勘定および仕入勘定の記入・締切を示しなさい（日付は省略）。なお、相手勘定科目の内訳を記入し、「諸口」を用いないこと。

問３　決算整理後残高試算表を示しなさい。

問４　翌期首における振戻処理を示しなさい。

【資　料】

(1)

決算整理前残高試算表　(単位：円)

借方科目	金額	貸方科目	金額
繰越商品	100,000	売上	530,000
仕入	300,000		

(2) 期末商品棚卸高

① 帳簿棚卸高　120個　@1,000円（原価）

② 実地棚卸高　110個　@980円（正味売却価額）

③ 実地棚卸高のうち5個は品質低下品であり、正味売却価額は1個あたり280円である。

④ 品質低下品に係る評価損については切放法により、残りの商品に係る評価損については洗替法によりそれぞれ処理を行う。なお、前期末に商品の収益性低下の事実はなかった。

問題3 期末商品の評価(2)

下記の**【資料】**に基づいて、次の各問に答えなさい。

問1　商品の評価損について洗替法を採用した場合

① 当期首における振戻処理に関する修正仕訳を示しなさい。

② 決算整理後残高試算表を示しなさい。

問2　仮に商品の評価損について切放法を採用した場合の決算整理後残高試算表を示しなさい。

【資　料】

(1)

決算整理前残高試算表　(単位：円)

借方科目	金額	貸方科目	金額
繰越商品	73,200	売上	397,500
仕入	225,000		

(2) 期首商品棚卸高

決算整理前残高試算表の繰越商品は、前期末に計上された商品評価損1,800円が控除されている。

(3) 期末商品棚卸高

① 帳簿棚卸高　120個　@750円（原価）

② 実地棚卸高　110個　@735円（正味売却価額）

問題4 期末商品の評価(3)・商品有高帳

下記の【資料】に基づいて、次の各問に答えなさい。

問1 商品の払出単価の決定方法として先入先出法を採用した場合の決算整理仕訳および決算整理後残高試算表を示しなさい。

問2 次の各方法により、期末商品帳簿棚卸高、売上原価および棚卸減耗費を計算しなさい。

(1) 総平均法 (2) 移動平均法

【資 料】

①	期首商品	100個	@400円（原価）
②	仕入	100個	@800円（原価）
③	売上	150個	@1,800円（売価）
④	仕入	100個	@1,200円（原価）
⑤	売上	130個	@2,000円（売価）
⑥	仕入	100個	@1,600円（原価）
⑦	期末実地棚卸高	110個	—

問題5 期末商品の評価(4)

応用 6分 解答>>>75P

下記の【資料】に基づいて、決算整理後残高試算表を示しなさい。

【資料1】

決算整理前残高試算表 （単位：千円）

繰越商品	（ ）	売上	384,250
仕入	247,385	商品評価損益	（ ）

【資料2】

(1) 前期末の商品

	帳簿数量	実地数量	帳簿原価	正味売却価額
A商品	1,200個	1,150個	@900円	@1,520円
B商品	4,000個	4,000個	@1,255円	@1,235円
C商品	2,450個	2,450個	@2,600円	@2,945円

(2) 当期末の商品

	帳簿数量	実地数量	帳簿原価	正味売却価額
A商品	2,200個	2,120個	@900円	@1,615円
B商品	3,640個	3,440個	@1,250円	@1,330円
C商品	3,500個	3,400個	@2,680円	@2,565円

（注）帳簿数量と実地数量との差異について調べたところ、次の事項が判明した。
　決算直前に返品処理したＢ商品200個（売価@1,400円）が、期末現在でまだ倉庫に到着していなかった。

(3) 当社は収益性の低下に基づく評価損の計上については、洗替法により処理を行っている。また、正味売却価額は、販売単価から見積販売直接経費（販売単価の５％）を控除して算定している。

問題6 期末商品の評価(5)・他勘定振替

応用　6分　解答>>>78P

下記の【資料】に基づいて、(1)決算整理後残高試算表および(2)損益計算書（一部）を示しなさい。

【資料１】

決算整理前残高試算表　（単位：千円）

借方科目	金額	貸方科目	金額
繰越商品	17,640	売上	316,160
仕入	236,360		

【資料２】

(1) 得意先が期末日直前に返品した商品3,200千円（原価2,400千円）が未着であったため、当社では未記帳であることが判明した。

(2) 期末帳簿棚卸高　18,200千円
　期末実地棚卸高　15,480千円
　帳簿棚卸高と実地棚卸高の差額について調査したところ、うち1,320千円は期中に見本品として得意先に送付したものが未記帳であることが判明した。その他の差額は棚卸減耗であるが、うち40%は原価処理する。また、返品された商品は汚損品であったため、正味売却価額1,000千円で評価し、商品評価損は原価処理する。

問題7 期末商品の評価(6)

応用　6分　解答>>>81P

下記の【資料】に基づいて、次の各問に答えなさい。

問１　決算整理仕訳を示しなさい。
問２　決算整理後残高試算表を示しなさい。
問３　翌期首における振戻処理を示しなさい。

【資　料】

(1)　決算整理前残高試算表

決算整理前残高試算表　（単位：円）

借方科目	金額	貸方科目	金額
繰越商品	100,000	売上	530,000
仕入	300,000		

(2)　期末商品棚卸高

①　帳簿棚卸高　　120個　＠1,000円（原価）

②　実地棚卸高　　110個　＠980円（正味売却価額）

③　実地棚卸高のうち5個は品質低下品であり、正味売却価額は1個あたり280円である。

④　品質低下に基づく評価損については切放法により、残りの商品に係る評価損については洗替法によりそれぞれ処理を行う。なお、前期末に商品の収益性低下の事実はなかった。

⑤　棚卸減耗費のうち20％と収益性の低下に基づく評価損については原価処理を行う。

問題8　売価還元法(1)

基礎　5分　解答>>>83P

下記の【資料】に基づいて、(1)決算整理仕訳および(2)決算整理後残高試算表を示しなさい。

【資料1】

決算整理前残高試算表　（単位：千円）

借方科目	金額	貸方科目	金額
繰越商品	12,600	売上	228,000
仕入	168,840		

【資料2】

1　期末商品は、売価還元法により評価する。

2　商品に関するデータは次のとおりである。

期首商品売価	16,800千円
原始値入額	55,960千円
値上額	22,000千円
値上取消額	4,400千円
値下額	10,000千円
値下取消額	2,800千円
期末帳簿棚卸売価	24,000千円
期末実地棚卸売価	20,000千円

正味売却価額　　14,000千円

3　売上原価は仕入勘定で算定する。

4　商品評価損は原価処理する。

問題9 売価還元法(2)

基礎　5分　解答>>>85P

下記の【資料】に基づいて、⑴決算整理仕訳および⑵決算整理後残高試算表を示しなさい。

【資料1】

決算整理前残高試算表　(単位：千円)

繰越商品	12,600	売上	228,000
仕入	168,840		

【資料2】

1　期末商品は、売価還元法により評価する。なお、期末商品帳簿棚卸高の算定にあたっては売価還元法の原価率（原則）、収益性の低下に基づく帳簿価額の切下げにあたっては値下額および値下取消額を除外した売価還元法の原価率（特例）を用いる。

2　商品に関するデータは次のとおりである。

期首商品売価	16,800千円
原始値入額	55,960千円
値上額	22,000千円
値上取消額	4,400千円
値下額	10,000千円
値下取消額	2,800千円
期末帳簿棚卸売価	24,000千円
期末実地棚卸売価	20,000千円

3　売上原価は仕入勘定で算定する。

問題10 売価還元法(3)・他勘定振替

応用　5分　解答>>>87P

下記の【資料】に基づいて、決算整理後残高試算表を示しなさい。

【資料1】

決算整理前残高試算表　(単位：円)

繰越商品	4,800	売上	61,600
仕入	45,600		

【資料2】

(1) 商品の評価方法として売価還元法を採用している。

(2) 期中に見本品として2,400円（売価）の商品を提供したが未処理である。

(3) 商品に関する売価は次のとおりである。

期首商品	6,400円	
仕入商品	61,600円	
純値上額	4,000円	
期末帳簿棚卸高	8,000円	（上記(2)考慮済み）
期末実地棚卸高	7,600円	

(4) 期末商品について収益性の低下が認められるため、正味売却価額を見積もったところ、その額は5,200円であった。なお、収益性の低下による帳簿価額の切下げ額は売上原価に算入する。

問題11 仕入諸掛

基礎 6分 解答>>>89P

下記の【資料】に基づいて、次の各問に答えなさい。

問1 決算整理仕訳を示しなさい。

問2 決算整理後残高試算表を示しなさい。

問3 仮に、商品の払出単価の計算について総平均法を採用した場合の期末商品棚卸高に対応する仕入諸掛の金額を示しなさい。ただし、総平均法による期末商品棚卸高は32,000円（送状価額）とする。

【資料1】

決算整理前残高試算表　（単位：円）

繰越商品	43,200	売上	1,200,000
仕入	760,000		
営業費	320,000		

【資料2】

1 期首商品棚卸高43,200円には、仕入諸掛3,200円が含まれている。

2 営業費のうち76,000円は、商品仕入に係る支払運賃である。

3 期末商品帳簿棚卸高は33,600円（送状価額）であり、実地棚卸高と一致している。なお、売上原価は仕入勘定で算定する。

4 商品の払出単価の計算は、先入先出法を採用している。

問題12 仕入・売上の計上基準(1)

基礎　3分　解答>>>91P

下記の【資料】に基づいて、(1)決算整理仕訳および(2)決算整理後残高試算表を示しなさい。

【資　料】

(1)

決算整理前残高試算表　（単位：円）

繰越商品	19,500	売上	183,750
仕入	149,400		

(2)　売上の計上基準については、検収基準を採用しているが、期中は出荷基準に基づいて会計処理を行っている。なお、商品売買はすべて掛けで行っている。

(3)　決算日直近に掛け売上として処理した商品750円（原価600円）について、未検収であることが判明した。

(4)　期末商品実地棚卸高　21,900円

問題13 仕入・売上の計上基準(2)

下記の【資料】に基づいて、必要な修正仕訳を示しなさい。なお、当期はX1年4月1日からX2年3月31日までとする。

【資　料】

1　決算整理事項

(1)　当社の取扱商品は下記の３商品であった。なお、商品売買は掛けで行っている。

①　売上伝票入力担当者が誤って、X2年３月31日のＡ品（売価1,800円／個　原価1,080円／個）の出荷数量合計を1,000個とすべきところを100個としていた。

②　期末日に、Ｂ品（売価2,250円／個　原価1,395円／個）については500個が売上処理されていたが、運送の都合で実際の出荷は翌日になされていたため商品は在庫計上されていた。

③　X2年３月28日に出荷され保税地に搬入されたＣ品4,200千円が同日をもって掛け売上が計上されていたが、船荷証券は、X2年４月３日付けで発行されていた。

Chapter 5　収益認識基準 1

問題1　収益認識基準（5ステップの適用）

基礎　10分　解答>>>94P

下記の【資料】に基づいて、当社の取引に、収益認識に関する5つのステップを適用した場合に（　　）に入る適切な語句または金額を答えなさい。

【資　料】

(1)　当社は、当期首にZ社（顧客）に対し、商品の販売と、商品に関する3年間の保守サービスの提供を1つとした契約を、商品甲と商品乙のそれぞれについて締結した。契約と同時に商品（甲・乙）を引き渡すとともに、当期首から保守サービスの提供を行う。

(2)　契約書に記載された対価の金額は、商品甲は5,800円、商品乙は7,200円である。

(3)　それぞれ単独で取引した場合の価格（独立販売価格）は次のとおりである。商品乙に関しては、セット販売による値引きを行っているため、本体価格と保守サービスの独立販売価格の比で取引価格を配分する。

商品甲：本体価格　4,600円　　保守サービス　400円／年

商品乙：本体価格　6,000円　　保守サービス　1,000円／年

Chapter 6 収益認識基準２

収益認識基準（収益を認識するための５ステップ） 基礎 6分 解答>>>97P

下記の【資料】に基づいて、A社が当期、翌期および翌々期に計上する収益の金額を答えなさい。

【資　料】

1　A社は、当期首に顧客と標準的な商品Ｙの販売と、３年間の期間保証サービス（年１回、故障時に無料で修理を行うサービス）を提供する契約を締結し、契約書に記載された対価の総額は105,000円であった。なお、それぞれ単独で販売したときの価格（独立販売価格）は、以下のとおりである。

商品Ｙ	90,000円
期間保証	5,000円／年

2　A社は契約と同時に商品Ｙを顧客に引き渡し、３年間（当期首から翌々期末まで）の期間保証を行う。

3　A社は、独立販売価格に基づき取引価格を各履行義務に配分する。

問題 2 収益認識基準（数量値引きの見積り） 基礎 6分 解答>>>98P

下記の【資料】に基づいて、答案用紙に示した各時点の仕訳を示しなさい。

【資　料】

1　乙社（３月決算）は、製品Ａ（@250円／個）を販売する契約をX1年４月１日に甲社（顧客）と締結した。この契約における対価には変動性があり、甲社がX2年３月31日までに製品Ａを3,000個よりも多く購入する場合には、価格を遡及的に@200円／個に減額すると定めている。

2　X1年６月30日に終了する第１四半期に、乙社は製品Ａ 400個を甲社に掛けで販売した。なお、乙社は、X2年３月31日までの甲社の購入数量は3,000個を超えないと判断した。

3　乙社は、製品Ａおよび甲社の購入実績に関する十分な経験を有しており、変動対価の額に関する不確実性が事後的に解消される時点（購入の合計額が判明する時）までに計上された収益（@250円／個）の著しい減額が発生しない可能性が高いと判断した。

4　X1年８月に甲社が他の企業を買収し、X1年９月30日に終了する第２四半期において、乙社は追加的に製品Ａ 1,500個を甲社に掛けで販売した。乙社は、新たな事実を考慮して、甲社の購入数量はX2年３月31日までに3,000個を超えると見積もり、価格を@200円/個に遡及的に減額することが必要と判断した。

5　X1年12月31日に終了する第３四半期において、乙社は製品A 600個を甲社に掛けで販売した。

返品権付の販売

当社は当期中にA品（売価3,000円/個　原価2,000円/個）を200個、複数の得意先に返品権付で掛けで売り渡したが、その際、売上帳との記帳関係および売掛金管理のため、販売価格総額で収益の勘定に計上していた。本日決算を迎え、返品を10個と見積もった。返品される商品は再販売時に利益を獲得できると予想している。なお、予想される返品高については、帳簿上控除的評価勘定で処理するものとする。

この取引に関する当社の訂正仕訳について、解答欄の空欄に当てはまる勘定科目、および金額を答えなさい。なお、当社は一般商品売買取引の処理については三分法を採用している。

問題
4

重要な金融要素(1)

基礎　6分　解答>>>102P

下記の【資料】に基づいて解答欄の各時点の仕訳を示しなさい。

【資　料】

1　X1年４月１日に、当社は得意先と商品10,000円（現金販売価格9,070円、利息相当額930円）の掛け販売の契約を締結し、締結と同時に商品を引き渡した。得意先はX3年３月31日に対価10,000円を現金で支払う。

2　上記の取引の契約は信用供与についての重要な便益が顧客に提供されると認められる。

3　X2年３月31日、利息相当額455円を対価の調整として行った。

4　X2年10月31日に上記の取引の売掛金が早期に決済されたため、対価の２％の売上割引を行った。

問題
5

重要な金融要素(2)

応用　7分　解答>>>104P

収益認識に関する会計基準および同適用指針に基づき、以下の問に答えなさい。

商品（現金販売価格980円、掛売上高1,000円）を掛けで売り上げた。この場合において、①商品を引き渡したとき、②回収期日に掛代金を回収したとき、③回収期日より早く掛代金を回収したとき（金利10円を減免する）の仕訳を解答欄に従って完成させなさい。なお､掛売上の対価に含まれる金利は重要性があるものとする。また、当社は債権管理のため、債権（売掛金）を債権金額で計上するとともに、未経過の利息部分は評価勘定「利息未決算」を用いて処理している。

問題6 重要な金融要素（容認）

基礎 6分 解答>>>105P

下記の【資料】に基づいて解答欄の各時点の仕訳を示しなさい。なお、売上原価の計算方法は売上原価対立法を採用している。

【資　料】

1　当社は複数の顧客に対し商品1個当たり3,000円（原価2,500円/個）で400個を掛け販売した。当社の取引慣行では未使用であるものについては、1か月以内であれば、全額返金に応じることとしている。

　当社は過去の実績より販売した商品のうち350個は返品されないと見積もった。

2　上記の取引に対する売掛金のうち、商品100個分の売掛金が早期に決済されたため2％の売上割引を行った。なお売掛金の決済は現金で行っている。

3　上記の売掛金の決済に関しては、約束した財又はサービスを顧客に移転する時点と顧客が支払を行う時点の間が1年以内であるため、金融要素の影響について約束した対価の額を調整しない。

問題7 顧客に支払われる対価（売主が顧客に対価を支払う場合）

基礎 5分 解答>>>107P

下記の【資料】に基づいて、答案用紙に示した各時点の仕訳を示しなさい。

【資　料】

(1)　甲社は、チョコレート（@250円/個）を販売する年間契約を、X4年4月1日に、小売業乙社（顧客）と締結した。当該契約では、乙社が1年間に、チョコレートを最低でも20,000,000円分購入すること、および、甲社が契約上の取引開始日に、乙社に対して、返金不要な200,000円の対価を支払うことが定められている。

　この200,000円の対価は、乙社が甲社のチョコレートを陳列するために棚に変更を加えることについての補償であり、現金で支払われた。

(2)　甲社から乙社への対価は、棚代であり、甲社が乙社から別途購入する製品の代金ではない（別の取引ではない）と判断されるため、甲社は、この200,000円の対価の支払を、取引価格から減額するものと判断した。

(3)　甲社から乙社に支払われる対価200,000円は、甲社がチョコレートの販売に対する収益を認識する都度、取引価格の減額として処理する。甲社は、X4年4月10日にチョコレート400個を100,000円で掛け販売した。

問題8 取引価格の配分(1)

基礎 5分 解答>>>108P

収益認識に関する会計基準および同適用指針に基づき、次の【資料】の取引を会計処理した場合、A社が当期に計上する売上高の金額を答えなさい。

【資　料】

1　A社は、通常、X製品、Y製品、およびZ製品を独立して販売しており、設定されている独立販売価格と当期引渡済みの販売数量は、以下のとおりである。

製品	独立販売価格	引渡数量
X	200円	50個
Y	300円	30個
Z	200円	40個

2　A社は、通常、X製品とY製品を組み合わせて400円で販売している。

3　A社は顧客と、上記3種類の製品を1個ずつ組み合わせて1セットとし、1セット600円で50セット販売する契約を締結した。このうち、引渡済の数量は1の表のとおりである。これ以外に当期の販売契約はない。なお、1セットの値引額100円は製品Xと製品Yの販売に係るものである。

4　A社は通常、商品の引渡時に収益を認識する。

問題9 取引価格の配分(2)

下記の【資料】に基づいて、次の各問の取引を会計処理した場合、当社が当期に計上する製品ごとの売上高を答えなさい。なお、解答する際には、「収益認識に関する会計基準」および同適用指針によること。

問1　顧客であるTT社に対して、製品A、製品B、製品Cおよび製品Dを組み合わせて1セットとし、1セットにつき5,600円で10セット販売する契約を締結した。当期において、製品A 10個、製品C 5個、製品D 4個を引き渡している。

問2　顧客であるRR社に対して、製品B、製品Cおよび製品Eを組み合わせて1セットとし、1セットにつき5,000円で8セット販売する契約を締結した。当期において、製品B 8個、製品E 6個を引き渡している。

【資　料】

⑴　当社では、以下の5種類の製品を、通常は独立して販売している。各製品に設定されている独立販売価格は、以下のとおりである。

（単位：円／個）

製品	製品A	製品B	製品C	製品D	製品E
独立販売価格	2,000	2,500	1,500	800	(注)

（注）製品Eの独立販売価格は大きく変動しており、さまざまな顧客に向けて750円／個～2,000円／個の価格帯で販売している。

⑵　製品A、製品Bおよび製品Cの3種類を1個ずつ組み合わせて販売する場合には、独立販売価格の合計額から1,200円を差し引いた金額で販売している。また、製品A、

製品Ｂおよび製品Ｃのうちいずれか２種類を１個ずつ組み合わせて販売する場合には、独立販売価格の合計額から400円を差し引いた金額で販売している。これらの値引きは、どの製品に対するものであるかについて観察可能な証拠がある。

(3) 当社は、製造が完了した製品から、順次顧客に対して引き渡すことになっている。

(4) 当社では、独立販売価格の見積りについて「収益認識に関する会計基準の適用指針」に示されている残余アプローチの適用が認められる場合には、当該方法によっている。

Chapter 7 収益認識基準３

問題1 契約資産

基礎　5分　解答>>>112P

以下の取引について、⑴商品Ａの引渡時、⑵商品Ｂの引渡時の仕訳をそれぞれ示しなさい。

1　当社は、Ｘ社と商品Ａおよび商品Ｂを合わせて40,000円で販売する契約を締結した。当該契約では、まず商品Ａの引渡しを行うが、商品Ａの引渡しに対する支払は商品Ｂの引渡しを条件とすると定められている。40,000円の対価は、当社が商品Ａと商品Ｂの両方をＸ社に移転した後にはじめて支払われる。

2　当社における商品Ａおよび商品Ｂの独立販売価格は、25,000円および15,000円である。

3　商品に対する支配がＸ社に移転する時に、それぞれの履行義務について収益を認識している。

問題2 本人と代理人（本人の場合）

基礎　3分　解答>>>113P

下記の【資料】に基づいて、Ａ社が鉄道会社から4,200円で購入した特急券を現金5,000円で顧客に販売した日におけるＡ社の仕訳を示しなさい。

【資　料】

1　Ａ社は、主要な鉄道会社と交渉し、一般の顧客に直接販売される特急券の価格より安く特急券を購入している。

2　Ａ社は、鉄道会社から一定数の特急券を購入することに同意しており、それらを顧客に販売できるかどうかにかかわらず、鉄道会社に対して特急券の代金を支払う。

3　Ａ社がそれぞれの特急券に対して支払う価格は、鉄道会社との事前の交渉により合意されている。

4　Ａ社は、自らの顧客に特急券を販売する価格を決定し、特急券の販売時に顧客から対価を回収する。

5　Ａ社は、鉄道会社の提供するサービスへの顧客の不満を解決するサポートを行っているが、特急券に関する義務の履行に対する責任は各鉄道会社にある。

問題3 本人と代理人（代理人の場合）

基礎　3分　解答>>>114P

下記の【資料】に基づいて、顧客が百貨店を通じて、製品Ｘを現金6,000円で購入した日におけるＡ社の仕訳を示しなさい。

【資　料】

1　A社は百貨店を運営しており、顧客は当該百貨店を通じて、多くの供給者から製品を直接購入することができる。

2　A社は、B社（供給者）との消化仕入契約に基づき、B社の製品Xが当該百貨店を通じて販売される場合には、製品Xの販売価格の15%に相当する手数料を得る。なお、製品Xの販売価格はB社によって設定されている。

3　A社は、注文が処理される前に顧客に支払いを求めており、すべての注文について返金は不要である。

4　A社は、顧客に製品Xを提供した後は、顧客に対してそれ以上の義務を負わない。

問題4　消化仕入（代理人の場合）

収益認識に関する会計基準および同適用指針に基づき、次の【資料】の取引を会計処理した場合、X社の仕訳を答えなさい。

【資　料】

1　小売業を営むX社は、仕入先より商品を仕入れ、店舗に陳列し、個人顧客に対し販売を行っている。

2　仕入先Z社と次の消化仕入契約を締結している。

　消化仕入契約では、X社は、店舗への商品納品時には検収を行わず、店舗にある商品の法的所有権はZ社が保有している。また、商品に関する保管管理責任及び商品に関するリスクもZ社が有している。X社は、店舗に並べる商品の種類や価格帯等のマーチャンダイジングについて一定の関与を行うが、個々の消化仕入商品の品揃えや販売価格の決定権はZ社にある。顧客への商品販売時に商品の法的所有権はZ社からX社に移転し、同時に顧客に移転する。X社は、商品の販売代金を顧客から受け取り、販売代金にあらかじめ定められた料率（70%）を乗じた金額について、Z社に対する支払義務を負う。

3　X社は、消化仕入契約においては、自らの履行義務は商品が提供されるように手配することであり、自らは代理人に該当すると判断した。

4　X社は、X1年6月28日に消化仕入契約の対象の商品Bを150,000円で顧客に現金で販売した。同時に、商品BのZ社との消化仕入契約に基づき買掛金を105,000円（150,000円×70%）で計上した。

問題5　ポイント制度

基礎　6分　解答>>>116P

次の【資料】に基づいて、⑴当社の商品販売時、⑵X1年度末、⑶X2年度末における仕訳をそれぞれ示しなさい。なお、円未満の端数が生じた場合には円未満を四捨五入すること。

【資　料】

1　当社は、顧客が当社の商品を100円購入するごとに5ポイントを付与している。当該ポイントは顧客が当社の商品を将来購入する際において、1ポイント当たり1円の値引きを受けることができるものであり、当該ポイントは契約を締結しなければ受け取れない重要な権利を顧客に提供するものであるため、顧客へのポイント付与により履行義務が生じることとなるものである。

2　X1年度中に、当社は商品80,000円（独立販売価格）を顧客に現金で販売し、4,000ポイントを付与した。

3　当社は商品の販売時点で将来3,200ポイントが使用されると見込み、1ポイント当たりの独立販売価格を0.8円と見積もった。

4　X1年度の決算日までに使用されたポイントは2,000ポイントであった。

5　X2年度の決算日までに使用されたポイントは800ポイントであった。また、X2年度末において、使用されるポイント総数の見積りを3,600ポイントに変更した。

Chapter 8 特殊商品売買 1

問題1 割賦販売

基礎 8分 解答>>>118P

下記の【資料】に基づいて、前期末の残高勘定、答案用紙に示した各時点の仕訳および試算表を示しなさい。なお、契約における重要な金融要素は考慮しないものとする。

【資　料】

(1) 当社は商品の仕入および売上についてはすべて掛けにより行っている。
(2) 当社は一般販売のほかに、割賦販売も行っている。一般販売については三分法により会計処理を行っている。
(3) 前期末商品棚卸高350円、前期末売掛金1,000円、前期末割賦売掛金1,500円（前期利益率30%）
(4) 商品8,450円を仕入れた。
(5) 商品5,000円（売価）を一般販売した。
(6) 売掛金4,750円を現金で回収した。
(7) 商品7,500円（売価）を割賦販売した（当期利益率40%）。
(8) 割賦売掛金6,500円（前期分1,000円、当期分5,500円）を現金で回収した。
(9) 期末商品棚卸高300円

問題2 重要な金融要素の調整(1)

基礎 3分 解答>>>121P

次の各取引について、仕訳しなさい。なお、利息相当分は回収期間にわたって均等に配分して計上する。

1　商品（現金販売価格35,000円、割賦販売高40,000円）を割賦販売により売り上げた。なお、商品代金は10回の分割払いにより受け取る。
2　割賦代金のうち4,000円を現金で回収した。

問題3 重要な金融要素の調整(2)

応用 8分 解答>>>122P

次の【資料】に基づいて、答案用紙(1)(2)の仕訳を完成させなさい。勘定科目は**【勘定科目群】**から選ぶこと。

X1年4月1日、中古車販売業を営むA社は、運送業を営むB社に、運搬用の車両を360,000円で販売した。両社の会計期間は、4月1日から翌年3月31日までである。計算過程で1円未満の端数が生じる場合、その端数を計算の都度四捨五入すること。

【資　料】

・代金は、車両の販売時に90,000円、X2年3月31日、X3年3月31日、X4年3月31日に、それぞれ90,000円を3回の年賦で現金で受け払いする。

・割賦金には年利4.803％（複利）の利息が含まれており、車両の現金販売価格は（　　）円である。両社とも利息要素を区分して処理し、利息の配分は、A社は利息法による。

・A社は、車両の引渡時に売上収益を全額計上する。

【勘定科目群】

受取利息	売上	売上割引	割賦売掛金
割賦買掛金	割賦仮売上	割賦販売契約	割賦未払金
減価償却費	減価償却累計額	現金	仕入
支払利息	車両運搬具	利息未決算	——

問題4　委託販売(1)

基礎　2分　解答>>>126P

下記の【資料】に基づいて、決算整理後残高試算表を示しなさい。

【資　料】

(1)　決算整理前残高試算表

決算整理前残高試算表　（単位：円）

繰越商品	390	一般売上	8,370
積送品	210	積送品売上	3,150
仕入	9,300		

(2)　積送品売上を計上の都度、その原価を仕入勘定へ振り替えている。

(3)　期末手許商品　465円

問題5　委託販売(2)

基礎　4分　解答>>>127P

下記の【資料】に基づいて、(1)決算整理仕訳および(2)決算整理後残高試算表を示しなさい。

【資料1】

決算整理前残高試算表　（単位：円）

繰越商品	9,480	一般売上	各自推定
積送品	16,500	積送品売上	各自推定
仕入	82,350		

【資料2】

① 期末積送品　1,800円

② 一般売上の原価率は75%である。

③ 積送品売価は原価の40%増である。

④ 積送品売上の売上原価は期末に仕入勘定で一括計算する。

⑤ 期末商品手許棚卸高　8,220円

問題6 委託販売(3)

応用　6分　解答>>>129P

下記の【資料】に基づいて、次の各問に答えなさい。

問1　決算整理仕訳および決算整理後残高試算表を示しなさい。

問2　仮に、期末積送品に係る発送諸掛を平均法で算定する場合、決算整理後残高試算表に計上される繰延積送諸掛および積送諸掛費の金額を算定しなさい。

【資料1】決算整理前残高試算表

決算整理前残高試算表　（単位：円）

借方科目	金額	貸方科目	金額
繰越商品	272,000	一般売上	548,000
積送品	384,000	積送品売上	400,000
繰延積送諸掛	1,120		
仕入	488,000		
積送諸掛費	32,800		

【資料2】

1　一般売上と積送品売上の売上原価は期末に仕入勘定で一括計算する。

2　期末手許商品　320,000円

3　積送品売上は受託者売上額によって計上している。

4　期首積送品　64,000円
　当期積送高　320,000円
　期末積送品　80,000円

5　積送諸掛費のうち6,560円は当期の発送諸掛であり、このうち期末積送品に係る金額は先入先出法により算定する。

問題7 受託販売

基礎　6分　解答>>>132P

次の各取引について、受託者側の仕訳をしなさい。なお、受託者をX社、委託者をY社とする。仕訳不要の場合は借方科目欄に「仕訳なし」と記入しなさい。

1　X社はY社より商品（仕入額45,000円）の販売を委託され受託品を受け取った。

2　X社は受託品を68,000円で売り上げ、代金は現金で受け取った。

3　X社は立替費用として、雑費2,000円を現金で支払った。

4　X社は売上計算書を作成し、Y社に送付するとともに、販売手数料5,000円を計上した。

	売　上　計　算　書		(単位：円)
Ⅰ	売　上　高		68,000
Ⅱ	諸　　　掛		
	雑　費	2,000	
	手数料	5,000	7,000
Ⅲ	差引手取額		61,000

5　X社は残金61,000円をY社へ送付した。

Chapter 9　特殊商品売買２

未着品売買(1)

基礎　10分　解答>>>134P

下記の【資料】に基づいて、⑴期末一括法、⑵その都度法により、仕訳および試算表を示しなさい。なお、商品売買取引はすべて掛けによる。

【資　料】残高試算表の一部

① 期首手許商品有高　2,400円　　期首貨物代表証券有高　480円
② 貨物代表証券購入高　12,240円
③ 貨物代表証券現品引取高　3,360円
④ 貨物代表証券販売高　9,600円（売価、原価率0.9）
⑤ 商品仕入高　21,120円
⑥ 一般販売高　30,000円（売価、原価率0.8）
⑦ 期末手許商品有高　2,880円　　期末貨物代表証券有高　720円

問題 2

未着品売買(2)

基礎　3分　解答>>>136P

下記の【資料】に基づいて、決算整理後残高試算表を作成しなさい。

【資料１】

決算整理前残高試算表　（単位：千円）

借方科目	金額	貸方科目	金額
繰越商品	19,680	一般売上	294,000
未着品	63,360	未着品売上	62,400
仕入	234,120		

【資料２】

⑴ 決算日に貨物代表証券3,600千円について現品引取を行ったが未処理である。なお、当期の未着品売買の原価率は85％であり、売上原価については、期末に一括して計上する。
⑵ 期末手許商品棚卸高22,200千円、期末未着品［各自推定］千円

問題3 試用販売(1)

基礎 5分 解答>>>137P

下記の【資料】に基づいて、決算整理後残高試算表を作成しなさい。

【資料1】

決算整理前残高試算表　（単位：千円）

借方科目	金額	貸方科目	金額
繰越商品	20,400	一般売上	180,000
繰越試用品	（　　）	試用品売上	102,120
仕入	214,560	試用仮売上	14,760
試用未収金	14,760		

【資料2】決算整理事項等

(1) 期末手許商品棚卸高は21,840千円である。

(2) 試用未収金の前期繰越高は13,200千円であり、すべて期中において買取意思表示を受け、売上を計上している。

(3) 試用販売の原価率は毎期同一ではないが、期中は一定している。なお、前期の一般販売の原価率は78%であり、試用販売は一般販売価格の10%増である。また、当期の一般販売の原価率は80%であり、試用販売は一般販売価格の20%増である。

問題4 試用販売(2)

応用 5分 解答>>>138P

下記の【資料】に基づいて、決算整理後残高試算表（一部）を作成しなさい。

【資料1】

決算整理前残高試算表　（単位：千円）

借方科目	金額	貸方科目	金額
繰越商品	18,720	一般売上	154,200
繰越試用品	9,240	試用品売上	81,960
仕入	183,360	試用仮売上	11,880
試用未収金	11,880		

【資料2】決算整理事項等

(1) 期末手許商品棚卸高は19,200千円である。

(2) 試用未収金の前期繰越高は12,000千円であり、すべて期中において買取意思表示を受け、売上を計上している。なお、当期の試送高は81,840千円（売価）である。

(3) 試用販売の原価率は毎期同一ではないが、期中は一定している。当期の試用販売の売価は、一般販売の売価の10%増である。

問題5 委託買付

基礎　5分　解答>>>139P

次の一連の取引について、X商店の仕訳を示しなさい。なお、一般商品売買取引の処理については三分法を採用している。また、勘定科目は下記の枠に示したものから最も適切なものを記入すること。

現　　金	当座預金	委託買付
売 掛 金	未 着 品	買 掛 金
仕　　入	受託販売	支払手数料

(1) X商店はY商店に商品の買付を委託し、買付代金の一部として70,000円を現金で前払いした。

(2) Y商店から、以下の買付計算書とともに商品が送付されてきた。なお、発送運賃1,630円はX商店が負担する。

買付計算書　（単位：円）

商品代金		210,000
立替諸掛	1,630	
買付手数料	17,110	18,740
合　計		228,740
手付金		70,000
請求金額		158,740

(3) 上記買付代金の残金を当座預金口座からY商店に支払った。

問題6 受託買付

基礎 6分 解答>>>140P

次のA社の取引(1)～(5)について仕訳を示しなさい。なお、一般商品売買取引の処理については三分法を採用している。また、勘定科目は下記の枠に示したものから最も適切なものを記入すること。

現金	当座預金	支払手数料
受託買付	受取手数料	買掛金
売掛金	売上	仕入

(1) B社から商品の買付を委託されるとともに、手付金として300,000円が当座預金口座に振り込まれた。

(2) 上記商品の買付を行い、代金680,000円は掛けとした。

(3) B社に受託買付商品を発送し、B社負担の発送運賃9,130円を現金で立替払いした。

(4) 以下の買付計算書をB社に送付した。

買付計算書		(単位：円)
商品代金		680,000
立替諸掛	9,130	
買付手数料	37,320	46,450
合計		726,450
手付金		300,000
請求金額		426,450

(5) B社から上記請求金額を小切手で受け取り、直ちに当座預金口座に預け入れた。

Chapter 10 工事契約

問題1 工事契約(1)

基礎 10分 解答>>>143P

下記の【資料】に基づいて、次の各問における、各年度の工事原価および工事収益の金額、答案用紙に示した各年度の仕訳を示しなさい。なお、収支は現金預金とし、金額が0になる場合は「0」と記入すること。

問1 履行義務の充足に係る進捗度を合理的に見積もることができる場合（見積総工事原価は24,000千円であり、決算日における工事進捗度は原価比例法によって算定する。）

問2 X1年度およびX2年度の各決算日において、履行義務の充足に係る進捗度を合理的に見積もることができない場合

【資　料】

(1) X1年度

① 当社は、建物の建設工事を48,000千円で請け負った。工期は3年であり、工事契約は一定の期間にわたり充足される履行義務である。なお、契約時点において、請負金額は工事原価総額を回収できる金額とすることが既に合意されている。

② 当期の発生原価は、総額で7,200千円である。

(2) X2年度

当期の発生原価は、総額で11,520千円である。

(3) X3年度

建物が完成し、引渡しが完了した。当期の発生原価は、総額で5,280千円である。

問題2 工事契約(2)

基礎 5分 解答>>>146P

当社は建設業を営んでおり、X1年度において長期工事を請け負った。この工事契約は、一定の期間にわたり充足される履行義務であり、履行義務の充足に係る進捗度を合理的に見積もることができる。長期請負工事の内容については、以下の【資料】に示すとおりである。これらに基づいて、この長期請負工事に係る(1)X2年度における完成工事高および完成工事原価並びに(2)X3年度における完成工事高および完成工事原価の各金額を求めなさい。

【資料1】長期請負工事に関する資料

(1) 工事請負金額：1,540,000千円

(2) 見積総工事原価：1,155,000千円

(3) 工期：X1年度からX3年度まで

【資料2】実際工事原価に関する資料
(1) X1年度：88,200千円
(2) X2年度：632,520千円
(3) X3年度：483,280千円

【資料3】その他
当社は、決算日における工事進捗度を原価比例法により算定している。上記の長期請負工事は、X2年度において、総工事原価の見積額を1,201,200千円に変更している。また、X3年度において予定通り完成し、引渡しが完了している。

問題3 工事損失引当金

当社は建設業を営んでおり、X1年度において工事Aに関する工事契約を締結した。この工事契約は、一定の期間にわたり充足される履行義務であり、履行義務に係る進捗度を合理的に見積もることができる。工事Aの内容については、以下の**【資料】**に示すとおりである。これらに基づいて、この工事Aに係るX2年度における工事損失引当金の金額を求めなさい。

【資料1】工事Aに関する資料
(1) 工事収益総額：50,000千円
(2) 見積工事原価総額：45,000千円
(3) 工期：X1年度からX3年度まで

【資料2】工事原価に関する資料

(単位：千円)

	X1年度（実績）	X2年度（実績）	X3年度（見積）
材料費	5,400	10,100	6,100
労務費	3,100	6,500	3,800
外注加工賃	2,600	4,850	2,850
経　費	2,400	4,650	2,650
合　計	13,500	26,100	15,400

【資料3】 その他
履行義務の充足に係る見積りにはコストに基づくインプット法を使用するものとする。また上記の工事Aは、X2年度において、工事原価総額の見積額が55,000千円に増加すると見積りを変更しているが、工事契約金額の見直しは行われていない。

Chapter 11　税　金

問題1　租税公課

基礎　4分　解答>>>149P

下記の【資料】に基づいて、決算整理後残高試算表を示しなさい。

【資料1】

決算整理前残高試算表　（単位：千円）

科目	金額	
現　金　預　金	535,260	
売　掛　金	1,948,800	
貯　蔵　品	14,520	
営　業　費	5,533,800	

【資料2】決算整理事項等

1　現金預金等に関する事項

期末に金庫内を確認した結果、次のものが発見された。

(1)　郵便切手　930千円（購入時に営業費に計上済み）

(2)　収入印紙　1,500千円（購入時に営業費に計上済み）

(3)　P産業㈱から売掛金の回収として受け取った同社振出しの小切手1,500千円（未処理）

2　棚卸資産に関する事項

(1)　決算整理前残高試算表の貯蔵品は前期末残高である。

(2)　貯蔵品については、購入時に営業費で処理し、期末に未使用分を資産計上している。

(3)　貯蔵品の実地棚卸高　15,960千円（金庫内で発見した郵便切手および収入印紙の在庫分は含まれていない）

問題2　消費税等(1)

下記の【資料】に基づいて、仕訳を示しなさい。なお、消費税等は税抜方式で処理しており、税率は10%としている。

【資　料】

(1)　商品18,000円（税抜価格）を掛けで売り上げた。

(2)　商品12,000円（税抜価格）を掛けで仕入れた。

(3)　営業費3,600円（税抜価格）を現金で支払った。

(4)　上記(1)から(3)に基づいて、決算で未払消費税等を計上した。

消費税等(2)

基礎 4分 解答>>>151P

下記の【資料】に基づいて、仕訳を示しなさい。なお、消費税等の税率は10%とし、消費税等の会計処理については税抜方式を採用している。

【資　料】

(1)　商品3,520円（税込価格）を返品した。代金は未払いである。

(2)　売上について880円（税込価格）の値引きを行った。代金は未収である。

(3)　前期発生売掛金17,600円（税込価格）が貸し倒れた。貸倒引当金の残高に不足はないものとする。

(4)　当期発生売掛金4,400円（税込価格）が貸し倒れた。

(5)　当期の仮受消費税等は24,000円、仮払消費税等は30,400円と計算された。

消費税等(3)

基礎 6分 解答>>>153P

下記の(1)および(2)の取引に関する仕訳を示しなさい。消費税等に関する会計処理は税抜方式を採用し、消費税等の税率は10%とする。なお、事業年度は4月1日から3月31日までとし、有形固定資産の残存価額は取得原価の10%とする。また、仕訳の際に使用する科目は、下記の枠に示したものを使用しなさい。

現金預金	車両	備品
仮受消費税等	仮払消費税等	減価償却累計額
減価償却費	固定資産売却損	固定資産売却益

(1)　取得原価30,000千円（税抜き）、期首減価償却累計額14,400千円の車両を当期の7月20日に16,170千円（税込み）で売却し、代金については現金で受け取った。なお、当該車両は耐用年数5年の定額法で減価償却を行い、記帳方法は間接控除法を採用している。

(2)　取得原価48,000千円（税抜き）、期首帳簿価額27,000千円の備品を当期の9月10日に下取りに出し、定価60,000千円（税抜き）の備品を取得した。旧備品の下取り価額は23,430千円（税込み）であり、追加支払額については小切手を振り出して支払った。なお、備品の減価償却は償却率0.25の定率法で行っており、記帳方法は直接控除法を採用している。

問題5 消費税等(4)

応用 6分 解答>>>154P

下記の【資料】に基づいて、仕訳を示しなさい。なお、消費税等は税込方式で処理しており、税率は10%としている。

【資　料】

(1) 商品18,000円（税抜価格）を掛けで売り上げた。

(2) 商品12,000円（税抜価格）を掛けで仕入れた。

(3) 営業費3,600円（税抜価格）を現金で支払った。

(4) 上記(1)から(3)に基づいて、決算で未払消費税等240円を計上した。

問題6 法人税等

基礎 4分 解答>>>155P

下記の【資料】に基づいて、次の各問における仕訳を示しなさい。収支は現金預金とすること。なお、決算日は年１回３月末日とする。

問１　法人税等について、一勘定制で処理した場合

問２　法人税等について、二勘定制で処理した場合

【資　料】

(1) X1年11月20日　当期の中間申告を行い、法人税等4,500千円を納付した。

(2) X2年３月31日　当期の法人税等の年税額は15,000千円である。

(3) X2年５月25日　前期分の法人税等について確定申告・納付を行った。

問題7 源泉所得税等(1)

基礎 3分 解答>>>157P

次の取引の仕訳を示しなさい。なお、仮払法人税等勘定を用いること。

(1) 法人税等の中間納付として1,250千円を現金で支払った。

(2) 所有する株式に対して配当金領収証200千円（源泉所得税50千円控除後）を受け取った。

(3) 決算の結果、当期の法人税等の金額が2,000千円となった。なお、配当金に関する源泉所得税は、全額当期の法人税等から控除できる。

基礎　3分　解答>>>158P

下記の【資料】に基づいて、決算整理後残高試算表を示しなさい。

【資料1】

決算整理前残高試算表　(単位：千円)

仮払金	335	受取利息配当金	200

【資料2】

(1)　仮払金は、法人税等の中間申告納付額である。

(2)　受取利息配当金200千円は、源泉所得税50千円控除後の金額で計上されているが、税引前の金額に修正すること。なお、この源泉所得税は、全額当期の法人税等から控除できるものである。

(3)　法人税等の額が750千円となるように確定申告納付額を未払計上する。

Chapter 12 税効果会計

問題1 税務調整

基礎 2分 解答>>>160P

下記の【資料】に基づいて、当期の法人税等の金額を算定しなさい。

【資　料】

(1) 会計上の収益は15,000千円、費用は13,500千円である。
(2) 税務上、商品評価損750千円について損金不算入とされる。
(3) 税務上、貸倒引当金繰入限度超過額390千円について損金不算入とされる。
(4) 税務上、前期に損金に算入されなかった貸倒引当金繰入限度超過額270千円については、全額取崩処理を行った。
(5) 上記の他に、受取配当金等の益金不算入額が360千円ある。
(6) 法人税等の計算に当たっては、税率を30%とする。

問題2 税効果会計(1)

基礎 2分 解答>>>161P

下記の【資料】に基づいて、次の各問に答えなさい。法定実効税率は30%とする。

問1 当期末の決算整理前残高試算表（一部）を作成しなさい。
問2 当期末の決算整理後残高試算表（一部）を作成しなさい。

【資　料】

1 前期末の将来減算一時差異は、次のとおりである。

貸倒引当金繰入限度超過額	6,400千円
賞与引当金繰入限度超過額	12,000千円
商品評価損否認額	10,000千円
未払事業税否認額	16,000千円

2 当期末の将来減算一時差異は、次のとおりである。

貸倒引当金繰入限度超過額	12,000千円
賞与引当金繰入限度超過額	10,800千円
商品評価損否認額	8,000千円
未払事業税否認額	18,000千円

問題3 税効果会計(2)

下記の【資料】に基づいて、次の各問に答えなさい。なお、決算日は3月31日であり、前期および当期の法定実効税率は30%とする。

問1 税効果会計について、決算整理で必要となる仕訳を示しなさい。

問2 決算整理後残高試算表を示しなさい。

【資料1】決算整理前残高試算表

決算整理前残高試算表 （単位：千円）

借方科目	金額	貸方科目	金額
売掛金	120,000	貸倒引当金	2,160
繰越商品	27,000	減価償却累計額	1,800,000
建物	3,000,000		
繰延税金資産	70,980		
仕入	1,500,000		

【資料2】決算整理事項

1 期末帳簿棚卸高は36,000千円であり、正味売却価額は30,000千円である。商品評価損については原価処理する。なお、当該商品評価損は税務上否認されるため、税効果会計を適用する。

2 決算整理前残高試算表の売掛金はすべて一般債権であり、期末債権残高に対して２%の貸倒引当金を設定する。なお、税務上の貸倒引当金繰入限度額は2,000千円であるため、貸倒引当金繰入限度超過額について税効果会計を適用する。

3 賞与引当金60,000千円を計上する。なお、賞与引当金は税務上全額否認されるため、税効果会計を適用する。

4 建物の減価償却費は60,000千円である。なお、税務上の減価償却限度額は54,000千円（当期首における減価償却限度額の累計は1,620,000千円）であり、減価償却限度超過額に対して税効果会計を適用する。

5 前期末における繰延税金資産の発生の原因別の内訳

	繰延税金資産
商品評価損否認	1,200千円
貸倒引当金繰入限度超過額	180千円
賞与引当金繰入限度超過額	15,600千円
減価償却限度超過額（累計）	54,000千円
合計	70,980千円

問題4 税効果会計(3)

応用 10分 解答>>>167P

当社の下記の【資料】に基づいて、決算整理後残高試算表を作成しなさい。なお、当期はX8年4月1日からX9年3月31日までであり、法定実効税率は40%とする。

【資料1】

決算整理前残高試算表　（単位：千円）

受取手形	190,000	貸倒引当金	6,500
売掛金	232,500	賞与引当金	28,500
繰延税金資産	各自推定		
仮払法人税等	52,500		
営業費	589,000		

【資料2】決算整理事項

1　当社は金銭債権を「一般債権」、「貸倒懸念債権」および「破産更生債権等」に区分して貸倒見積高を算定し、差額補充法により貸倒引当金の繰入を行っている。なお、決算整理前残高試算表の貸倒引当金は一般債権に対して設定されたものである。

(1)　X社は決算日現在、破産していることが判明したため、X社に対する売掛金6,750千円および受取手形3,250千円を破産更生債権等に区分し、これらの金額を破産更生債権等勘定に振り替えるとともに、債権金額の全額を貸倒見積額として貸倒引当金を設定することにした。なお、税務上の繰入限度額は債権金額に対して50%であるため、税効果会計を適用する。

(2)　X社以外の債権は、一般債権に区分されるため、債権金額の2%を貸倒見積額として貸倒引当金を設定する。なお、税務上の繰入限度額は7,425千円であるため、税効果会計を適用する。

2　当社の賞与支給対象期間は毎年6月～11月と12月～5月、支給日は12月10日と6月10日である。X9年6月10日に総額40,500千円の賞与を支給する見込みであり、そのうち当期負担分を賞与引当金として計上する。当期中に支給した賞与68,750千円は営業費に計上している。

なお、税務上、賞与は支払時に損金算入されることになっているので、賞与引当金繰入額に対して税効果会計を適用する。また、前期末において税効果会計を適用して計上した繰延税金資産は賞与引当金に係るもののみである。

3　法人税等に法人税等調整額を加減した額が税引前当期純利益の40%となるように、法人税等を計上する。また、法人税等の当期計上額から中間納付額を差し引いた額を未払法人税等として計上する。なお、上記1および2で計上した費用額を含む当期の費用総額は4,625,000千円、収益総額は5,000,000千円である。

解答・解説

Chapter 2

一般商品売買1

原価率(1)

	日付	時間	学習メモ
1回目	／	／8分	
2回目	／	／8分	
3回目	／	／8分	

問1

決算整理　　　　　　　　　　　　　　　　　　　　　　　(単位：円)

借方科目	金額	貸方科目	金額
仕入	32,500	繰越商品	32,500
繰越商品	37,500	仕入	37,500

※　後T／Bの勘定科目より、売上原価を仕入勘定で算定する方法であると判断します。

決算整理後残高試算表　　　　　(単位：円)

繰越商品	(37,500)	売上	305,000
仕入	(244,000)		

問2

決算整理　　　　　　　　　　　　　　　　　　　　　　　(単位：円)

借方科目	金額	貸方科目	金額
仕入	32,500	繰越商品	32,500
繰越商品	37,500	仕入	37,500

※　後T／Bの勘定科目より、売上原価を仕入勘定で算定する方法であると判断します。

決算整理後残高試算表　　　　　(単位：円)

繰越商品	(37,500)	売上	305,000
仕入	(244,000)		

問3 | 80 | %

問4 | 25 | %

解説

問1　原価率を用いた推定

① 売上原価：売上305,000円×0.8＝244,000円

② 期末商品棚卸高：期首32,500円＋仕入249,000円－売上原価244,000円＝37,500円
売上高から原価率を用いて売上原価を推定し、期末商品棚卸高を算定します。

問2　利益加算率を用いた推定

① 売上原価：売上305,000円×$\frac{1}{1.25}$＝244,000円

② 期末商品棚卸高：期首32,500円＋仕入249,000円－売上原価244,000円＝37,500円
原価率ではなく、利益加算率で指示されている点が**問1**との違いです。

問3　原価率の算定

$$\frac{\text{売上原価（期首32,500円＋仕入249,000円－期末37,500円）}}{\text{売上305,000円}}＝0.8 → \text{原価率80\%}$$

問4　利益加算率の算定

$$\frac{\text{売上305,000円}}{\text{売上原価（期首32,500円＋仕入249,000円－期末37,500円）}}＝1.25 → \text{利益加算率25\%}$$

（参考）

原価率と利益加算率の関係は次のようになります（単位：円）。

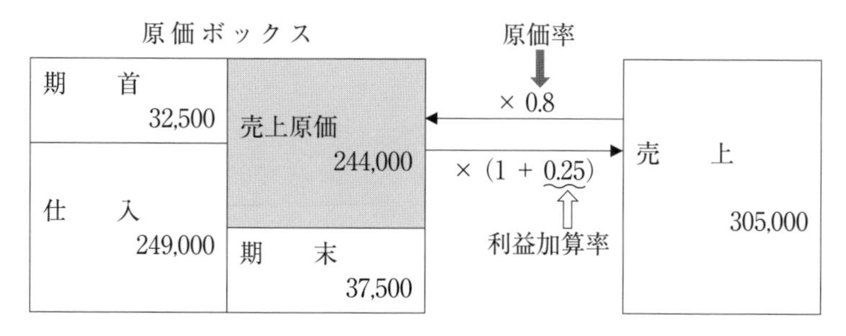

出題論点

・売価と原価の関係性
・原価率、利益率の算定

学習のポイント

・原価率と利益加算率の違いをおさえましょう。

解答2 原価率(2)

	日付	時間	学習メモ
1回目	／	／5分	
2回目	／	／5分	
3回目	／	／5分	

問1

決算整理後残高試算表　（単位：千円）

借方科目	金額	貸方科目	金額
繰越商品	(20,000)	売上	540,000
仕入	(432,000)		

問2

決算整理前残高試算表　（単位：千円）

借方科目	金額	貸方科目	金額
繰越商品	(1,000)	売上	11,800
仕入	(7,860)		

問3

決算整理後残高試算表　（単位：千円）

借方科目	金額	貸方科目	金額
繰越商品	(450)	売上	(7,875)
仕入	(6,300)		

解説（仕訳の単位：千円）

問1　決算整理後残高試算表の作成

⑴　利益率は原価率の補数（合わせて1となる数）となるので、まず、問題文の**【資料2】**の利益率から原価率を求めます。

①　原 価 率：1 －利益率0.2＝0.8

②　売上原価：売上540,000千円×0.8＝432,000千円

③　期末商品：期首12,000千円＋仕入440,000千円－売上原価432,000千円
　　　＝20,000千円

⑵　決算整理仕訳

（仕　　　　入）	12,000	（繰　越　商　品）	12,000
（繰　越　商　品）	20,000	（仕　　　　入）	20,000

（参考）

仕入勘定を用いて計算すると、次のようになります（単位：千円）。

仕　　入

借方	貸方
期　首 12,000	売上原価 432,000
前T／B 440,000	期　末 20,000 ⇦ 差額

問2　決算整理前残高試算表の作成

決算整理後残高試算表の金額から、決算整理前残高試算表の金額を推定します。なお、決算整理後残高試算表の仕入勘定残高は売上原価を表しています（単位：千円）。

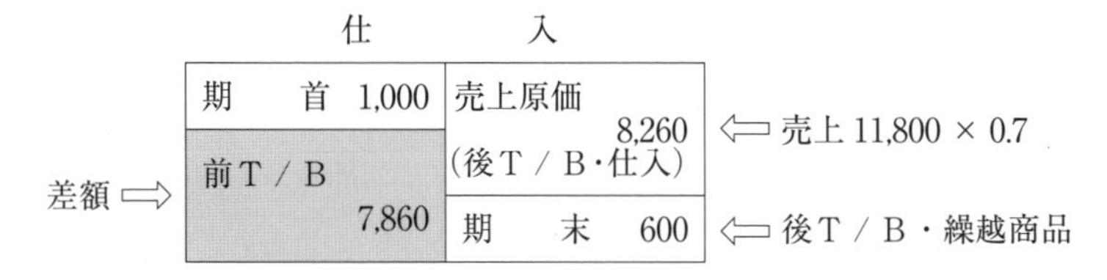

問3　決算整理後残高試算表の作成

⑴　売上原価の算定

（仕　　　　入）	750	（繰　越　商　品）	750
（繰　越　商　品）	450	（仕　　　　入）	450

(2) 売上の算定

売上原価を原価率で割ることで、売上を算定します（単位：千円）。

出題論点

・売価と原価の関係性
・残高試算表の数値の推定

学習のポイント

・原価ボックスを作成して原価と売価の関係をおさえましょう。

解答3 返品等

	日付	時間	学習メモ
1回目	／	／3分	
2回目	／	／3分	
3回目	／	／3分	

決算整理後残高試算表　（単位：千円）

借方科目	金額	貸方科目	金額
繰越商品	（4,500）	売上	（36,960）
仕入	（29,600）		

解説（仕訳の単位：千円）

(1) 売上の修正

① 売上戻り

借方	金額	貸方	金額
（売上）	500	（売上戻り）	500

② 売上値引・割戻

（売上）	340	（売上値引・割戻）	340

⑵ 仕入の修正

① 仕入戻し

（仕入戻し）	400	（仕入）	400

② 仕入値引・割戻

（仕入値引・割戻）	280	（仕入）	280

⑶ 売上原価の算定

決算整理後残高試算表の勘定科目より、売上原価を仕入勘定で算定する方法であると判断します。

（仕入）	3,620	（繰越商品）	3,620
（繰越商品）	4,500	（仕入）	4,500

（参考）七分法

繰越商品、仕入、仕入戻し、仕入値引・割戻、売上、売上戻り、売上値引・割戻の各勘定を設定する方法を、一般的に七分法といいます。この処理方法によると、期中における総仕入高・総売上高・返品等の金額などを容易に把握することができます。

出題論点

・返品、値引、割戻の会計処理

学習のポイント

・決算整理前残高試算表に値引等が独立の勘定科目で記載されている場合、決算時に仕入や売上に振り替える必要がある点に注意しましょう。

本試験での出題例

・「返品高は、控除的評価勘定で処理する」という指示が付くこともあります。この場合、期中において、売上返品なら売上を直接減額するのではなく、「売上戻り」で処理します。

割引

	日付	時間	学習メモ
1回目	／	／2分	
2回目	／	／2分	
3回目	／	／2分	

（単位：円）

	借方科目	金額	貸方科目	金額
(1)	買掛金	72,000	現金	71,280
			仕入割引	720
(2)	現金	24,750	売掛金	25,000
	売上	250		

解説

仕入割引は収益として、売上割引は収益の減額として処理します。

(2)　売上割引：25,000円×１％＝250円

出題論点

・割引の会計処理

学習のポイント

・仕入割引は返品等とは会計処理が違う点をおさえましょう。

解答5 返品等と原価率

	日付	時間	学習メモ
1回目	／	／8分	
2回目	／	／8分	
3回目	／	／8分	

決算整理後残高試算表 (単位：円)

借方		貸方	
繰越商品	(60,000)	売上	(683,000)
仕入	(600,000)	仕入割引	(800)
販売費	(13,500)		

解説

(1) 仕入割引

仕入割引が仕入から控除されているので仕入の金額を修正します。

① 適正な仕訳

三分法における仕入割引の正しい仕訳は次のとおりです。

(買掛金)	800	(仕入割引)	800

② 当社の仕訳

仕入割引について、期中に次のような仕訳を行っています。

(買掛金)	800	(仕入)	800

③ 修正仕訳 (①－②)

仕入割引は営業外収益で処理をするので、決算において仕入勘定を調整します。

(仕入)	800	(仕入割引)	800

この結果、仕入勘定は次のようになります（単位：円)。

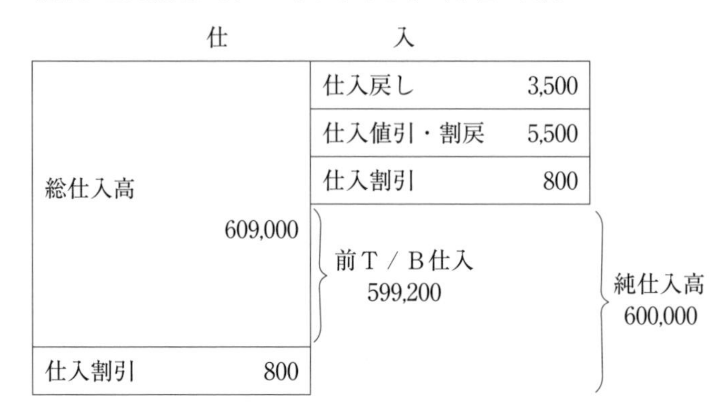

後T／B仕入割引：800円

⑵ 売上原価と期末商品の推定

算定した売上高と原価率をもとに、売上原価と期末商品帳簿棚卸高を算定します（単位：円)。

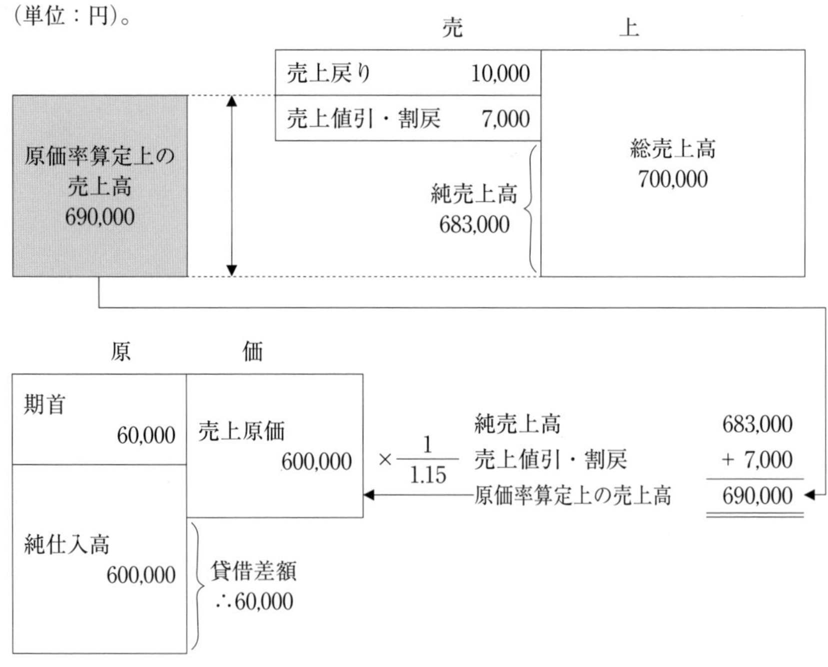

後T／B仕入：690,000円 $\times \frac{1}{1.15}$ = 600,000円

(仕　　　入)	60,000	(繰越商品)	60,000
(繰越商品)	60,000 *	(仕　　　入)	60,000

＊　期末商品帳簿棚卸高：60,000円＋600,000円－600,000円＝60,000円

出題論点

・仕入割引
・原価率の算定

学習のポイント

・原価率算定に用いる売上高は、売上値引・割戻控除前の売上高となる点に注意しましょう。

解答6 他勘定振替(1)

	日付	時間	学習メモ
1回目	／	／3分	
2回目	／	／3分	
3回目	／	／3分	

(単位：円)

	借方科目	金額	貸方科目	金額
(1)	火災損失	1,500	仕入	1,500
(2)	備品	7,000	仕入	7,000
(3)	商品盗難損	10,000	仕入	10,000
(4)	見本品費	8,000	仕入	8,000

解説

いずれの問題も、仕入れた商品に対する影響があるものです。

また、問題文より三分法を使用していることがわかるため、当期に仕入れた商品は「仕入」で処理されています。よって、「仕入」の減額をする処理をします。

出題論点

・他勘定振替の会計処理

学習のポイント

・他勘定振替を行う原因別に借方の勘定科目が異なる点に注意しましょう。
・他勘定振替高は仕入勘定から発生した原因に関連した勘定科目に振り替えます。

解答7 他勘定振替(2)

	日付	時間	学習メモ
1回目	／	／3分	
2回目	／	／3分	
3回目	／	／3分	

(1) 決算整理仕訳

(単位：円)

借方科目	金額	貸方科目	金額
火災損失	2,350	仕入	2,350
仕入	8,620	繰越商品	8,620
繰越商品	12,800	仕入	12,800

※ 後T／Bの勘定科目より、売上原価を仕入勘定で算定する方法であると判断します。

⑵　決算整理後残高試算表

決算整理後残高試算表　　（単位：円）

繰越商品	（　12,800）	売上	143,000
仕入	（　105,970）		
火災損失	（　2,350）		

出題論点

・他勘定振替の会計処理

学習のポイント

・他勘定振替高が未処理なので、資料の決算整理前残高試算表は、当期仕入高を表しています。

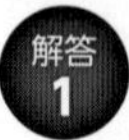

一般商品売買 2

解答1 分記法(1)・売上原価対立法(1)・三分法

	日付	時間	学習メモ
1回目	／	／8分	
2回目	／	／8分	
3回目	／	／8分	

問1

分記法　　　　　　　　　　　　　　　　　　　　（単位：円）

	決算整理前残高試算表			
整理前残高試算表	商品	（　880）	商品販売益	（　6,080）
決算整理	（仕訳不要）	（　　）／（	）	（　　）
	決算整理後残高試算表			
整理後残高試算表	商品	（　880）	商品販売益	（　6,080）

問2

売上原価対立法　　　　　　　　　　　　　　　　（単位：円）

	決算整理前残高試算表			
整理前残高試算表	商品	（　880）	売上	（30,400）
	売上原価	（24,320）		
決算整理	（仕訳不要）	（　　）／（	）	（　　）
	決算整理後残高試算表			
整理後残高試算表	商品	（　880）	売上	（30,400）
	売上原価	（24,320）		

問3

三分法（売上原価を仕入勘定で算定する方法）　　　　　　（単位：円）

<table>
<tr><td rowspan="3">整理前
残高試算表</td><td colspan="4">決算整理前残高試算表</td></tr>
<tr><td>繰越商品</td><td>（1,200）</td><td>売上</td><td>（30,400）</td></tr>
<tr><td>仕入</td><td>（24,000）</td><td></td><td></td></tr>
<tr><td rowspan="2">決算整理</td><td>（仕入）</td><td>（1,200）／</td><td>（繰越商品）</td><td>（1,200）</td></tr>
<tr><td>（繰越商品）</td><td>（880）／</td><td>（仕入）</td><td>（880）</td></tr>
<tr><td rowspan="3">整理後
残高試算表</td><td colspan="4">決算整理後残高試算表</td></tr>
<tr><td>繰越商品</td><td>（880）</td><td>売上</td><td>（30,400）</td></tr>
<tr><td>仕入</td><td>（24,320）</td><td></td><td></td></tr>
</table>

問4

三分法（売上原価を売上原価勘定で算定する方法）　　　　　　（単位：円）

<table>
<tr><td rowspan="3">整理前
残高試算表</td><td colspan="4">決算整理前残高試算表</td></tr>
<tr><td>繰越商品</td><td>（1,200）</td><td>売上</td><td>（30,400）</td></tr>
<tr><td>仕入</td><td>（24,000）</td><td></td><td></td></tr>
<tr><td rowspan="3">決算整理</td><td>（売上原価）</td><td>（1,200）／</td><td>（繰越商品）</td><td>（1,200）</td></tr>
<tr><td>（売上原価）</td><td>（24,000）／</td><td>（仕入）</td><td>（24,000）</td></tr>
<tr><td>（繰越商品）</td><td>（880）／</td><td>（売上原価）</td><td>（880）</td></tr>
<tr><td rowspan="3">整理後
残高試算表</td><td colspan="4">決算整理後残高試算表</td></tr>
<tr><td>繰越商品</td><td>（880）</td><td>売上</td><td>（30,400）</td></tr>
<tr><td>売上原価</td><td>（24,320）</td><td></td><td></td></tr>
</table>

解説

1　売上原価および商品販売益の算定

売上原価：期首商品1,200円＋当期仕入高24,000円－期末商品880円＝24,320円

商品販売益：当期売上高30,400円－売上原価24,320円＝6,080円

2　会計処理

問1　分記法（単位：円）

①　決算整理前残高試算表

決算整理前残高試算表

期末⇨	商　　品	880	商品販売益	6,080	⇦販売益

②　決算整理仕訳

分記法は、商品の販売のつど、商品販売益を算定しているので仕訳は不要です。

③　決算整理仕訳を行わないので、決算整理後残高試算表と決算整理前残高試算表の金額は同じになります。

問2　売上原価対立法（単位：円）

①　決算整理前残高試算表

決算整理前残高試算表

期末⇨	商　　品	880	売　　上	30,400	⇦売上
売上原価⇨	売上原価	24,320			

②　決算整理仕訳

売上原価対立法は、商品の販売のつど、売上原価を算定しているので仕訳は不要です。

③　決算整理仕訳を行わないので、決算整理後試算表と決算整理前試算表の金額は同じになります。

問3・問4　三分法（単位：円）

①　決算整理前残高試算表

決算整理前残高試算表

期首⇨	繰越商品	1,200	売　　上	30,400	⇦売上
仕入⇨	仕　　入	24,000			

②　決算整理仕訳⇨解答参照

③　決算整理後残高試算表

決算整理前残高試算表

期末⇨	繰越商品	880	売　　上	30,400	⇦売上
売上原価⇨	仕　　入 （売上原価）	24,320			

出題論点

・一般商品売買の会計処理（分記法、売上原価対立法、三分法）
・決算整理後残高試算表への反映額の違い

学習のポイント

・各方法について、どのような点が共通する部分と異なる部分になるかおさえましょう。
・各方法に特有の勘定科目や残高試算表をヒントに、情報を整理しましょう。

解答2 分記法(2)・売上原価対立法(2)

	日付	時間	学習メモ
1回目	／	／10分	
2回目	／	／10分	
3回目	／	／10分	

問1

（単位：千円）

A	141,000	B	825,000	C	141,000	D	3,300,000

問2

① 分記法

（単位：千円）

借方科目	金額	貸方科目	金額
仕訳不要			

② 売上原価対立法

（単位：千円）

借方科目	金額	貸方科目	金額
仕訳不要			

解説 （仕訳の単位：千円）

1 分記法（同種取引はまとめて示しています）

⑴ 期首残高試算表

期首残高試算表 （単位：千円）

商品	200,000		

⑵ 仕入取引

（商品）	3,241,000 *	（買掛金）	3,241,000

＊ 1,235,000千円＋1,150,000千円＋856,000千円＝3,241,000千円

⑶ 売上取引

【資料】商品売買に関する事項の払出金額が売上原価を示します。

（売掛金）	4,125,000 *1	（商品）	3,300,000 *2
		（商品販売益）	825,000 *3

＊1 1,625,000千円＋2,500,000千円＝4,125,000千円

＊2 1,300,000千円＋2,000,000千円＝3,300,000千円

＊3 貸借差額

⑷ 決算整理前残高試算表（問1①）

決算整理前残高試算表 （単位：千円）

商品	A 141,000	商品販売益	B 825,000

⑸ 決算整理（問2①）

仕訳なし

⑹ 決算整理後残高試算表

決算整理後残高試算表 （単位：千円）

商品	141,000	商品販売益	825,000

2 売上原価対立法

⑴ 期首残高試算表

期首残高試算表 （単位：千円）

商品	200,000		

(2) 仕入取引

(商品)	3,241,000 *	(買掛金)	3,241,000

* 1,235,000千円 + 1,150,000千円 + 856,000千円 = 3,241,000千円

(3) 売上取引および売上原価の算定

(売掛金)	4,125,000	(売上)	4,125,000 *1
(売上原価)	3,300,000 *2	(商品)	3,300,000

*1 1,625,000千円 + 2,500,000千円 = 4,125,000千円

*2 1,300,000千円 + 2,000,000千円 = 3,300,000千円

(4) 決算整理前残高試算表（問1②）

決算整理前残高試算表 (単位：千円)

商品	C 141,000	売上	4,125,000
売上原価	D 3,300,000		

(5) 決算整理（問2②）

仕訳なし

(6) 決算整理後残高試算表

決算整理後残高試算表 (単位：千円)

商品	141,000	売上	4,125,000
売上原価	3,300,000		

出題論点

・分記法と売上原価対立法の各方法の残高試算表計上額の推定

学習のポイント

・残高試算表の各項目が、取引のどの結果を表しているのかについて正確に理解しましょう。

・分記法と売上原価対立法の勘定科目の違いをおさえましょう。

解答3 総記法

	日付	時間	学習メモ
1回目	／	／8分	
2回目	／	／8分	
3回目	／	／8分	

商品販売益	18,720円
期首商品棚卸高	3,480円

解説

決算整理前残高試算表の商品勘定が貸方残高であるため総記法を採用していると判断します。

1　商品販売益の算定

決算整理前残高試算表の商品勘定が貸方残高であるため、期末商品帳簿棚卸高に決算整理前残高試算表の商品勘定を足して、商品販売益を計算します。

(商　品)	18,720	(商品販売益)	18,720 *

＊　商品販売益：期末商品帳簿棚卸高7,320円＋前T／B商品(貸方) 11,400円＝18,720円

2　期首商品棚卸高の算定

商品販売益を売上利益率で割り戻すことで、売上高を算定し、貸借差額で期首商品棚卸高を算定します（単位：円)。

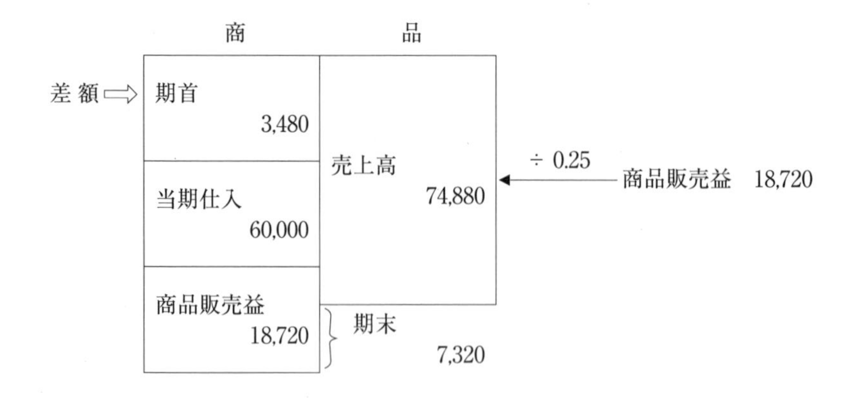

出題論点

・総記法

学習のポイント

・総記法は、期末商品棚卸高と決算整理前残高試算表の商品勘定の金額は異なるので注意しましょう。
・商品勘定の貸方に売価が記入されている点をおさえましょう。

Chapter 4

一般商品売買３

払出単価の決定方法（先入先出法）

	日付	時間	学習メモ
1回目	／	／6分	
2回目	／	／6分	
3回目	／	／6分	

問１

繰越商品 （単位：円）

借方	金額	貸方	金額
前期繰越	（1,960,000）	（仕　入）	（1,960,000）
（仕　入）	（2,052,000）	次期繰越	（2,052,000）
	（4,012,000）		（4,012,000）

仕入 （単位：円）

借方	金額	貸方	金額
買掛金	（5,000,000）	（買掛金）	（240,000）
（繰越商品）	（1,960,000）	（買掛金）	（162,000）
		（買掛金）	（76,000）
		（繰越商品）	（2,052,000）
		損益	（4,430,000）
	（6,960,000）		（6,960,000）

問２

（単位：円）

	借方科目	金額	貸方科目	金額
⑤	売掛金	4,480,000	売上	4,480,000
	売上原価	2,530,000	商品	2,530,000
⑥	売掛金	3,000,000	売上	3,000,000
	売上原価	1,900,000	商品	1,900,000

問3

(1)	4,522,000円
(2)	3,050,000円

解説

問1　三分法を採用した場合の繰越商品勘定および仕入勘定の記入・締切

1　商品ボックス図（先入先出法）

	商		品		
	期首	@800	販売	3,200個	
前期繰越高：1,960,000円		2,450個		2,450個	×@800円＝1,960,000円
	当期仕入	@760*		750個	×@760円＝　570,000円
総仕入高：5,000,000円		6,250個	販売		
返品：△240,000円	返品	△300個		2,500個	×@760円＝1,900,000円
値引：△162,000円			期末（＝帳簿数量）		
割戻し：△76,000円				∴2,700個	×@760円＝2,052,000円
純仕入高：4,522,000円					

＊　仕入返品等（返品・値引・割戻し）調整後の当期仕入分の払出単価

$$\frac{\text{当期仕入 5,000,000 円} - \text{返品 240,000 円} - \text{値引・割戻し 238,000 円}}{\text{当期仕入 6,250 個} - \text{返品 300 個}} = @760\text{円}$$

2　商品売買取引

①　当期仕入（掛け）

(仕　　入)	5,000,000 *	(買　掛　金)	5,000,000

＊　原価@800円×当期仕入6,250個＝5,000,000円

②　当期仕入分に対する返品

当期仕入分について商品の返品を行ったときは、当期の仕入取引を取り消す処理を行います。

(買　掛　金)	240,000	(仕　　入)	240,000 *

＊　原価@800円×返品数量300個＝240,000円

③　当期仕入分に対する値引

当期仕入分について値引を受けたときは、当期の仕入取引を取り消す処理を行います。

(買　掛　金)	162,000	(仕　　入)	162,000

④　当期仕入分に対する割戻し

当期仕入分について割戻しを受けたときは、当期の仕入取引を取り消す処理を行います。

（買掛金）	76,000	（仕入）	76,000

⑤　売上（掛け）

（売掛金）	4,480,000	（売上）	4,480,000 *

＊　売価@1,400円×販売数量3,200個＝4,480,000円

⑥　売上（掛け）

（売掛金）	3,000,000	（売上）	3,000,000 *

＊　売価@1,200円×販売数量2,500個＝3,000,000円

⑦　決算整理仕訳（売上原価の算定）

（仕入）	1,960,000	（繰越商品）	1,960,000 *1
（繰越商品）	2,052,000 *2	（仕入）	2,052,000

＊1　前期繰越高

＊2　@760円×期末棚卸数量2,700個＝2,052,000円

⑧　決算振替仕訳（損益振替。ただし売上は省略）

（損益）	4,430,000	（仕入）	4,430,000 *

＊　仕入勘定の残高　または1,960,000円＋5,000,000円－240,000円－162,000円－76,000円－2,052,000円＝4,430,000円

以上の仕訳を勘定へ転記すると問1の解答になります。

問2　売上原価対立法を採用した場合の商品販売時（【資料】5の⑤⑥）における仕訳

売上原価対立法を採用した場合、商品を販売したときに、売価で売上を計上するとともに、商品の原価を商品勘定から売上原価勘定に振り替えます。なお、先入先出法では、前期繰越分と当期仕入分を区別して売上原価を計算します。

⑤　売上（掛け）

（売掛金）	4,480,000	（売上）	4,480,000
（売上原価）	2,530,000 *	（商品）	2,530,000

＊　前期繰越分：1,960,000円

当期仕入分：@760円×（3,200個－前期繰越数量2,450個）＝570,000円

合計：1,960,000円＋570,000円＝2,530,000円

⑥　売上（掛け）

借方	金額	貸方	金額
（売掛金）	3,000,000	（売上）	3,000,000
（売上原価）	1,900,000 *	（商品）	1,900,000

＊　当期仕入分：@760円×2,500個＝1,900,000円

問３　当期における純仕入高と売上総利益の金額

⑴　純仕入高

当期仕入5,000,000円－返品240,000円－値引・割戻し238,000円＝4,522,000円

⑵　売上総利益

売上：4,480,000円＋3,000,000円＝7,480,000円

売上原価：2,530,000円＋1,900,000円＝4,430,000円

売上総利益：7,480,000円－4,430,000円＝3,050,000円

出題論点

・勘定記入
・払出単価の決定方法（先入先出法）

学習のポイント

・仕入返品等が行われた場合は払出単価を再計算するため、問題資料に与えられた仕入単価（本問では@800円）をそのまま使用して期末商品帳簿棚卸高を計算しないように注意しましょう。
・三分法と売上原価対立法で、最終的に計上される売上高・売上原価・売上総利益の金額が同額になることを確認しましょう。

解答2 期末商品の評価(1)

	日付	時間	学習メモ
1回目	／	／8分	
2回目	／	／8分	
3回目	／	／8分	

問1

(単位：円)

借方科目	金額	貸方科目	金額
仕入	100,000	繰越商品	100,000
繰越商品	120,000	仕入	120,000
棚卸減耗費	10,000	繰越商品	15,700
商品評価損益	5,700		

問2

繰越商品 (単位：円)

前期繰越	(100,000)	(仕入)	(100,000)
(仕入)	(120,000)	(棚卸減耗費)	(10,000)
		(商品評価損益)	(5,700)
		次期繰越	(104,300)
	(220,000)		(220,000)

仕入 (単位：円)

決算整理前残高	300,000	(繰越商品)	(120,000)
(繰越商品)	(100,000)	(損益)	(280,000)
	(400,000)		(400,000)

問3

決算整理後残高試算表 (単位：円)

繰越商品	(104,300)	売上	530,000
仕入	(280,000)		
商品評価損益	(5,700)		
棚卸減耗費	(10,000)		

問4

（単位：円）

借方科目	金額	貸方科目	金額
繰越商品	2,100	商品評価損益	2,100

解説

(a) 期末帳簿棚卸高：@1,000円×120個＝120,000円
(b) 棚卸減耗費：@1,000円×（120個－110個）＝10,000円
(c) 商品評価損（劣化品）：(@1,000円－@280円）×5個＝3,600円 ｝合計5,700円
(d) 商品評価損（良品）：(@1,000円－@980円）×105個＝2,100円 ｝
(e) 次期繰越額：｛良品：@980円×105個＝102,900円／劣化品：@280円×5個＝1,400円｝合計104,300円

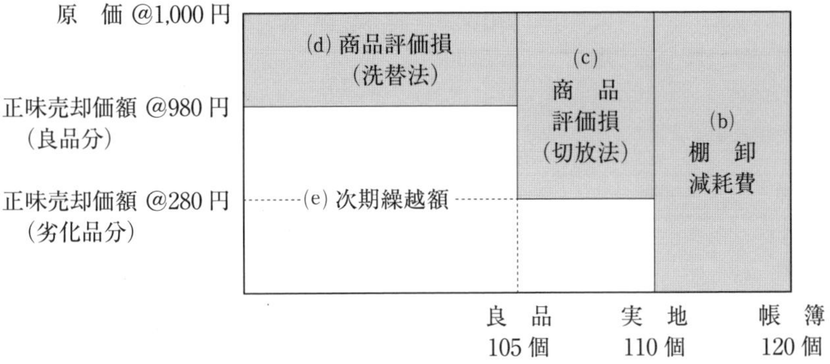

出題論点

・期末商品の評価
・棚卸減耗費、商品評価損益の会計処理

学習のポイント

・商品評価損益の算定にあたり発生原因別に会計処理が異なる場合があるので問題文に注意しましょう。
・慣れるまでは解説のボックス図を実際に下書きしながら解きましょう。

期末商品の評価(2)

	日付	時間	学習メモ
1回目	／	／8分	
2回目	／	／8分	
3回目	／	／8分	

問1

①

(単位：円)

借方科目	金額	貸方科目	金額
繰越商品	1,800	商品評価損益	1,800

②

決算整理後残高試算表 (単位：円)

借方		貸方	
繰越商品	(80,850)	売上	397,500
仕入	(210,000)	商品評価損益	(150)
棚卸減耗費	(7,500)		

問2

決算整理後残高試算表 (単位：円)

借方		貸方	
繰越商品	(80,850)	売上	397,500
仕入	(208,200)		
棚卸減耗費	(7,500)		
商品評価損益	(1,650)		

解説

問1

1　期首振戻の修正

洗替法は、当期首において前期末に計上された商品評価損の振戻処理を行います。

(繰越商品)	1,800	(商品評価損益)	1,800 *

＊　【資料】(2)　期首商品棚卸高

2　決算整理

(1)　売上原価の算定

(仕　　　　入)	75,000	(繰　越　商　品)	75,000 *1
(繰　越　商　品)	90,000 *2	(仕　　　　入)	90,000

＊1　前T／B繰越商品73,200円＋1,800円＝75,000円

＊2　@750円×120個＝90,000円

(2)　棚卸減耗費の算定

(棚　卸　減　耗　費)	7,500 *	(繰　越　商　品)	7,500

＊　@750円×（120個－110個）＝7,500円

(3)　商品評価損益の算定

(商　品　評　価　損　益)	1,650 *	(繰　越　商　品)	1,650

＊　（@750円－@735円）×110個＝1,650円

問2

1　期首振戻の修正

切放法は、当期首において前期末に計上された商品評価損の振戻処理は行いません。

仕　訳　な　し

2　決算整理

(1)　売上原価の算定

(仕　　　　入)	73,200	(繰　越　商　品)	73,200 *1
(繰　越　商　品)	90,000 *2	(仕　　　　入)	90,000

＊1　前T／B繰越商品73,200円

＊2　@750円×120個＝90,000円

(2)　棚卸減耗費の算定

(棚　卸　減　耗　費)	7,500 *	(繰　越　商　品)	7,500

＊　@750円×（120個－110個）＝7,500円

(3)　商品評価損益の算定

(商　品　評　価　損　益)	1,650 *	(繰　越　商　品)	1,650

＊　（@750円－@735円）×110個＝1,650円

出題論点

・期末商品の評価
・棚卸減耗費の会計処理と商品評価損の会計処理（洗替法と切放法）

学習のポイント

・洗替法と切放法は、当期首において前期末に計上された商品評価損の振戻処理を行うのかどうかで会計処理が異なってきます。なお、どちらの方法を採用しても、当期の損益計算書への損益の影響は同じですが、表示する「商品評価損益」勘定の金額が異なる点に注意しましょう。

解答4 期末商品の評価(3)・商品有高帳

	日付	時間	学習メモ
1回目	／	／12分	
2回目	／	／12分	
3回目	／	／12分	

問1

決算整理仕訳　　（単位：円）

借方科目	金額	貸方科目	金額
仕入	40,000	繰越商品	40,000
繰越商品	184,000	仕入	184,000
棚卸減耗費	12,000	繰越商品	12,000

※　試算表で用いられている勘定科目を用いて仕訳を行います。

決算整理後残高試算表　　（単位：円）

繰越商品	（172,000）	売上	（530,000）
仕入	（216,000）		
棚卸減耗費	（12,000）		

問2

方　　法	期末商品帳簿棚卸高	売上原価	棚卸減耗費
(1) 総平均法	120,000円	280,000円	10,000円
(2) 移動平均法	180,000円	220,000円	15,000円

解説

問1

(1) 決算整理前残高試算表

決算整理前残高試算表　(単位：円)

繰越商品	40,000 *1	売上	530,000 *3
仕入	360,000 *2		

＊1　@400円×100個＝40,000円

＊2　②仕入@800円×100個＋④仕入@1,200円×100個＋⑥仕入@1,600円×100個
＝360,000円

＊3　③売上@1,800円×150個＋⑤売上@2,000円×130個＝530,000円

(2) 決算整理（先入先出法のため、後に仕入れたものから順に残ります。）

先入先出法を採用した場合、棚卸減耗費は、払出単価の決定方法に準じて「先に仕入れたもの（@1,200円）から減耗が生じる。」と考えます。

(仕入)	40,000	(繰越商品)	40,000
(繰越商品)	184,000 *1	(仕入)	184,000
(棚卸減耗費)	12,000	(繰越商品)	12,000 *2

＊1　期末帳簿棚卸数量：①100個＋②100個－③150個＋④100個－⑤130個
＋⑥100個＝120個

期末帳簿棚卸高：{ @1,200円× 20個＝ 24,000円 / @1,600円×100個＝160,000円 } 184,000円

＊2　棚卸減耗費：@1,200円×（120個－110個）＝12,000円

問2

(1) 総平均法

総平均単価：$\frac{@400円\times100個+@800円\times100個+@1,200円\times100個+@1,600円\times100個}{100個+100個+100個+100個}$

＝@1,000円

期末帳簿棚卸高：@1,000円×120個＝120,000円
売上原価：期首40,000円＋当期仕入360,000円－期末帳簿120,000円
　　　　＝280,000円
棚卸減耗費：@1,000円×（120個－110個）＝10,000円

⑵　移動平均法

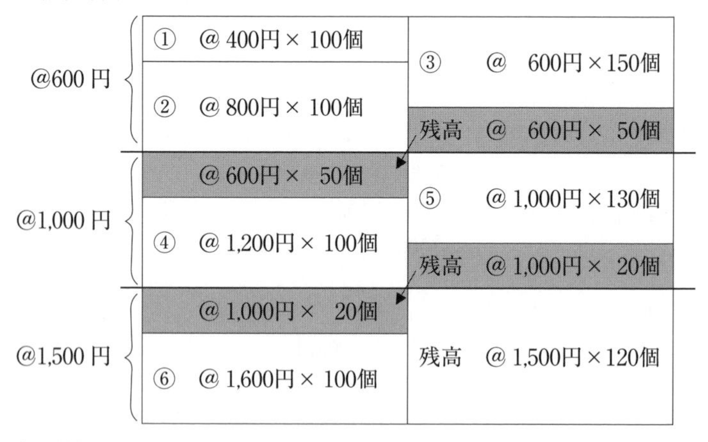

期末帳簿棚卸高：@1,500円×120個＝180,000円
売上原価：期首40,000円＋当期仕入360,000円－期末帳簿180,000円＝220,000円
棚卸減耗費：@1,500円×（120個－110個）＝15,000円

出題論点

・払出単価の決定方法

学習のポイント

・先入先出法、総平均法、移動平均法について計算方法の違いをおさえましょう。
・払出単価の決定方法は、期末棚卸高の金額の決定方法でもあるので、期末棚卸高と売上原価を求める場合、ボックス図を用いて条件を整理しましょう。

解答5 期末商品の評価(4)

	日付	時間	学習メモ
1回目	／	／6分	
2回目	／	／6分	
3回目	／	／6分	

決算整理後残高試算表 （単位：千円）

繰越商品	(15,179)	売上	384,250
仕入	(243,900)		
商品評価損益	(311)		
棚卸減耗費	(340)		

解説 （仕訳の単位：千円）

1 決算整理前残高試算表

(1) 商品評価損益

本問では洗替法を採用しているため、前T/Bに計上されている商品評価損益は期首の振戻処理により生じるものです。

① 前期における収益性の低下の判定

A商品：帳簿原価@900円≦正味売却価額@1,520円

∴ 収益性の低下なし

B商品：帳簿原価@1,255円＞正味売却価額@1,235円

∴ 収益性の低下あり→商品評価損益：(@1,255円－@1,235円)×4,000個＝80千円

C商品：帳簿原価@2,600円≦正味売却価額@2,945円

∴ 収益性の低下なし

② 前期における商品評価損益

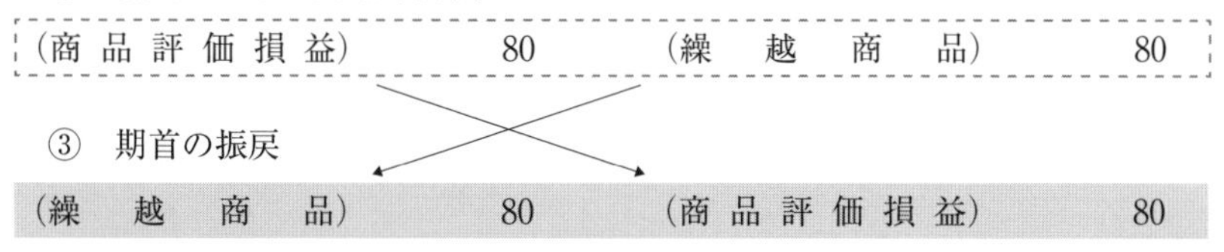

(商品評価損益) 80 (繰越商品) 80
③ 期首の振戻
(繰越商品) 80 (商品評価損益) 80

(2) 繰越商品

上記(1)を考慮した上で前T/Bの繰越商品を求めます。

① A商品：@900円×1,150個＝1,035千円

② B商品：@1,235円×4,000個＝4,940千円
③ C商品：@2,600円×2,450個＝6,370千円
④ ①＋②＋③＋商品評価損益80千円＝12,425千円（前T/B）

2 売上原価

帳簿上の期末商品および売上原価の算定を行います。なお、B商品は返品分が倉庫に未達であり実地数量に反映されていないだけなので、帳簿数量は資料で与えられている3,640個を用います。

（仕　　　　　入）	12,425	（繰　越　商　品）	12,425 ＊1
（繰　越　商　品）	15,910 ＊2	（仕　　　　　入）	15,910

＊1 上記1．(2)繰越商品より
＊2① A商品：@900円×2,200個＝1,980千円
② B商品：@1,250円×3,640個＝4,550千円
③ C商品：@2,680円×3,500個＝9,380千円
④ ①＋②＋③＝15,910千円

3 棚卸減耗

会計上は未達であるB商品200個も到着したものとして扱うため、B商品の帳簿数量と実地数量は一致します。したがって、B商品から棚卸減耗費は生じません。

（棚　卸　減　耗　費）	340 ＊	（繰　越　商　品）	340

＊① A商品：@900円×（帳簿2,200個－実地2,120個）＝72千円
② C商品：@2,680円×（帳簿3,500個－実地3,400個）＝268千円
③ ①＋②＝340千円

4 収益性の低下による帳簿価額の切り下げ

収益性の低下の判定

A商品：帳簿原価@900円≦正味売却価額@1,615円
∴ 収益性の低下なし
B商品：帳簿原価@1,250円≦正味売却価額@1,330円
∴ 収益性の低下なし
C商品：帳簿原価@2,680円＞正味売却価額@2,565円
∴ 収益性の低下あり→商品評価損益：（@2,680円－@2,565円）×3,400個
＝391千円

（商　品　評　価　損　益）	391	（繰　越　商　品）	391

5　決算整理後残高試算表

(1)　繰越商品：期末商品棚卸高15,910千円－棚卸減耗費340千円
　　　　－商品評価損益391千円＝15,179千円

(2)　仕入：前Ｔ／Ｂ繰越商品12,425千円＋前Ｔ／Ｂ仕入247,385千円
　　　　－期末商品棚卸高15,910千円＝243,900千円

(3)　商品評価損益：当期計上391千円－前期分の振戻し80千円＝311千円

(4)　棚卸減耗費：上記３棚卸減耗より

出題論点

・棚卸減耗費・商品評価損益の会計処理
・棚卸資産の評価

学習のポイント

・商品評価損益は問題文より洗替法で処理されていることを読みとり、後T/Bの金額算定に注意しましょう。
・決算時での判明事項から未処理・処理済の事項を適切に読みとり、仕訳だけでなく帳簿数量や実地数量の変動に注意しながら棚卸減耗費と商品評価損益の金額を算定します。

期末商品の評価(5)・他勘定振替

	日付	時間	学習メモ
1回目	／	／6分	
2回目	／	／6分	
3回目	／	／6分	

(1) 決算整理後残高試算表

決算整理後残高試算表　(単位：千円)

借方科目	金額	貸方科目	金額
繰越商品	(16,480)	売上	(312,960)
仕入	(235,360)		
見本品費	(1,320)		
棚卸減耗費	(840)		

(2) 損益計算書（一部）

損益計算書　(単位：千円)

Ⅰ 売上高		(312,960)
Ⅱ 売上原価		
期首商品棚卸高	(17,640)	
当期商品仕入高	(236,360)	
合計	(254,000)	
見本品費振替高	(1,320)	
期末商品棚卸高	(19,280)	
差引	(233,400)	
商品評価損	(1,400)	
棚卸減耗費	(560)	(235,360)
売上総利益		(77,600)
Ⅲ 販売費及び一般管理費		
見本品費	(1,320)	
⋮		
Ⅴ 営業外費用		
棚卸減耗費	(840)	

解説 （仕訳の単位：千円）

1　売上返品

売上返品については未記帳なので、仕訳を行うとともに、商品有高帳においても返品の記帳を行い、期末帳簿棚卸高に加算します（下記3参照）。

（売　　　上）	3,200	（売　掛　金）	3,200

2　見本品費

見本品費の計上については未記帳なので、仕訳を行うとともに、商品有高帳においても払出しの記帳を行い、期末帳簿棚卸高から減額します（下記3参照）。

（見　本　品　費）	1,320	（仕　　　入）	1,320

3　売上原価

（仕　　　入）	17,640	（繰　越　商　品）	17,640
（繰　越　商　品）	19,280 *	（仕　　　入）	19,280

＊　帳簿棚卸高：18,200千円＋返品2,400千円－見本品1,320千円＝19,280千円

4　棚卸減耗

返品された商品は未着なので、実地棚卸高に加算しますが、見本品として送付した商品は手許にはないため実地棚卸高に加算しません。なお、棚卸減耗費は、修正後の帳簿棚卸高と実地棚卸高の差額で算定します。

（仕　　　入）	560 *2	（繰　越　商　品）	1,400 *1
（棚　卸　減　耗　費）	840 *3		

＊1　帳簿棚卸高：18,200千円＋返品2,400千円－見本品1,320千円＝19,280千円
　　実地棚卸高：15,480千円＋返品2,400千円＝17,880千円　△1,400千円

＊2　原価処理：1,400千円×40％＝560千円

＊3　貸借差額

5　収益性の低下による帳簿価額の切下げ

（仕　　　入）	1,400	（繰　越　商　品）	1,400 *

＊　2,400千円－正味売却価額1,000千円＝1,400千円（原価処理）

6　損益計算書（参考）

損　益　計　算　書　（単位：千円）

Ⅰ　売　上　高		312,960	←純売上高
Ⅱ　売　上　原　価			
期首商品棚卸高	17,640		
当期商品仕入高　（＋）	236,360		←純仕入高（他勘定振替高は控除しません）
合　計	254,000		
見本品費振替高　（△）	1,320		←他勘定振替高（売上原価算定上、間接控除）
期末商品棚卸高　（△）	19,280		←期末帳簿棚卸高（適正な数値）
差　引	233,400		
商品評価損　（＋）	1,400		←原価処理
棚卸減耗費　（＋）	560	235,360	
売上総利益		77,600	
Ⅲ　販売費及び一般管理費			
見本品費	1,320		
⋮			
Ⅴ　営業外費用			
棚卸減耗費	840		

出題論点

・返品、見本品費、棚卸減耗費の会計処理

学習のポイント

・多くの論点が混ざって出題されている場合、自分にとって解きやすいものから仕訳を行い、一つ一つ進めていきましょう。その際、仕訳の影響は残高試算表の該当する箇所へメモをするなどして記入漏れのないようにしましょう。
・見本品は、仕入れた商品のうち、得意先に見本として拠出された部分なので、「仕入」の減少とともに「見本品費」として費用とする点に注意しましょう。

解答 7 期末商品の評価(6)

	日付	時間	学習メモ
1回目	／	／6分	
2回目	／	／6分	
3回目	／	／6分	

問1

(単位：円)

借方科目	金額	貸方科目	金額
仕入	100,000	繰越商品	100,000
繰越商品	120,000	仕入	120,000
仕入	7,700	繰越商品	15,700
棚卸減耗費	8,000		

問2

決算整理後残高試算表 (単位：円)

繰越商品	(104,300)	売上	530,000
仕入	(287,700)		
棚卸減耗費	(8,000)		

問3

(単位：円)

借方科目	金額	貸方科目	金額
繰越商品	2,100	仕入	2,100

解説

さまざまな指示が与えられているので、分けて分析していくことでミスを減らすことができます。

(a)　期末帳簿棚卸高：@1,000円×120個＝120,000円

(b)　棚卸減耗費(原価性あり)：@1,000円×(120個－110個)×20%＝2,000円

　　棚卸減耗費(原価性なし)：@1,000円×(120個－110個)－2,000＝8,000円

(c)　商品評価損(劣化品)：(@1,000円－@280円)×5個＝3,600円

(d)　商品評価損(良　品)：(@1,000円－@980円)×105個＝2,100円

→ 原価処理　7,700円 ((b)の原価性あり2,000円、(c)3,600円、(d)2,100円)

(e)　次期繰越額：

良　品：@980円×105個＝102,900円	合計104,300円
劣化品：@280円×　5個＝　1,400円	

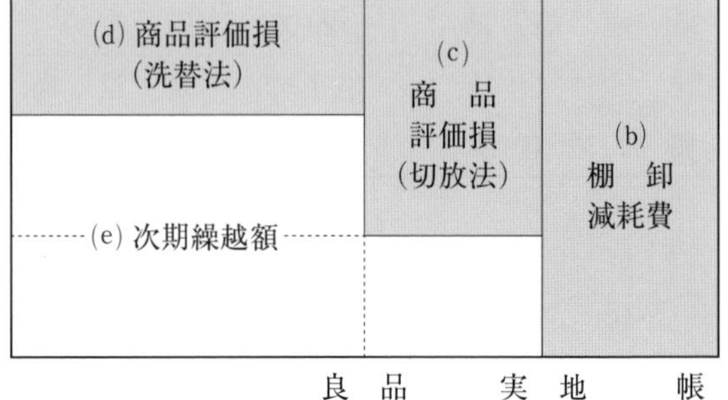

出題論点

・商品評価損（洗替法と切放法）の会計処理
・原価性の有無の判断

学習のポイント

・洗替法と切放法を適用する部分はどこなのかを明確に区別できるようにしましょう。
・棚卸減耗費のうち20%だけを原価処理する点に注意しましょう。

解答8 売価還元法(1)

	日付	時間	学習メモ
1回目	／	／5分	
2回目	／	／5分	
3回目	／	／5分	

(1) 決算整理仕訳

(単位：千円)

借方科目	金額	貸方科目	金額
仕入	12,600	繰越商品	12,600
繰越商品	17,280	仕入	17,280
棚卸減耗費	2,880	繰越商品	3,280
仕入	400		

(2) 決算整理後残高試算表

決算整理後残高試算表 (単位：千円)

繰越商品	(14,000)	売上	228,000
仕入	(164,560)		
棚卸減耗費	(2,880)		

解説

(1) 原価率の算定

当期仕入売価：当期仕入原価168,840千円＋原始値入額55,960千円＝224,800千円

純値上額：値上額22,000千円－取消額4,400千円＝17,600千円

純値下額：値下額10,000千円－取消額2,800千円＝7,200千円

$$\frac{\text{期首商品原価 12,600 千円}+\text{当期仕入原価 168,840 千円}}{\text{期首商品売価 16,800 千円}+\text{当期仕入売価 224,800 千円}+\text{純値上額 17,600 千円}-\text{純値下額 7,200 千円}}$$

＝0.72

(2) 決算整理

期末帳簿棚卸高：期末帳簿棚卸売価24,000千円×0.72＝17,280千円

棚卸減耗費：(24,000千円－20,000千円)×0.72＝2,880千円

商品評価損：(17,280千円－2,880千円)－14,000千円＝400千円

(3)　商品原価ボックスの分析（単位：千円）

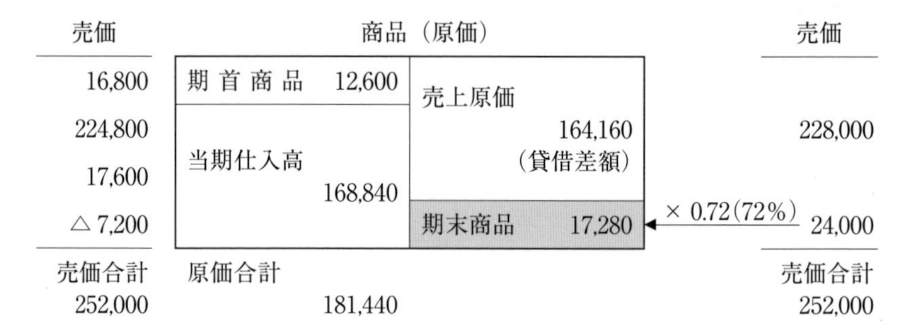

(4)　期末商品ボックスの分析（単位：千円）

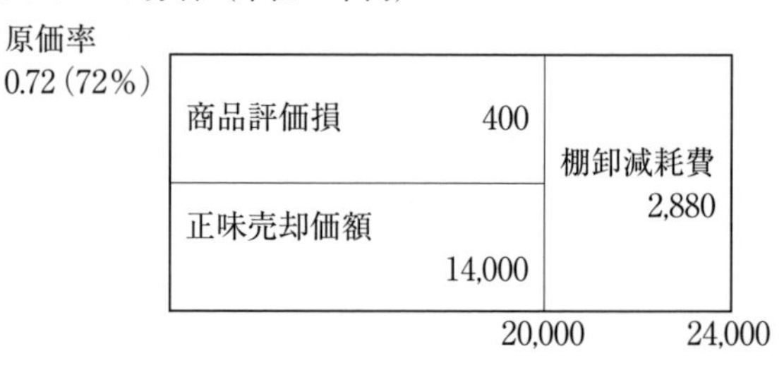

出題論点

・売価還元法

学習のポイント

・売価還元法を採用している場合、期末帳簿棚卸高は、期末帳簿売価に原価率を掛けて算定する点に注意しましょう。
・売価還元法の問題を解く際は、原価ボックスで情報を整理しましょう。

解答9 売価還元法(2)

	日付	時間	学習メモ
1回目	／	／5分	
2回目	／	／5分	
3回目	／	／5分	

(1) 決算整理仕訳

(単位：千円)

借方科目	金額	貸方科目	金額
仕入	12,600	繰越商品	12,600
繰越商品	17,280	仕入	17,280
商品評価損	400	繰越商品	3,280
棚卸減耗費	2,880		

※ 試算表で用いられている勘定科目を用いて仕訳を行います。

(2) 決算整理後残高試算表

決算整理後残高試算表 (単位：千円)

繰越商品	(14,000)	売上	228,000
仕入	(164,160)		
商品評価損	(400)		
棚卸減耗費	(2,880)		

解説

(1) 原価率の算定

① 原則

当期仕入売価：当期仕入原価168,840千円＋原始値入額55,960千円＝224,800千円

純値上額：値上額22,000千円－取消額4,400千円＝17,600千円

純値下額：値下額10,000千円－取消額2,800千円＝7,200千円

$$\frac{\text{期首商品原価 12,600千円}+\text{当期仕入原価 168,840千円}}{\text{期首商品売価 16,800千円}+\text{当期仕入売価 224,800千円}+\text{純値上額 17,600千円}-\text{純値下額 7,200千円}}=0.72$$

② 特例

当期仕入売価：当期仕入原価168,840千円＋原始値入額55,960千円＝224,800千円

純値上額：値上額22,000千円－取消額4,400千円＝17,600千円

純値下額：考慮しない。

$$\frac{\text{期首商品原価 12,600 千円} + \text{当期仕入原価 168,840 千円}}{\text{期首商品売価 16,800 千円} + \text{当期仕入売価 224,800 千円} + \text{純値上額 17,600 千円}} = 0.7$$

(2) 決算整理

期末帳簿棚卸高：期末帳簿棚卸売価24,000千円×0.72＝17,280千円

棚卸減耗費：(24,000千円－20,000千円)×0.72＝2,880千円

商品評価損：(17,280千円－2,880千円)－20,000千円×0.7＝400千円

(3) 商品原価ボックスの分析（単位：千円）

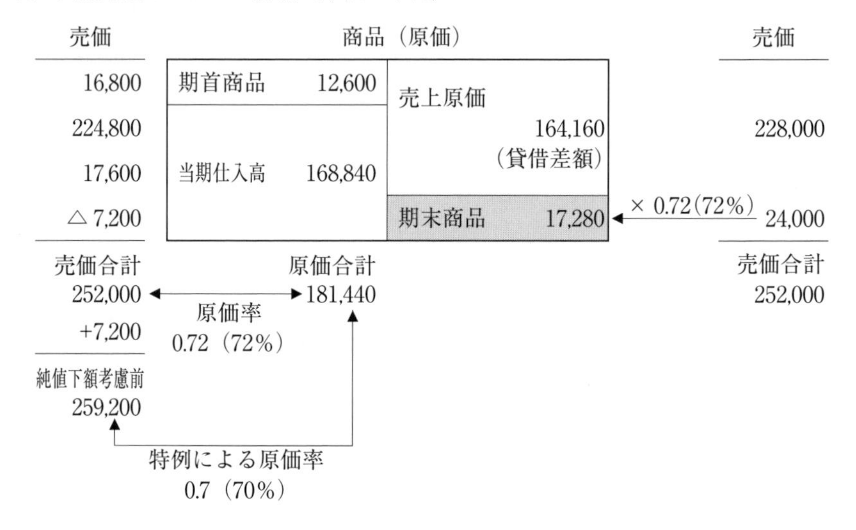

(4) 期末商品ボックスの分析（単位：千円）

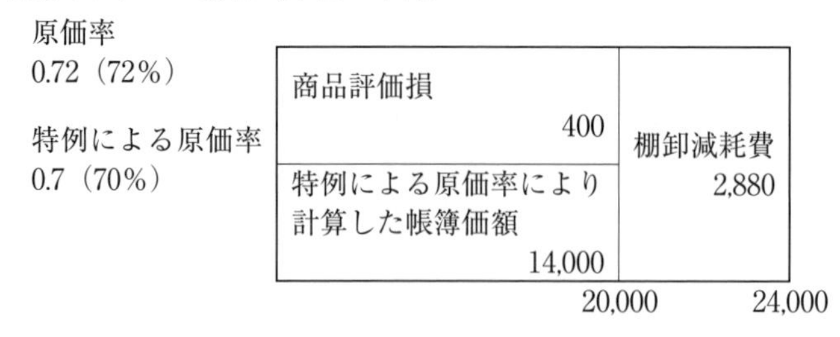

出題論点

・売価還元法（特例処理）

学習のポイント

・売価還元法の特例処理は、値下額と値下取消額が除外される点に注意しましょう。
・特例処理は、売価還元低価法と指示されることもあります。

解答10 売価還元法(3)・他勘定振替

	日付	時間	学習メモ
1回目	／	／5分	
2回目	／	／5分	
3回目	／	／5分	

決算整理後残高試算表　（単位：円）

繰越商品	（　5,200）	売上	61,600
仕入	（　43,240）		
見本品費	（　1,680）		
棚卸減耗費	（　280）		

解説

(1)　原価率の算定

$$\frac{\text{期首商品原価 4,800 円} + \text{当期仕入原価 45,600 円}}{\text{期首商品売価 6,400 円} + \text{当期仕入売価 61,600 円} + \text{純値上額 4,000 円}} = 0.7$$

(2) 決算整理仕訳

① 見本品費への振替え

借方	金額	貸方	金額
(見本品費)	1,680 *	(仕入)	1,680

* 見本品売価2,400円×0.7＝1,680円

② 売上原価等の算定

借方	金額	貸方	金額
(仕入)	4,800	(繰越商品)	4,800
(繰越商品)	5,600 *1	(仕入)	5,600
(棚卸減耗費)	280	(繰越商品)	280 *2

*1 期末帳簿棚卸売価8,000円×0.7＝5,600円

*2 (8,000円－7,600円)×0.7＝280円

③ 収益性の低下による帳簿価額の切下げ

借方	金額	貸方	金額
(仕入)	120 *	(繰越商品)	120

* (5,600円－280円)－正味売却価額5,200円＝120円（原価処理）

(3) 商品原価ボックスの分析（単位：円）

売価	商品（原価）		売価
6,400	期首商品 4,800	売上原価および見本品 44,800（貸借差額）	61,600 2,400
61,600 4,000	当期仕入高 45,600		
		期末商品 5,600 ←×0.7(70%)	8,000
売価合計 72,000	原価合計 50,400		売価合計 72,000

(4) 期末商品ボックスの分析（単位：円）

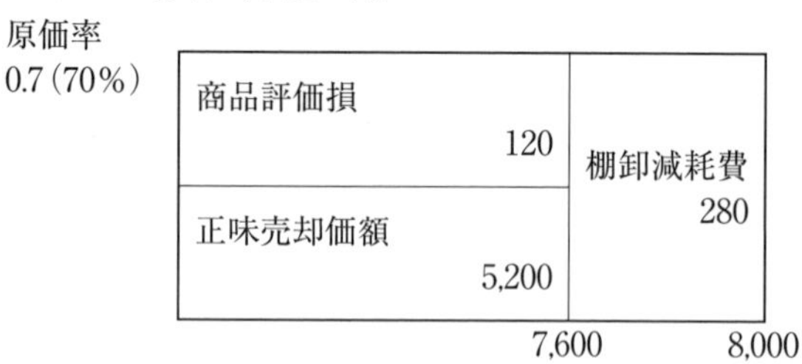

出題論点

・売価還元法（収益性の低下）

学習のポイント

・売価還元法において収益性の低下があった場合は、売価を原価に直したうえで、原価と正味売却価額を比較します。売価と正味売却価額を比較するわけではない点に注意しましょう。

解答11 仕入諸掛

	日付	時間	学習メモ
1回目	／	／6分	
2回目	／	／6分	
3回目	／	／6分	

問1　決算整理仕訳　(単位：円)

借方科目	金額	貸方科目	金額
仕入	76,000	営業費	76,000
仕入	43,200	繰越商品	43,200
繰越商品	36,960	仕入	36,960

問2　決算整理後残高試算表

決算整理後残高試算表　(単位：円)

繰越商品	(36,960)	売上	1,200,000
仕入	(842,240)		
営業費	(244,000)		

問3　3,168 円

解説

問1、2　先入先出法

払出単価を先入先出法によって計算しているので、仕入諸掛の金額も先入先出法によって計算します（単位：円）。

仕入諸掛	商品原価（送状価額）					仕入諸掛
3,200	期首	40,000	売上原価	766,400	⇨	75,840（差額）
76,000	仕入	760,000	期末	33,600	⇨	3,360*

$$* \quad 76{,}000円 \times \frac{33{,}600円}{760{,}000円} = 3{,}360円$$

問3　総平均法

払出単価を総平均法によって計算しているので、仕入諸掛の金額も総平均法によって計算します（単位：円）。

仕入諸掛	商品原価（送状価額）					仕入諸掛
3,200	期首	40,000	売上原価	768,000	⇨	76,032（差額）
76,000	仕入	760,000	期末	32,000	⇨	3,168*

$$* \quad (3{,}200円 + 76{,}000円) \times \frac{32{,}000円}{40{,}000円 + 760{,}000円} = 3{,}168円$$

出題論点

・仕入諸掛の按分

学習のポイント

・仕入諸掛の按分は、問題文で指示された払出単価の計算方法に基づいて、期末商品棚卸高を求める場合と同様の要領で期末商品棚卸高に対応する仕入諸掛を求めます。そして、期末商品棚卸高と仕入諸掛を合わせた金額が、繰越商品として計上されます。

解答12 仕入・売上の計上基準(1)

	日付	時間	学習メモ
1回目	／	／3分	
2回目	／	／3分	
3回目	／	／3分	

(1) 決算整理仕訳

① 売上の修正　(単位：円)

借方科目	金額	貸方科目	金額
売上	750	売掛金	750

② 売上原価の算定　(単位：円)

借方科目	金額	貸方科目	金額
仕入	19,500	繰越商品	19,500
繰越商品	22,500	仕入	22,500

(2) 決算整理後残高試算表

決算整理後残高試算表　(単位：円)

繰越商品	(22,500)	売上	(183,000)
仕入	(146,400)		

解説

(1) 決算整理仕訳

② 売上原価の算定

期末商品：期末実地棚卸高21,900円＋未検収品600円＝22,500円

(注) 未検収品600円（原価）については、期中出荷済のため期末実地棚卸高21,900円には含まれていません。したがって、実地棚卸高21,900円に600円を加算した金額で売上原価を算定します。

出題論点

・検収基準、出荷基準
・未検収の取扱い

学習のポイント

・売上の計上基準によって、売上計上の時点が異なるので、時系列に情報をまとめるなどして問題文の情報を整理しましょう。

解答13 仕入・売上の計上基準(2)

	日付	時間	学習メモ
1回目	／	／6分	
2回目	／	／6分	
3回目	／	／6分	

(1) A品　(単位：千円)

借方科目	金額	貸方科目	金額
売掛金	1,620	売上	1,620

(2) B品　(単位：千円)

借方科目	金額	貸方科目	金額
売上	1,125	売掛金	1,125

(3) C品　(単位：千円)

借方科目	金額	貸方科目	金額
売上	4,200	売掛金	4,200

解説（仕訳の単位：千円）

(1)　A品

900個分につき、売上の修正をします。

（売掛金）	1,620	（売上）	1,620 *

*　@1,800円×（1,000個－100個）＝1,620千円

(2)　B品

特に指示がないため、原則の出荷基準を適用します。

（売上）	1,125 *	（売掛金）	1,125

*　@2,250円×500個＝1,125千円

(3)　C品

X2年4月3日付けで発行されている船荷証券に係るC品については、その日付から船積みが完了していないことが明らかなので、売上の取消しを行います。

（売上）	4,200	（売掛金）	4,200

出題論点

・計上漏れの売上取引の修正

学習のポイント

・本問では、「この取引は前期と当期のいずれに帰属するのか」などに注意を払い、あるべき仕訳を行ったうえで、実際に行ってしまった仕訳に対してどのような修正が必要なのかを考えていきましょう。

Chapter 5

収益認識基準１

収益認識基準（５ステップの適用）

	日付	時間	学習メモ
1回目	／	／10分	
2回目	／	／10分	
3回目	／	／10分	

ステップ１	顧客との契約を識別する 顧客（Z社）との契約２件（商品甲・商品乙）が識別される
ステップ２	契約における履行義務を識別する 商品甲と商品乙それぞれに（販売（引き渡し））と（保守サービスの提供）が識別される
ステップ３	取引価格を算定する 商品甲（5,800）円 商品乙（7,200）円
ステップ４	履行義務に取引価格を配分する 商品甲： （販売（引き渡し））は（4,600）円、（保守サービスの提供）は（1,200）円 商品乙： （販売（引き渡し））は（4,800）円、（保守サービスの提供）は（2,400）円
ステップ５	履行義務を充足した時に又は充足するにつれて収益を認識する 商品甲と商品乙の（販売（引き渡し））は、 一時点で充足される履行義務であるから、 （販売時）に収益を認識し、 商品甲と商品乙の（保守サービスの提供）は、 一定期間にわたって充足される履行義務であるから、 当期首からそれぞれ（３）年間にわたって収益を認識する

収益の計上額　：当期（ 10,600 ）円
　　　　　　　　翌期（ 1,200 ）円

解説

「収益認識に関する会計基準」では，基本となる原則に従って収益を認識するために５つのステップを適用します。

ステップ1　契約の識別

顧客との契約は、商品甲と商品乙それぞれの販売契約と保守サービス契約であると識別します。

ステップ2　履行義務の識別

商品甲の「引き渡し」と「保守サービスの提供」、商品乙の「引き渡し」と「保守サービスの提供」のそれぞれを履行義務として識別します。

ステップ3　取引価格の算定

契約に係る取引価格を商品甲は5,800円、商品乙は7,200円と算定します。

ステップ4　取引価格の配分

取引価格を、独立販売価格の比でそれぞれの履行義務に配分します。なお、問題文の指示により、商品乙に関しては値引きが行われているため、独立販売価格の比で取引価格を配分します。その結果、商品甲への配分額4,600円、商品甲の保守サービスへの配分額1,200[*1]円、商品乙への配分額4,800[*2]円、商品乙の保守サービスへの配分額2,400[*3]円と算定できます。

＊1　商品甲の保守サービス独立販売価格400円/年×3年=1,200円

＊2　商品乙の保守サービス独立販売価格1,000円/年×3年=3,000円

$$7{,}200円 \times \frac{本体独立販売価格6{,}000円}{本体独立販売価格6{,}000円+保守サービス独立販売価格3{,}000円} = 4{,}800円$$

＊3　$$7{,}200円 \times \frac{保守サービス独立販売価格3{,}000円}{本体独立販売価格6{,}000円+保守サービス独立販売価格3{,}000円} = 2{,}400円$$

ステップ5　履行義務の充足

商品甲への配分額4,600円と商品乙への配分額4,800円は履行義務を充足した時（当期首）に収益を認識し、商品甲の保守サービスへの配分額1,200円と商品乙の保守サービスへの配分額2,400円は履行義務を充足するにつれて（当期首から翌々期末の3年間にわたって）収益を認識します。

当期の収益：商品乙の期間保証サービスへの配分額2,400円÷3年＝800円

4,600円（甲本体）＋4,800円（乙本体）＋400円（甲・保守1年分）＋800円（乙・保守1年分）=10,600円

翌期の収益：400円（甲・保守1年分）＋800円（乙・保守1年分）=1,200円

出題論点

・収益認識基準（5ステップの適用）

学習のポイント

・問題文から、5ステップの内容を読み取れるようにしましょう。

収益認識基準 2

解答 1 収益認識基準（収益を認識するための５ステップ）

	日付	時間	学習メモ
1回目	／	／6分	
2回目	／	／6分	
3回目	／	／6分	

当期の収益	翌期の収益	翌々期の収益
95,000円	5,000円	5,000円

解説

「収益認識に関する会計基準」では、基本となる原則に従って収益を認識するために５つのステップを適用します。

ステップ１　契約の識別

顧客との契約として、商品Ｙの販売契約と期間保証契約が識別されます。

（本問では、商品Ｙと期間保証サービスが合わせて１つの契約なのか、それとも別々の契約なのか、問題文からはわかりません）

ステップ２　履行義務の識別

「商品Ｙの引き渡し」と「期間保証サービスの提供」のそれぞれを履行義務として識別します。

ステップ３　取引価格の算定

契約に係る取引価格を105,000円と算定します。

ステップ４　取引価格の配分

取引価格105,000円を、独立販売価格の比でそれぞれの履行義務に配分し、商品Ｙへの配分額を90,000円、期間保証サービスへの配分額を15,000*円と算定します。

＊　5,000円×３年＝15,000円

ステップ５　履行義務の充足

商品Ｙへの配分額90,000円は履行義務を充足した時（当期首）に収益を認識し、期間保証サービスへの配分額15,000円は履行義務を充足するにつれて（当期首から翌々期末の３年間にわたって）収益を認識します。

当期の収益　：90,000円＋5,000円＝95,000円
翌期の収益　：5,000円
翌々期の収益：5,000円

本問のように、追加料金を伴う保証サービスの具体例としては、スマートフォンの画面を割ってしまったときの修理代金を割り引くサービスなどが挙げられます。これに対して、「通常の製品保証サービス」は「商品の引き渡し」と別々の履行義務にはなりません。なぜならば、財又はサービスが合意された仕様に従っていることの保証は「商品の引き渡し」に含まれるからです。この場合には、製品保証サービスに取引価格を配分せず、発生すると見込まれる費用を見積もって、製品保証引当金を計上します。

出題論点

・収益認識基準（５ステップ）

学習のポイント

・５ステップのどの段階の処理をしているかに注意しましょう。

解答2　収益認識基準（数量値引きの見積り）

	日付	時間	学習メモ
1回目	／	／6分	
2回目	／	／6分	
3回目	／	／6分	

(1)　X1年６月30日（第１四半期末）　（単位：円）

借方科目	金額	貸方科目	金額
売掛金	100,000	売上	100,000

(2)　X1年9月30日（第2四半期末）　　　　　　　　　　（単位：円）

借方科目	金額	貸方科目	金額
売掛金	375,000	売上	280,000
		返金負債	95,000

(3)　X1年12月31日（第3四半期末）　　　　　　　　　　（単位：円）

借方科目	金額	貸方科目	金額
売掛金	150,000	売上	120,000
		返金負債	30,000

解説

(1)　X1年6月30日（第1四半期末）の仕訳

著しい減額が発生しない可能性が高いと判断しており、また、遡及的な減額は行われないと見込んでいるため、乙社は@250円に基づき収益を認識します。

（売掛金）	100,000	（売上）	100,000 *

＊　通常の販売価格@250円×製品A 400個＝100,000円

(2)　X1年9月30日（第2四半期末）の仕訳

①　1,500個の販売

受け取る対価に対する現在の権利（売掛金）を有している場合には、当該金額が将来において返金の対象となる可能性があるとしても、顧客との契約から生じた債権を認識します。よって、売掛金を@250円に基づき計上します。

また、顧客から受け取った対価または受け取る対価の一部あるいは全部を顧客に返金すると見込む場合、当該対価のうち、企業が権利を得ると見込まない額について、返金負債を認識します。したがって、受け取る対価の減額が見込まれる@50円に基づいて返金負債を計上し、@200円を売上に計上します。

（売掛金）	375,000 *1	（売上）	300,000 *2
		（返金負債）	75,000 *3

＊1　通常の販売価格@250円×製品A 1,500個＝375,000円

＊2　減額後の販売価格@200円×製品A 1,500個＝300,000円

＊3　（通常の販売価格@250円－減額後の販売価格@200円）×製品A 1,500個
＝75,000円

② 400個の販売の修正

契約変更以外により取引価格が変動した場合は、取引価格の再配分が必要となるため、取引開始日の減額後の販売価格に基づき計算します。

本問のように、取引価格の変動のタイミングによっては、すでに履行義務の一部が充足され収益が計上されている場合もあります。しかし、このような場合であっても、再配分後の数値に基づいて、収益を修正します。

(売上)	20,000	(返金負債)	20,000 *

＊ (通常の販売価格@250円－減額後の販売価格@200円)×製品A 400個＝20,000円

③ 上記①・②の仕訳をまとめると以下の仕訳になります。

(売掛金)	375,000	(売上)	280,000
		(返金負債)	95,000

(3) X1年12月31日（第3四半期末）の仕訳

(2)①と同様に仕訳を行います。

(売掛金)	150,000 *1	(売上)	120,000 *2
		(返金負債)	30,000 *3

＊1 通常の販売価格@250円×製品A 600個＝150,000円

＊2 減額後の販売価格@200円×製品A 600個＝120,000円

＊3 (通常の販売価格@250円－減額後の販売価格@200円)×製品A 600個＝30,000円

出題論点

・変動対価（数量値引きの見積り）

学習のポイント

・本問の解答(1)のように、著しい減額が発生しない可能性が高いと判断しており、また、遡及的な減額は行われないと見込んでいる場合は、通常の独立販売価格で収益を計上します。変動対価＝返金負債の計上と誤解しないよう注意しましょう。

・すでに履行義務の一部が充足され収益が計上されている場合であっても、取引価格が変動した場合は、取引開始時点の変更後の独立販売価格で、取引価格の再配分を行い、収益を修正します。

解答3 返品権付の販売

	日付	時間	学習メモ
1回目	／	／5分	
2回目	／	／5分	
3回目	／	／5分	

（単位：円）

借方科目	金額	貸方科目	金額
（売　　上）	30,000	（返 金 負 債）	30,000
（返 品 資 産）	[20,000]	（仕　　入）	[20,000]

解説

1　販売時の仕訳

問題文より当社はA品の販売時に、販売価格総額で収益の勘定に計上しているとあるので、以下のような仕訳を行っています。

（売　掛　金）	600,000	（売　　上）	600,000 *

＊　3,000円×200個＝600,000円

2　あるべき仕訳

A品は返品権付の販売を行っているので、販売価額の総額で収益を認識するのではなく、返品されると見込まれる商品の対価を除いた額で収益を認識しなくてはなりません。そして、返品されると見込まれる商品については、当該商品について受け取る対価の額で返金負債を認識します。本問においては販売したA品のうち10個については返品されることが見込まれるため、この部分については収益を認識せず、返金負債を認識します。

また、併せて返金負債の決済時（得意先からA品の返品を受ける時）に顧客から商品を回収する権利について資産（返品資産）を認識します。

よって本来あるべき仕訳は以下のようになります。

収益の計上

（売　掛　金）	600,000	（売　　上）	570,000 *1
		（返 金 負 債）	30,000 *2

＊1　3,000円×返品されないと見込む商品A 190個＝570,000円

＊2　3,000円×(200個－190個)＝30,000円

返品資産の認識

本問では三分法が採用されているので、顧客から回収することを見込む商品の原価について仕入勘定の減額で処理します（このまま期末を迎えた場合、返品分も売上原価に算入されてしまうため）。

（返品資産）	20,000 *3	（仕入）	20,000

＊3　2,000円×返品されると見込むA品10個＝20,000円

3　訂正仕訳

以上より当社が決算日に行うべき訂正仕訳は以下のとおりです。

（売上）	30,000	（返金負債）	30,000
（返品資産）	20,000	（仕入）	20,000

出題論点

・返品権付の販売

学習のポイント

・返品権付の商品の販売時の仕訳についてしっかり確認しておきましょう。

解答4 重要な金融要素(1)

	日付	時間	学習メモ
1回目	／	／6分	
2回目	／	／6分	
3回目	／	／6分	

(1)　X1年4月1日　（単位：円）

借方科目	金額	貸方科目	金額
売掛金	9,070	売上	9,070

⑵　X2年３月31日　　　　　　　　　　　　　　　　　　　　　　　　（単位：円）

借方科目	金額	貸方科目	金額
売掛金	455	受取利息	455

⑶　X2年10月31日　　　　　　　　　　　　　　　　　　　　　　　　（単位：円）

借方科目	金額	貸方科目	金額
売掛金	275	受取利息	275 *1
現金	9,800	売掛金	9,800

＊１　利息相当額930円－X2年３月31日455円－売上割引200円*2
　　　＝X2年10月31日利息調整額275円

＊２　売上割引：10,000円×２％＝200円

解説

⑴　X1年４月１日（販売時の処理）

【資料】２より「信用供与についての重要な便益が顧客に提供されると認められる」とあるため、顧客との契約は重要な金融要素が含まれており、契約における金融要素が重要である場合には、利息相当分の影響を調整して収益を計上します。よって、販売時では利息相当額を除いた現金販売価格で収益を計上します。

⑵　X2年３月31日（利息相当額の調整）

利息相当分は受取利息勘定で処理し、相手勘定を売掛金とします。

⑶　X2年10月31日（売掛金の早期決済）

X2年10月31日までの利息相当額を調整したうえで、売掛金を減少させます。調整額の算定については以下の図を参照してください。

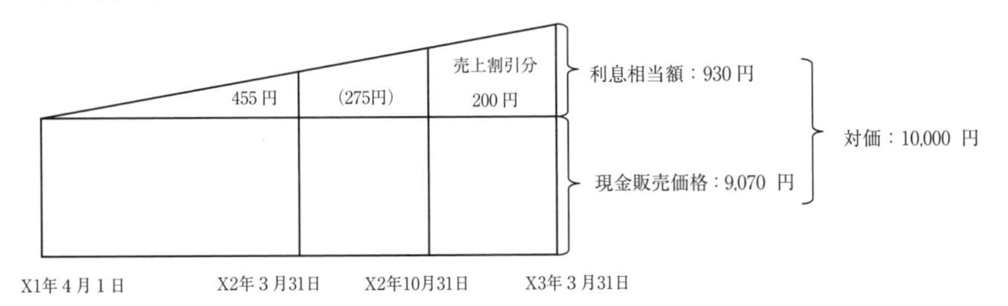

学習のポイント

・顧客との契約に重要な金融要素が含まれる場合は、約束した対価に含まれる利息相当額の影響を調整します。
・本問では利息相当額を資料上与えていますが、問題によっては「利息法」で自ら計算する場合があります。

解答5 重要な金融要素(2)

	日付	時間	学習メモ
1回目	／	／7分	
2回目	／	／7分	
3回目	／	／7分	

① 販売時（商品を引き渡したとき） （単位：円）

借方科目	金額	貸方科目	金額
売掛金	(1,000)	売上	(980)
		利息未決算	(20)

② 掛代金回収時 （単位：円）

借方科目	金額	貸方科目	金額
利息未決算	(20)	受取利息	(20)
現金	(1,000)	売掛金	(1,000)

③ 早期回収した場合 （単位：円）

借方科目	金額	貸方科目	金額
利息未決算	(20)	受取利息	(10)
現金	(990)	売掛金	(1,000)

解説

① 本問では会計方針により、債権を債権金額で計上するため、売掛金を利息部分を含めた金額で計上します。一方、売上収益には収益認識基準が適用されるため、原則として金利部分（重要な金融要素）を調整します（特に指示がないため、原則処理を適用します）。この結果、貸方の差額として計上される利息部分は、発生期間が未経過であるため、まだ収益としては計上できません。よって、問題文の指示により評価勘定（売掛金の控除項目）で処理します。

② 時間の経過に応じて利息を計上するとともに、代金回収によって売掛金を取り崩すため、これに係る評価勘定「利息未決算」を取り崩します。

③ 時間の経過に応じて利息を計上します。問題文の指示により、利息総額20円から10円減免した残り10円を受取利息とします。また、代金回収によって売掛金を取り崩すため、これに係る評価勘定「利息未決算」を取り崩します。

出題論点

・重要な金融要素

学習のポイント

・金利部分の区分計上（原則処理）

解答6 重要な金融要素（容認）

	日付	時間	学習メモ
1回目	／	／6分	
2回目	／	／6分	
3回目	／	／6分	

(1) 商品販売時

・収益の計上　（単位：円）

借方科目	金額	貸方科目	金額
売掛金	1,200,000	売上	1,050,000 *1
		返金負債	150,000 *2

＊1　@3,000円×返品されないと見込む商品350個＝1,050,000円
＊2　@3,000円×(400個－350個)＝150,000円

・原価の計上　(単位：円)

借方科目	金額	貸方科目	金額
売上原価	875,000 ＊4	商品	1,000,000 ＊3
返品資産	125,000 ＊5		

＊3　@2,500円×400個＝1,000,000円
＊4　@2,500円×返品されないと見込む商品350個＝875,000円
＊5　@2,500円×返品されると見込む商品50個＝125,000円

(2)　売掛金の早期決済時　(単位：円)

借方科目	金額	貸方科目	金額
現金	294,000	売掛金	300,000 ＊1
売上	6,000 ＊2		

＊1　@3,000円×100個＝300,000円
＊2　300,000円×2％＝6,000円

解説

(1)　販売時の処理
返品権付の商品を販売した場合には、次の①から③のすべてについて処理します。
①　企業が権利を得ると見込む対価の額（返品されると見込まれる商品の対価は除く）で収益を認識
②　返品されると見込まれる商品については、収益を認識せず、当該商品について受け取ったまたはこれから受け取る対価の額で返金負債を認識
③　返金負債の決済時に顧客から商品を回収する権利について資産（返品資産）を認識

(2)　売掛金の早期決済（重要な金融要素の影響を考慮しない場合）
決済される売掛金の金額と受取額との差額を「売上」から減額します。

出題論点

・重要な金融要素（容認処理）

学習のポイント

・例外的に重要な金融要素の影響を考慮しないこともあります。問題文の指示をよく読み、それに従って処理してください。

解答7 顧客に支払われる対価（売主が顧客に対価を支払う場合）

	日付	時間	学習メモ
1回目	／	／5分	
2回目	／	／5分	
3回目	／	／5分	

① X4年4月1日　（単位：円）

借方科目	金額	貸方科目	金額
前渡金	200,000	現金	200,000

② X4年4月10日　（単位：円）

借方科目	金額	貸方科目	金額
売掛金	100,000	前渡金	1,000 *1
		売上	99,000 *2

＊1　100,000円×1％　（＊3）= 1,000円
＊2　100,000円 − 1,000円　（＊1）= 99,000円
＊3　200,000円 ÷ 20,000,000円 = 1％

解説

① 顧客に支払われる対価が、顧客から受領する、別個の財又はサービスとの交換によるもの以外の場合、取引価格から減額するため、支払時には「前渡金」で処理します。

② 甲社は、チョコレートを乙社に販売する都度、取引価格を1％（＊3）減額します。

顧客に支払われる対価を取引価格から減額する場合には、①関連する財又はサービスの移転に対する収益を認識する時と、②企業が対価を支払うかまたは支払を約束する時の、いずれか遅い方が発生した時点で（または発生につれて）収益を減額します。

本問では、X4年4月1日に対価を支払っているため、製品販売時（X4年4月10日）に収益を減額します。

出題論点

・収益認識基準（売主から顧客に支払われる対価）

学習のポイント

・買主から別途購入するものの代金なのか否かを判断しましょう。

解答8 取引価格の配分(1)

	日付	時間	学習メモ
1回目	／	／5分	
2回目	／	／5分	
3回目	／	／5分	

売上高の金額	23,200円

解説

A社は50セットの販売契約を締結済ですが、履行義務を充足したのはX50個、Y30個、Z40個であるため、これらについて収益を認識します。なお、取引価格を各履行義務に配分するにあたって、XとYはセット販売による値引きが行われているため、値引後の取引価格を配分します。

(1) 取引価格の配分

X製品200円＋Y製品300円－組み合わせ販売価格400円＝値引額100円

$$値引額100円 \times \frac{X製品200円}{X製品200円 + Y製品300円} = X製品値引額40円$$

X製品独立販売価格200円－X製品値引額40円＝X製品値引後販売価格160円

$$値引額100円 \times \frac{Y製品300円}{X製品200円＋Y製品300円} ＝Y製品値引額60円$$

Y製品独立販売価格300円－Y製品値引額60円＝Y製品値引後販売価格240円

(2) 履行義務の充足による収益の認識

X製品値引後販売価格160円×50個＝8,000円
Y製品値引後販売価格240円×30個＝7,200円
Z製品値引後販売価格200円×40個＝8,000円
8,000円＋7,200円＋8,000円＝売上高23,200円

出題論点

・収益認識基準（取引価格の配分）

学習のポイント

・値引きの配分

解答 9 取引価格の配分(2)

	日付	時間	学習メモ
1回目	／	／8分	
2回目	／	／8分	
3回目	／	／8分	

問1

	製品売上高
製品A	16,000 円
製品C	6,000 円
製品D	3,200 円

問2

	製品売上高
製品B	18,000　円
製品E	8,400　円

解説

問1　製品A、製品B、製品Cおよび製品Dを組み合わせて1セットとした販売契約

当社は10セット分の販売契約を締結していますが、このうち引き渡したのは製品A 10個、製品C 5個、製品D 4個であるため、これらについて収益を認識します。なお、製品A、製品Bおよび製品Cの3種類を1個ずつ組み合わせて販売しているため、値引き額1,200円は製品A、製品Bおよび製品Cの独立販売価格に基づいて比例配分します。

(1)　取引価格の配分

	セット販売価格	独立販売価格	値引きの配分額	配分後の取引価格
製品A	5,600円	2,000円／個	400円（＊1）	1,600円／個
製品B		2,500円／個	500円（＊2）	2,000円／個
製品C		1,500円／個	300円（＊3）	1,200円／個
製品D		800円／個	－	800円／個

＊1　製品Aへの値引きの配分額：$1,200円\times\frac{2,000円／個}{2,000円／個+2,500円／個+1,500円／個}=400円$

＊2　製品Bへの値引きの配分額：$1,200円\times\frac{2,500円／個}{2,000円／個+2,500円／個+1,500円／個}=500円$

＊3　製品Cへの値引きの配分額：$1,200円\times\frac{1,500円／個}{2,000円／個+2,500円／個+1,500円／個}=300円$

(2)　各製品の売上高

製品A：1,600円／個×10個＝16,000円

製品C：1,200円／個×5個＝6,000円

製品D：800円／個×4個＝3,200円

問2　製品B、製品Cおよび製品Eを組み合わせて1セットとした販売契約

当社は8セット分の販売契約を締結していますが、このうち引き渡したのは製品B 8個、製品E 6個であるため、これらについて収益を認識します。なお、製品Bと製品Cの2種類を1個ずつ組み合わせて販売しているため、値引き額400円は製品Bと

製品Cの独立販売価格に基づいて比例配分します。

また、製品Eの独立販売価格は大きく変動しているため、製品Eに対して残余アプローチの適用が認められます。残余アプローチでは、先に観察可能な製品Bと製品Cの独立販売価格に基づいて取引価格を配分した後に、セット販売価格との差額から製品Eの独立販売価格を見積もります。

(1) 取引価格の配分

	セット販売価格	独立販売価格	値引きの配分額	配分後の取引価格
製品B	5,000円	2,500円/個	250円（＊1）	2,250円／個
製品C		1,500円/個	150円（＊2）	1,350円／個
製品E		未確定	−	1,400円／個（＊3）

＊1　製品Bへの値引きの配分額：$400円 \times \frac{2,500円／個}{2,500円／個 + 1,500円／個} = 250円$

＊2　製品Cへの値引きの配分額：$400円 \times \frac{1,500円／個}{2,500円／個 + 1,500円／個} = 150円$

＊3　製品Eの独立販売価格：5,000円 − (2,250円 + 1,350円) = 1,400円

残余アプローチの適用により見積もった製品Eの独立販売価格1,400円／個は、観察可能な販売価格（750円／個～2,000円／個）の範囲内となります。よって、配分結果は合理的と判断して、1,400円／個を製品Eの独立販売価格とみなして収益を認識します。

(2) 各製品の売上高

製品B：2,250円／個×8個＝18,000円

製品E：1,400円／個×6個＝8,400円

出題論点

・取引価格の配分（値引きの配分、残余アプローチ）

学習のポイント

・どの履行義務から値引きが行われているかを、問題資料から読み取れるようにしましょう。

・残余アプローチを適用するための要件を満たしているかどうかについて、問題資料を必ず確認しましょう。

Chapter 7

収益認識基準 3

契約資産

	日付	時間	学習メモ
1回目	／	／5分	
2回目	／	／5分	
3回目	／	／5分	

(1) 商品Aの引渡時 (単位：円)

借方科目	金額	貸方科目	金額
契約資産	25,000	売上	25,000

(2) 商品Bの引渡時(この時点で、代金はまだ支払われていないものとする) (単位：円)

借方科目	金額	貸方科目	金額
売掛金	40,000	契約資産	25,000
		売上	15,000

解説

商品Aの引渡時には、商品Aについて売上計上を行いますが、対価の支払いは商品Bの引渡しが条件であるため、顧客との契約から生じた債権ではなく、契約資産として処理します。そして、商品Bの引渡しが完了した際に、対価に対する無条件の権利を取得するため、顧客との契約から生じた債権(売掛金)に振り替えます。

当社は、商品Aと商品Bを移転する約束のそれぞれを履行義務として識別しているため、両者の独立販売価格に基づいて、商品Aを移転する履行義務に25,000円、商品Bを移転する履行義務に15,000円を配分します。

出題論点

・契約資産

学習のポイント

・契約資産
・取引価格の配分

解答2 本人と代理人（本人の場合）

	日付	時間	学習メモ
1回目	／	／3分	
2回目	／	／3分	
3回目	／	／3分	

（単位：円）

借方科目	金額	貸方科目	金額
現金	5,000	営業収益	5,000
営業費用	4,200	買掛金	4,200

解説

A社は、鉄道会社から特急券という形式で特定の列車の座席に対する権利を獲得し、その権利を顧客に販売することについて主たる責任を有しています。また、特急券については鉄道会社に対する代金の支払義務があるため、A社は特急券について在庫リスクを有しており、特急券の販売価格はA社が自ら決定しているので、A社は顧客に提供される前に特定の列車の座席に対する権利を支配しているといえます。

したがって、A社は「本人」に該当すると判定され、A社の履行義務は、A社が自らの責任で顧客に対して特急券を提供することになります。

顧客に移転する特急券と交換に顧客から権利を得る対価の総額5,000円を収益として認識します。

出題論点

・本人と代理人（本人の場合）

学習のポイント

・企業が「本人」に該当する場合、総額で収益を計上します。

解答3 本人と代理人（代理人の場合）

	日付	時間	学習メモ
1回目	／	／3分	
2回目	／	／3分	
3回目	／	／3分	

（単位：円）

借方科目	金額	貸方科目	金額
現金	6,000	営業収益	900
		買掛金	5,100

解説

A社が顧客に提供するのはB社が供給する製品Xであり、A社は製品Xが顧客に提供されるように手配しているだけなので、製品Xの提供について主たる責任を有していません。

また、A社は製品Xの在庫リスクを有しておらず、製品Xの販売価格はB社が決定しているので、A社は顧客に提供される前に製品Xの在庫を支配しているとはいえません。

したがって、A社は「代理人」に該当すると判定され、A社の履行義務は、B社によって製品Xが提供されるように手配することになります。

製品Xが顧客に提供されるように手配するという約束をA社が充足する時に、A社が自らの権利を得る手数料の金額900円（6,000円×15%）を収益として認識します。

出題論点

・本人と代理人（代理人の場合）

学習のポイント

・企業が「代理人」に該当する場合、純額で収益を計上します。

解答4 消化仕入（代理人の場合）

	日付	時間	学習メモ
1回目	／	／4分	
2回目	／	／4分	
3回目	／	／4分	

（単位：円）

借方科目	金額	貸方科目	金額
現金	150,000	買掛金	105,000
		営業収益	45,000

解説

X社は代理人として、Z社により提供された商品を顧客に販売したことにより受け取った対価150,000円からZ社に支払う対価105,000円を控除した純額を収益として認識します。この結果、手数料収入は純額の45,000円を計上します。

手数料収入の金額

150,000円－105,000円＝45,000円

消化仕入とは、商品販売時（消化時）に当該商品を仕入れたと考える取引をいいます。

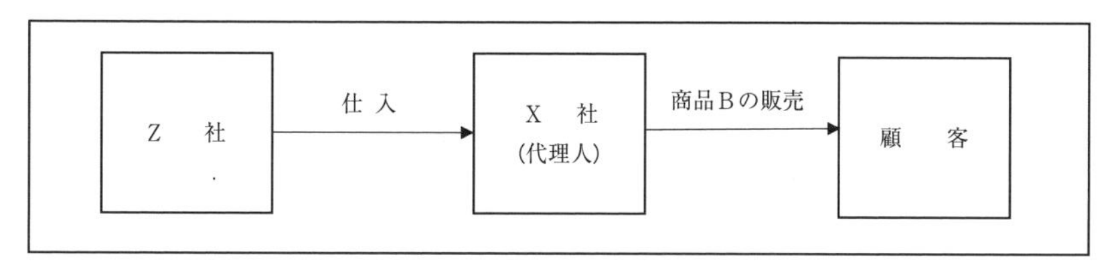

出題論点

・消化仕入契約

学習のポイント

・問題文から、企業が本人であるか代理人であるかを把握しましょう。
・企業が代理人である場合の収益認識の金額は純額である点に注意しましょう。

解答5 ポイント制度

	日付	時間	学習メモ
1回目	／	／6分	
2回目	／	／6分	
3回目	／	／6分	

(1) 当社の商品販売時 (単位：円)

借方科目	金額	貸方科目	金額
現金	80,000	売上	76,923
		契約負債	3,077

(2) X1年度末 (単位：円)

借方科目	金額	貸方科目	金額
契約負債	1,923	売上	1,923

(3) X2年度末 (単位：円)

借方科目	金額	貸方科目	金額
契約負債	470	売上	470

解説

(1) 当社の商品販売時

独立販売価格：商品80,000円、ポイント3,200円（＝@0.8円×4,000ポイント）

売上：$80{,}000\text{円} \times \frac{\text{商品の独立販売価格}80{,}000\text{円}}{\text{独立販売価格の合計（商品}80{,}000\text{円}+\text{ポイント}3{,}200\text{円）}} \fallingdotseq 76{,}923\text{円}$（円未満四捨五入）

契約負債：$80{,}000\text{円} \times \frac{\text{ポイントの独立販売価格}3{,}200\text{円}}{\text{独立販売価格の合計（商品}80{,}000\text{円}+\text{ポイント}3{,}200\text{円）}} \fallingdotseq 3{,}077\text{円}$（円未満四捨五入）

(2) X1年度末

$3{,}077\text{円} \times \frac{\text{X1年度末までに使用されたポイント}2{,}000\text{ポイント}}{\text{使用されると見込むポイント総数}3{,}200\text{ポイント}} \fallingdotseq 1{,}923\text{円}$（円未満四捨五入）

(3) X2年度末

X2年度末までに使用されたポイント数の累計：2,000 + 800 = 2,800ポイント

$3{,}077\text{円} \times \frac{\text{X2年度末までに使用されたポイント}2{,}800\text{ポイント}}{\text{変更後に使用されると見込むポイント総数}3{,}600\text{ポイント}} - 1{,}923\text{円} \fallingdotseq 470\text{円}$（円未満四捨五入）

出題論点

・ポイント制度

学習のポイント

・ポイントの独立販売価格は、顧客が使用する可能性を考慮し見積もった金額を使用します。顧客に付与したポイントをそのまま独立販売価格としないよう注意してください。

Chapter 8

特殊商品売買１

割賦販売

	日付	時間	学習メモ
1回目	／	／8分	
2回目	／	／8分	
3回目	／	／8分	

⑴　前期末

残　　高　（単位：円）

借方		貸方
売掛金	(1,000)	
割賦売掛金	(1,500)	
繰越商品	(350)	

⑵　仕入時　（単位：円）

借方科目	金額	貸方科目	金額
仕入	8,450	買掛金	8,450

⑶　一般販売時　（単位：円）

借方科目	金額	貸方科目	金額
売掛金	5,000	一般売上	5,000

⑷　売掛金回収時　（単位：円）

借方科目	金額	貸方科目	金額
現金	4,750	売掛金	4,750

⑸　割賦販売時　（単位：円）

借方科目	金額	貸方科目	金額
割賦売掛金	7,500	割賦売上	7,500

(6) 割賦売掛金回収時 (単位：円)

借方科目	金額	貸方科目	金額
現金	6,500	割賦売掛金	6,500

(7)

決算整理前残高試算表 (単位：円)

売掛金	(1,250)	一般売上	(5,000)
割賦売掛金	(2,500)	割賦売上	(7,500)
繰越商品	(350)		
仕入	(8,450)		

(8) 決算時

引渡原価の算定 (単位：円)

借方科目	金額	貸方科目	金額
仕入	350	繰越商品	350
繰越商品	300	仕入	300

(9)

決算整理後残高試算表 (単位：円)

売掛金	(1,250)	一般売上	(5,000)
割賦売掛金	(2,500)	割賦売上	(7,500)
繰越商品	(300)		
仕入	(8,500)		

解説

1　前期末残高勘定および決算整理前残高試算表

(1)　前期末残高勘定（単位：円）

残　高

借方	金額	貸方	金額
売掛金	1,000 *1		
割賦売掛金	1,500 *2		
繰越商品	350 *3		

＊1　【資料】(3)　前期末売掛金
＊2　【資料】(3)　前期末割賦売掛金
＊3　【資料】(3)　前期末商品棚卸高

(2)　決算整理前残高試算表（単位：円）

問題文の【資料】より期中取引の仕訳を適切に行い、「決算整理前残高試算表」を作成します。なお、決算整理前残高試算表の「割賦売掛金」の金額は当期末残高、「割賦売上」の金額は当期発生高となります。

決算整理前残高試算表

借方	金額	貸方	金額
売掛金	1,250 *1	一般売上	5,000 *5
割賦売掛金	2,500 *2	割賦売上	7,500 *6
繰越商品	350 *3		
仕入	8,450 *4		

＊1　前期末売掛金 1,000 円 +【資料】(5) 5,000 円 −【資料】(6) 4,750 円 = 1,250 円
＊2　前期末割賦売掛金 1,500 円 +【資料】(7) 7,500 円 −【資料】(8) 6,500 円 = 2,500 円
＊3　前期末残高勘定「繰越商品」
＊4　【資料】(4)　商品仕入
＊5　【資料】(5)　一般販売
＊6　当期発生高：【資料】(7)　割賦販売

2　決算整理仕訳

引渡原価の算定

借方	金額	貸方	金額
(仕入)	350	(繰越商品)	350 *1
(繰越商品)	300 *2	(仕入)	300

＊1　決算整理前残高試算表「繰越商品」
＊2　【資料】(9)　期末商品棚卸高

出題論点

・割賦販売

学習のポイント

・収益認識基準の適用下では、割賦販売について、回収基準と回収期限到来基準は認められません。したがって、本問では販売基準を前提に処理しています。
・正確には、約束した財（商品）を顧客に移転することにより、履行義務を充足したか否かの検討が必要ですが、本問では、特に契約内容に関する記述がないため、「一般販売した」「割賦販売した」という表現をもって履行義務を充足したと判断しています（いわゆる販売基準）。
・本試験では、収益認識基準を適用しているか否か明記される可能性が高いため、問題の指示をしっかり確認して、収益に係る契約の内容を把握しましょう。

解答2 重要な金融要素の調整(1)

	日付	時間	学習メモ
1回目	／	／3分	
2回目	／	／3分	
3回目	／	／3分	

(1) 販売時　(単位：円)

借方科目	金額	貸方科目	金額
割賦売掛金	35,000	売上	35,000

(2) 割賦代金回収時　(単位：円)

借方科目	金額	貸方科目	金額
現金	4,000	割賦売掛金	3,500 *1
		受取利息	500 *2

＊1　35,000円÷10回＝3,500円
＊2　(40,000円－35,000円)÷10回＝500円

解説

(1) 販売時の仕訳

現金販売価格で収益を認識します。

(2) 割賦代金回収時の仕訳

回収した代金の金額だけ割賦売掛金を減少させます。また、割賦販売高と現金販売価格の差額は金利相当分（金融要素）であるため、これを分割回数で割って金利を計上します。

出題論点

・収益認識基準適用下における割賦販売

学習のポイント

・重要な金融要素の原則処理は、約束した対価に含まれる金利相当分（金融要素）の影響を調整します。具体的には商品の販売時（引渡時）に現金販売価格で売上収益を計上し、金利相当分（金融要素）は各期に受取利息として配分します。また、容認処理として、財又はサービスの移転から代金回収までの期間が1年以内と見込まれるときは金利相当分の影響を調整しないこともできるため、その場合は販売時に約束した対価で売上収益を計上します。

重要な金融要素の調整(2)

	日付	時間	学習メモ
1回目	／	／8分	
2回目	／	／8分	
3回目	／	／8分	

(1) A社のX1年4月1日の販売時の仕訳
債権金額から利息を控除した金額で債権を計上している場合

(単位：円)

借方		貸方	
勘定科目	金額	勘定科目	金額
現金	90,000	(売上)	[336,000]
(割賦売掛金)	[246,000]		

(2) A社のX3年3月31日の債権回収時の仕訳
債権管理のため、販売時に債権金額で債権を計上し、評価勘定を使っている場合

(単位：円)

借方		貸方	
勘定科目	金額	勘定科目	金額
現金	90,000	(割賦売掛金)	[90,000]
(利息未決算)	[8,060]	(受取利息)	[8,060]

解説

〈元本・利息の算定〉

4回に分けて債権を回収するため、それぞれについて利息部分と元本部分を計算します。元本合計が車両の現金販売価格になります。

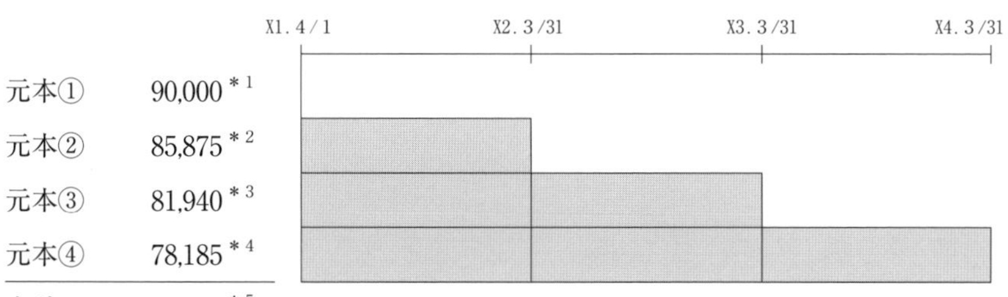

＊1 先払いのため、利息は発生しません。

＊2 90,000円 ÷ 1.04803 = 85,875.40… →85,875円

＊3 90,000円 ÷ 1.04803^2 = 81,939.83… →81,940円

＊4 90,000円 ÷ 1.04803^3 = 78,184.62… →78,185円

＊5 車両の現金販売価格

〈A社の会計処理〉

A社は中古車販売業であるため、車両の販売収益は「顧客との契約から生じる収益」にあたります。したがって、収益認識基準を適用します。

具体的には、販売時に売上収益を計上します。また、利息部分は重要な金融要素にあたるため、売上収益とは区分して計上します。なお、利息の計算は問題文の指示により利息法を採用します。

回収スケジュール

	元本	債権回収額	利息部分	元本回収分	残り元本
X1. 4/1	336,000	90,000	0	90,000	246,000
X2. 3/31	246,000	90,000	11,815 *1	78,185	167,815
X3. 3/31	167,815	90,000	8,060 *2	81,940	85,875
X4. 3/31	85,875	90,000	4,125 *3	85,875	0
計	−	360,000	24,000	336,000	−

＊1　246,000円×0.04803＝11,815.38　→11,815円
＊2　167,815円×0.04803＝ 8,060.15…　→8,060円
＊3　85,875円×0.04803＝ 4,124.57…　→4,125円

1　債権金額を、利息を控除した金額で計上している場合

⑴　X1年4/1（販売時）

（現　　　　金）	90,000	（売　　　　上）	336,000 *1
（割 賦 売 掛 金）	246,000		

＊1　重要な金融要素は売上に含めず、別途利息として計上します。

⑵　X2年3/31（期末）

利息の計上

（割 賦 売 掛 金）	11,815	（受 取 利 息）	11,815

債権の回収

（現　　　　金）	90,000	（割 賦 売 掛 金）	90,000

⑶　X3年3/31（期末）

利息の計上

（割 賦 売 掛 金）	8,060	（受 取 利 息）	8,060

債権の回収

（現　　　　　金）	90,000	（割 賦 売 掛 金）	90,000

2　債権金額を、利息を含めた金額で計上している場合（評価勘定を使用）

(1)　X1年４/１（販売時）

（現　　　　　金）	90,000	（売　　　　　上）	336,000
（割 賦 売 掛 金）	270,000 *1	（利 息 未 決 算）	24,000 *2

＊1　90,000円×３年＝270,000円

＊2　利息部分は売上と区分して計上しなければならないため、勘定科目群から評価勘定として利用できる「利息未決算」を選びます。

(2)　X2年３/31（期末）

利息の計上

（利 息 未 決 算）	11,815	（受　取　利　息）	11,815

債権の回収

（現　　　　　金）	90,000	（割 賦 売 掛 金）	90,000

(3)　X3年３/31（期末）

利息の計上

（利 息 未 決 算）	8,060	（受　取　利　息）	8,060

債権の回収

（現　　　　　金）	90,000	（割 賦 売 掛 金）	90,000

出題論点

・割賦販売

学習のポイント

・現金販売価格の算定
・利息の区分計算

委託販売(1)

	日付	時間	学習メモ
1回目	／	／2分	
2回目	／	／2分	
3回目	／	／2分	

決算整理後残高試算表　(単位：円)

借方科目	金額	貸方科目	金額
繰越商品	(465)	一般売上	8,370
積送品	(210)	積送品売上	3,150
仕入	(9,225)		

解説

1　決算整理前残高試算表

委託販売はその都度法であるため、決算整理前残高試算表の仕入勘定は「一般販売仕入＋委託販売売上原価」、積送品勘定は「期末積送品」を表しています。したがって、委託販売の決算整理は不要となるため、一般販売の決算整理のみ行います。

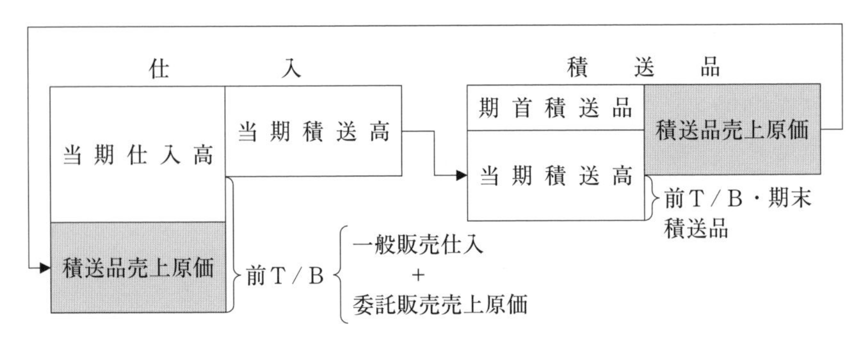

2　一般販売

(仕入)	390	(繰越商品)	390 *1
(繰越商品)	465 *2	(仕入)	465

＊1　期首手許商品：前T/B繰越商品

＊2　期末手許商品

出題論点

・委託販売におけるその都度法

学習のポイント

・その都度法の場合には、決算整理前残高試算表の積送品勘定が期末積送品を表しているため、決算整理仕訳は不要となる点をおさえましょう。ただし、問題によっては未処理事項があることもありますので、決算整理前残高試算表の金額＝期末積送品と機械的に処理しないよう注意しましょう。

解答5 委託販売(2)

	日付	時間	学習メモ
1回目	／	／4分	
2回目	／	／4分	
3回目	／	／4分	

(1) 決算整理仕訳

(単位：円)

	借方科目	金額	貸方科目	金額
一般	仕入	9,480	繰越商品	9,480
	繰越商品	8,220	仕入	8,220
委託	仕入	14,700	積送品	14,700

(2) 決算整理後残高試算表

決算整理後残高試算表 (単位：円)

繰越商品	(8,220)	一般売上	(111,480)
積送品	(1,800)	積送品売上	(20,580)
仕入	(98,310)		

解説

1　決算整理前残高試算表

委託販売は期末一括法であるため、決算整理前残高試算表の積送品は「期首積送品＋当期積送高」を表しています。したがって、決算整理で委託販売の売上原価を仕入勘定に振り替えます。

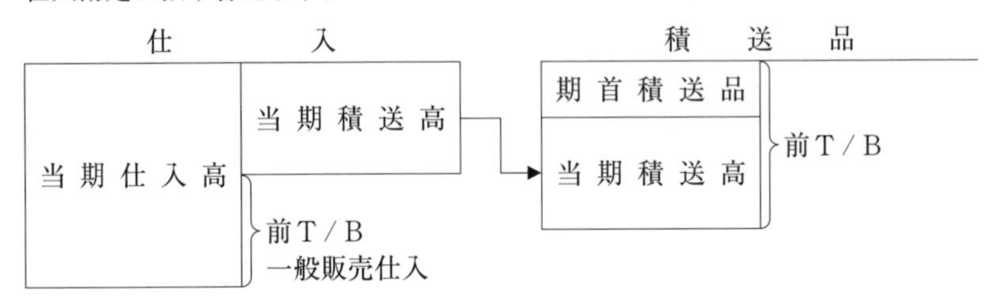

2　一般販売

(1)　決算整理

(仕　　　　入)	9,480	(繰　越　商　品)	9,480 *1
(繰　越　商　品)	8,220 *2	(仕　　　　入)	8,220

＊1　期首手許商品：前T/B繰越商品

＊2　期末手許商品

(2)　一般販売売上の算定（単位：円）

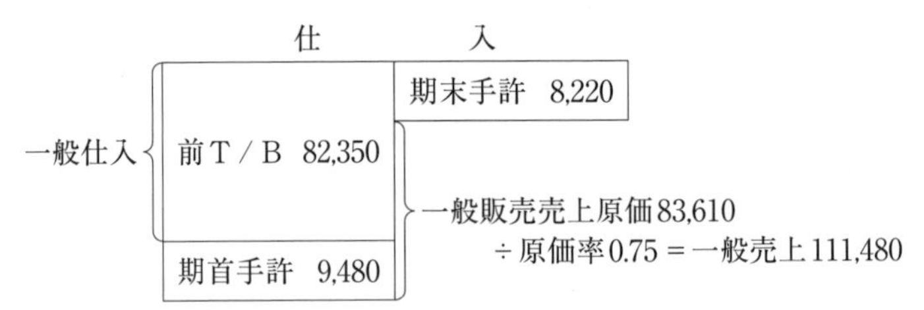

3　委託販売

(1)　決算整理

(仕　　　　入)	14,700 *	(積　送　品)	14,700

＊　積送品売上原価：前T/B積送品 16,500円－期末積送品 1,800円＝14,700円

(2)　積送品売上の算定

積送品売上原価14,700円×1.4＝積送品売上20,580円

出題論点

・委託販売における期末一括法

学習のポイント

・期末一括法によっている場合、決算整理前残高試算表の積送品勘定は「期首積送品＋当期積送高」となっているため、決算整理を行って当期の積送品売上原価を求める必要があります。

解答6 委託販売(3)

	日付	時間	学習メモ
1回目	／	／6分	
2回目	／	／6分	
3回目	／	／6分	

問1

決算整理仕訳　(単位：円)

	借方科目	金額	貸方科目	金額
一般	仕入	272,000	繰越商品	272,000
	繰越商品	320,000	仕入	320,000
委託	仕入	304,000	積送品	304,000
	積送諸掛費	1,120	繰延積送諸掛	1,120
	繰延積送諸掛	1,640	積送諸掛費	1,640

決算整理後残高試算表　(単位：円)

借方		貸方	
繰越商品	(320,000)	一般売上	548,000
積送品	(80,000)	積送品売上	400,000
繰延積送諸掛	(1,640)		
仕入	(744,000)		
積送諸掛費	(32,280)		

問2

繰延積送諸掛	1,600	円	積送諸掛費	32,320	円

解説

1　決算整理前残高試算表の金額

(1)　積送品384,000円

委託販売は期末一括法なので、決算整理前残高試算表の積送品は「期首積送品＋当期積送高」を表しています。したがって、決算整理で委託販売の売上原価を仕入勘定に振り替えます。

(2)　積送諸掛費32,800円→当期支払発送諸掛＋販売諸掛

発送諸掛は支払時に積送諸掛費に計上します。さらに、受託者売上額によって積送品売上を計上しているため、販売諸掛についても積送諸掛費に計上されています。したがって、決算整理前残高試算表の積送諸掛費勘定のうち、発送諸掛について按分計算をし、翌期分を繰り延べます。

2　決算整理

(1)　一般販売

借方科目	金額	貸方科目	金額
(仕　入)	272,000	(繰越商品)	272,000 *1
(繰越商品)	320,000 *2	(仕　入)	320,000

＊1　前T/B繰越商品
＊2　期末手許商品

(2)　委託販売

①　売上原価の算定

借方科目	金額	貸方科目	金額
(仕　入)	304,000 *	(積送品)	304,000

＊　積送品売上原価：前T/B積送品384,000円－期末積送品80,000円＝304,000円

② 発送諸掛

(積送諸掛費)	1,120	(繰延積送諸掛)	1,120 *1
(繰延積送諸掛)	1,640 *2	(積送諸掛費)	1,640

＊1 前T/B繰延積送諸掛
＊2 発送諸掛の按分計算（先入先出法、問1、単位：円）

発送諸掛	積送品			発送諸掛
1,120	期首 64,000	売原 304,000	⇨	6,040
6,560	積送 320,000	期末 80,000	⇨	1,640

$$6{,}560円 \times \frac{80{,}000円}{320{,}000円} = 1{,}640円$$

3 問2（平均法）

(積送諸掛費)	1,120	(繰延積送諸掛)	1,120
(繰延積送諸掛)	1,600 *	(積送諸掛費)	1,600

＊ 発送諸掛の按分計算（平均法、単位：円）

発送諸掛	積送品			発送諸掛
1,120	期首 64,000	売原 304,000	⇨	6,080
6,560	積送 320,000	期末 80,000	⇨	1,600

$$(1{,}120円 + 6{,}560円) \times \frac{80{,}000円}{64{,}000円 + 320{,}000円} = 1{,}600円$$

出題論点

・積送諸掛の会計処理

学習のポイント

・受託者売上額で積送品売上を計上している場合、販売諸掛も積送諸掛費勘定に含まれている点をおさえましょう。

解答7 受託販売

	日付	時間	学習メモ
1回目	／	／6分	
2回目	／	／6分	
3回目	／	／6分	

(1) 受託品受取時 （単位：円）

借方科目	金額	貸方科目	金額
仕訳なし			

(2) 受託品販売時 （単位：円）

借方科目	金額	貸方科目	金額
現金	68,000	受託販売	68,000

(3) 立替費用支払時 （単位：円）

借方科目	金額	貸方科目	金額
受託販売	2,000	現金	2,000

(4) 売上計算書送付時 （単位：円）

借方科目	金額	貸方科目	金額
受託販売	5,000	受取手数料	5,000

(5) 残金送付時 （単位：円）

借方科目	金額	貸方科目	金額
受託販売	61,000	現金	61,000

解説

(1)　受託品受取時の仕訳

受託者側の会計処理は不要です。

(2)　受託品販売時の仕訳

委託者に代わって受託者が商品を販売したときは委託者に対する債務が増加します。

(3)　立替費用支払時の仕訳

委託者が負担すべき費用を受託者が立て替えて支払ったときは委託者に対する債権が増加します。

(4)　売上計算書送付時

委託者から報酬として支払われた販売手数料は受託者側の収益です。委託者に送付する売上計算書には、委託者に対する債権金額および債務金額が記載されています。この債権金額と債務金額の差額が委託者に支払う金額です。

(5)　残金送付時

売上計算書にある売上高から立替費用と販売手数料を差し引いた残金を委託者に送付します。

出題論点

・受託販売

学習のポイント

・商品の販売は受託者が行いますが、委託者から支払われる販売手数料を除き、販売に係るすべての損益は委託者のものである点に注意しましょう。

Chapter 9

特殊商品売買 2

未着品売買(1)

	日付	時間	学習メモ
1回目	／	／10分	
2回目	／	／10分	
3回目	／	／10分	

(1) 期末一括法

(単位：円)

	借方	金額		貸方	金額
期首残高試算表	期首残高試算表				
	繰越商品	2,400			
	未着品	480			
貨物代表証券購入時	(未着品)	(12,240)	／	買掛金	(12,240)
現品引取時	(仕入)	(3,360)	／	(未着品)	(3,360)
貨物代表証券販売時	売掛金	(9,600)	／	(未着品売上)	(9,600)
商品仕入時	仕入	21,120	／	買掛金	21,120
一般販売時	売掛金	30,000	／	一般売上	30,000
整理前残高試算表	決算整理前残高試算表				
	繰越商品	2,400		一般売上	30,000
	未着品	(9,360)		未着品売上	(9,600)
	仕入	(24,480)			
決算整理	(仕入)	(2,400)	／	(繰越商品)	(2,400)
	(繰越商品)	(2,880)	／	(仕入)	(2,880)
	(仕入)	(8,640)	／	(未着品)	(8,640*)
整理後残高試算表	決算整理後残高試算表				
	繰越商品	(2,880)		一般売上	30,000
	未着品	(720)		未着品売上	(9,600)
	仕入	(32,640)			

＊ 9,600円×0.9 ＝ 8,640円

(2) その都度法

(単位：円)

期首残高試算表	期首残高試算表 繰越商品 2,400 未着品 480			
貨物代表証券購入時	(未着品)	(12,240)	／ 買掛金	(12,240)
現品引取時	(仕入)	(3,360)	／(未着品)	(3,360)
貨物代表証券販売時	売掛金	(9,600)	／(未着品売上)	(9,600)
	(仕入)	(8,640)	／(未着品)	(8,640*)
商品仕入時	仕入	21,120	／ 買掛金	21,120
一般販売時	売掛金	30,000	／ 一般売上	30,000
整理前残高試算表	決算整理前残高試算表 繰越商品 2,400 未着品 (720) 仕入 (33,120)		一般売上 30,000 未着品売上 (9,600)	
決算整理	(仕入)	(2,400)	／(繰越商品)	(2,400)
	(繰越商品)	(2,880)	／(仕入)	(2,880)
整理後残高試算表	決算整理後残高試算表 繰越商品 (2,880) 未着品 (720) 仕入 (32,640)		一般売上 30,000 未着品売上 (9,600)	

＊ 9,600円×0.9＝8,640円

出題論点

・未着品における期末一括法とその都度法

学習のポイント

・貨物代表証券販売時と決算整理時の仕訳が異なってくる点をおさえましょう。

解答2 未着品売買(2)

	日付	時間	学習メモ
1回目	／	／3分	
2回目	／	／3分	
3回目	／	／3分	

決算整理後残高試算表　(単位：千円)

借方	金額	貸方	金額
繰越商品	(22,200)	一般売上	294,000
未着品	(6,720)	未着品売上	62,400
仕入	(288,240)		

解説 (仕訳の単位：千円)

1　現品引取

(仕入)	3,600	(未着品)	3,600

2　売上原価

① 手許商品

(仕入)	19,680	(繰越商品)	19,680
(繰越商品)	22,200	(仕入)	22,200

② 未着品

(仕入)	53,040	(未着品)	53,040 *

＊　62,400千円×85%＝53,040千円

出題論点

・期末一括法による未着品売買

学習のポイント

・期末一括法によっている場合、決算整理仕訳によって貨物代表証券販売分の原価を仕入勘定に振り替える処理が必要になります。

解答3 試用販売(1)

	日付	時間	学習メモ
1回目	／	／5分	
2回目	／	／5分	
3回目	／	／5分	

決算整理後残高試算表　(単位：千円)

繰越商品	(21,840)	一般売上	180,000
繰越試用品	(9,840)	試用品売上	102,120
仕入	(212,640)	試用仮売上	14,760
試用未収金	14,760		

解説 (仕訳の単位：千円)

(1) 手許商品

(仕入)	20,400	(繰越商品)	20,400
(繰越商品)	21,840	(仕入)	21,840

(2) 試用販売

(仕入)	9,360	(繰越試用品)	9,360 *1
(繰越試用品)	9,840 *2	(仕入)	9,840

＊1　前期末試用未収金残高に、原価率を乗じます。13,200千円×$\frac{0.78}{1.1}$＝9,360千円

＊2　当期末試用未収金残高に、原価率を乗じます。14,760千円×$\frac{0.8}{1.2}$＝9,840千円

出題論点

・試用販売（対照勘定法）

学習のポイント

・決算整理前残高試算表上の繰越試用品は前期末に未買取の試用販売の原価になります。対照勘定法の場合、一般販売における決算整理仕訳のように仕訳を行う点を覚えておきましょう。

解答4 試用販売(2)

	日付	時間	学習メモ
1回目	／	／5分	
2回目	／	／5分	
3回目	／	／5分	

決算整理後残高試算表　（単位：千円）

借方	金額	貸方	金額
繰越商品	(19,200)	一般売上	154,200
繰越試用品	(8,640)	試用品売上	81,960
仕入	(183,480)	試用仮売上	11,880
試用未収金	11,880		

解説（仕訳の単位：千円）

(1) 手許商品

借方	金額	貸方	金額
(仕入)	18,720	(繰越商品)	18,720
(繰越商品)	19,200	(仕入)	19,200

(2) 試用品

借方	金額	貸方	金額
(仕入)	9,240	(繰越試用品)	9,240
(繰越試用品)	8,640 ＊1	(仕入)	8,640

＊1　11,880千円 × $\frac{0.8}{1.1}$（＊2）＝8,640千円

＊2　下記(3)参照。

(3) 試用販売原価率の算定

手許商品のボックス図を用いて、一般販売原価率または試用販売原価率を求めます。その際、売価を一般売価ベースに統一して原価を算定します（単位：千円）。

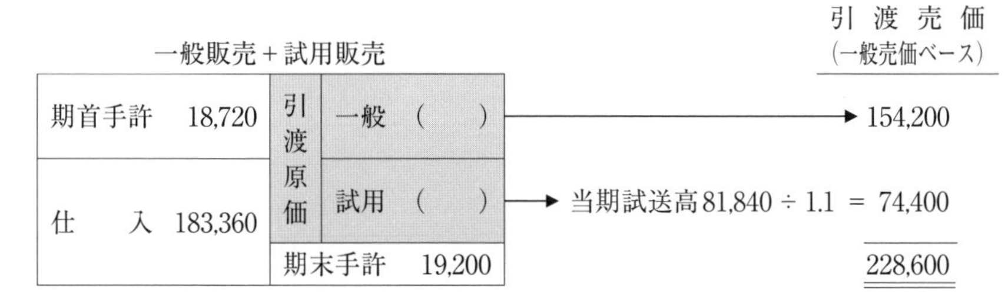

一般販売原価率：$\dfrac{18{,}720\text{千円} + 183{,}360\text{千円} - 19{,}200\text{千円}}{228{,}600\text{千円}} = 0.8$

試用販売原価率：$\dfrac{0.8}{1.1}$

出題論点

・試用販売（対照勘定法）
・原価率の算定

学習のポイント

・原価率を算定させる問題では、手許商品のボックス図を書いて分析することが必要になります。当期試用販売高を一般販売高ベースにしてから合算し、当期引渡原価と対応させることで一般販売原価率を求めます。

委託買付

	日付	時間	学習メモ
1回目	／	／5分	
2回目	／	／5分	
3回目	／	／5分	

(単位：円)

	借方科目	金額	貸方科目	金額
(1)	委託買付	70,000	現金	70,000
(2)	仕入	228,740	委託買付	228,740
(3)	委託買付	158,740	当座預金	158,740

解説

(1) 受託者への買付代金の前渡しとして**委託買付勘定の借方**に記入します。

(委託買付)	70,000	(現金)	70,000

(2) 商品を受け取ったため、**仕入勘定の借方**に記入します。また、買付代金を上記前渡金の減少および残額を受託者への債務として**委託買付勘定の貸方**に記入します。

(仕入)	228,740	(委託買付)	228,740

(3) 受託者への債務の減少として**委託買付勘定の借方**に記入します。

(委託買付)	158,740	(当座預金)	158,740

出題論点

・委託買付

学習のポイント

・委託者側は通常の仕入に準じて処理し、債権債務は委託買付勘定を使います。

解答6 受託買付

	日付	時間	学習メモ
1回目	／	／6分	
2回目	／	／6分	
3回目	／	／6分	

(単位：円)

	借方科目	金額	貸方科目	金額
(1)	当座預金	300,000	受託買付	300,000
(2)	受託買付	680,000	買掛金	680,000
(3)	受託買付	9,130	現金	9,130
(4)	受託買付	37,320	受取手数料	37,320
(5)	当座預金	426,450	受託買付	426,450

解説

(1) 委託者からの買付代金の前受けとして受託買付勘定の貸方に記入します。

(当座預金) 300,000 (受託買付) 300,000

(2) 掛代金については受託者が買付先に支払うので買掛金勘定で処理します。また、買付代金の立替金を委託者への債権として受託買付勘定の借方に記入します。

(受託買付) 680,000 (買掛金) 680,000

(3) 本来は委託者が負担する費用の立替払いであるため、債権として受託買付勘定の借方に記入します。

(受託買付) 9,130 (現金) 9,130

(4) 買付計算書作成時に当該買付に係る手数料を収益計上し、委託者への債権として受託買付勘定の借方に記入します。

(受託買付) 37,320 (受取手数料) 37,320

(5) 請求金額を委託者から受け取った場合、債権の減少として受託買付勘定の貸方に記入します。

(当座預金) 426,450 (受託買付) 426,450

出題論点

・受託買付

学習のポイント

・受託者側で生じる損益は手数料の収益のみです。債権債務は受託買付勘定を使います。

工事契約

解答1 工事契約(1)

	日付	時間	学習メモ
1回目	／	／10分	
2回目	／	／10分	
3回目	／	／10分	

問1　履行義務の充足に係る進捗度を合理的に見積もることができる場合

(1)　各年度の工事原価および工事収益（単位：千円）

	完成工事原価	完成工事高
X 1 年 度	(7,200)	(14,400)
X 2 年 度	(11,520)	(23,040)
X 3 年 度	(5,280)	(10,560)
合 計	(24,000)	(48,000)

(2)　X1年度（工事中）　（単位：千円）

借方科目	金額	貸方科目	金額
未成工事支出金	7,200	現金預金	7,200
完成工事原価	7,200	未成工事支出金	7,200
契約資産	14,400	完成工事高	14,400

(3)　X2年度（工事中）　（単位：千円）

借方科目	金額	貸方科目	金額
未成工事支出金	11,520	現金預金	11,520
完成工事原価	11,520	未成工事支出金	11,520
契約資産	23,040	完成工事高	23,040

(4) X3年度（完成引渡）

（単位：千円）

借方科目	金額	貸方科目	金額
未成工事支出金	5,280	現金預金	5,280
完成工事原価	5,280	未成工事支出金	5,280
契約資産	10,560	完成工事高	10,560
完成工事未収入金	48,000	契約資産	48,000

問2 履行義務の充足に係る進捗度を合理的に見積もることができない場合

(1) 各年度の工事原価および工事収益（単位：千円）

	完成工事原価	完成工事高
X1年度	(7,200)	(7,200)
X2年度	(11,520)	(11,520)
X3年度	(5,280)	(29,280)
合計	(24,000)	(48,000)

(2) X1年度（工事中）

（単位：千円）

借方科目	金額	貸方科目	金額
未成工事支出金	7,200	現金預金	7,200
完成工事原価	7,200	未成工事支出金	7,200
契約資産	7,200	完成工事高	7,200

(3) X2年度（工事中）

（単位：千円）

借方科目	金額	貸方科目	金額
未成工事支出金	11,520	現金預金	11,520
完成工事原価	11,520	未成工事支出金	11,520
契約資産	11,520	完成工事高	11,520

(4) X3年度（完成引渡）

（単位：千円）

借方科目	金額	貸方科目	金額
未成工事支出金	5,280	現金預金	5,280
完成工事原価	5,280	未成工事支出金	5,280
契約資産	29,280	完成工事高	29,280
完成工事未収入金	48,000	契約資産	48,000

解説

問1　履行義務の充足に係る進捗度を合理的に見積もることができる場合

この場合、進捗度に基づき収益を認識する方法によって、原価比例法をもとに算定した工事進捗度で工事収益を計算します。

(1) X1年度

完成工事高：請負金額48,000千円 × $\dfrac{\text{X1年度発生原価7,200千円}}{\text{見積総工事原価24,000千円}}$ = 14,400千円

(2) X2年度

完成工事高：請負金額48,000千円

× $\dfrac{\text{X1年度発生原価7,200千円} + \text{X2年度発生原価11,520千円}}{\text{見積総工事原価24,000千円}}$

− X1年度完成工事高14,400千円 = 23,040千円

(3) X3年度（完成引渡）

完成工事高：請負金額48,000千円 − 過年度の完成工事高の累計(14,400千円 + 23,040千円) = 10,560千円

問2　履行義務の充足に係る進捗度を合理的に見積もることができない場合

工事原価の回収が見込めるため、原価回収基準によって工事収益を計算します。

(1) X1年度

X1年度の発生原価の総額を完成工事高として計上します。 ⇒ 7,200千円

(2) X2年度

X2年度の発生原価の総額を完成工事高として計上します。 ⇒ 11,520千円

(3) X3年度（完成引渡）

完成工事高：請負金額48,000千円 − 過年度の完成工事高の累計(7,200千円 + 11,520千円) = 29,280千円

出題論点

・建設業特有の勘定科目
・進捗度に基づき収益を認識する方法、原価回収基準における会計処理

学習のポイント

・建設業における特有の勘定科目をおさえましょう。
・進捗度に基づき収益を認識する方法と原価回収基準は、計上される収益の金額がそれぞれ異なるという点をおさえましょう。

解答2 工事契約(2)

	日付	時間	学習メモ
1回目	／	／5分	
2回目	／	／5分	
3回目	／	／5分	

(1) X2年度
完成工事高 806,400 千円　　完成工事原価 632,520 千円

(2) X3年度
完成工事高 616,000 千円　　完成工事原価 483,280 千円

解説

1 X1年度

(1) 完成工事高：

$$1{,}540{,}000\text{千円} \times \frac{88{,}200\text{千円}}{1{,}155{,}000\text{千円}} = 117{,}600\text{千円}$$

(2) 完成工事原価：88,200千円

2 X2年度

X2年度に見積工事原価総額を変更しているため、変更後の見積工事原価総額を用いて計算します。

(1)　完成工事高：

$$1{,}540{,}000\text{千円} \times \frac{88{,}200\text{千円} + 632{,}520\text{千円}}{1{,}201{,}200\text{千円}} - 117{,}600\text{千円} = 806{,}400\text{千円}$$

(2)　完成工事原価：632,520千円

3　X3年度

(1)　完成工事高：

1,540,000千円－(117,600千円＋806,400千円)＝616,000千円

(2)　完成工事原価：483,280千円

出題論点

・見積工事原価総額の変更をした場合の会計処理

学習のポイント

・進捗度に基づき収益を認識する方法において、見積工事原価総額に変更があった場合、工事収益の算定は見積工事原価総額の変更の前後で異なるので注意しましょう。

解答3　工事損失引当金

	日付	時間	学習メモ
1回目	／	／6分	
2回目	／	／6分	
3回目	／	／6分	

工事損失引当金	1,400 千円

解説　(仕訳の単位：千円)

1　X1年度

①　完成工事高：$50{,}000\text{千円} \times \frac{13{,}500\text{千円}}{45{,}000\text{千円}} = 15{,}000\text{千円}$

②　完成工事原価：13,500千円

2　X2年度

(1)　①　完成工事高：$50,000千円 \times \frac{39,600千円}{55,000千円} - 15,000千円 = 21,000千円$

②　完成工事原価：26,100千円

(2)　工事損失引当金の設定

X2年度に工事原価総額の見積額が増加した結果、工事収益総額を上回り、工事損失が見込まれます。そこで、工事損失引当金の設定をします。

①　見積もられた工事損失の総額：
工事収益総額50,000千円－変更後の工事原価総額55,000千円＝△5,000千円

②　X1年度の損益：15,000千円－13,500千円＝1,500千円（利益）

③　X2年度の損益：21,000千円－26,100千円＝△5,100千円（損失）

④　X2年度末までに発生した工事損失：
1,500千円－5,100千円＝△3,600千円

⑤　今後見込まれる工事損失：
5,000千円－3,600千円＝1,400千円（工事損失引当金）

（完成工事原価）	1,400	（工事損失引当金）	1,400

本試験での出題例

・本試験では、通常、工事損失引当金は税効果会計（Chapter12）の適用対象となります。

税　金

解答1 租税公課

	日付	時間	学習メモ
1回目	／	／4分	
2回目	／	／4分	
3回目	／	／4分	

決算整理後残高試算表　　（単位：千円）

科目	金額
現金預金	(536,760)
売掛金	(1,947,300)
貯蔵品	(18,390)
営業費	(5,529,930)

解説 （仕訳の単位：千円）

1　現金預金に関する事項

郵便切手、収入印紙は通貨代用証券ではないので、現金とはなりません。

（現金預金）	1,500	（売掛金）	1,500

2　棚卸資産に関する事項

貯蔵品の処理は、三分法で行う売上原価の処理と同様に考えることができます。

なお、貯蔵品には、郵便切手、収入印紙のほか、コピー用紙、ガムテープなどの事務用消耗品やその他の消耗品で期末において未使用のものなどが含まれます。

（営業費）	14,520	（貯蔵品）	14,520 *1
（貯蔵品）	18,390 *2	（営業費）	18,390

＊1　期首残高

＊2　期末残高：実地 15,960 千円 + 郵便切手 930 千円 + 収入印紙 1,500 千円
　　= 18,390 千円

出題論点

・租税公課

学習のポイント

・郵便切手や収入印紙は通貨代用証券ではないので、現金ではなく貯蔵品となります。
・本問では、租税公課勘定などは用いないで、営業費勘定で処理する点に注意しましょう。

解答2 消費税等(1)

	日付	時間	学習メモ
1回目	／	／6分	
2回目	／	／6分	
3回目	／	／6分	

(単位：円)

	借方科目	金額	貸方科目	金額
(1)	売掛金	19,800	売上	18,000
			仮受消費税等	1,800
(2)	仕入	12,000	買掛金	13,200
	仮払消費税等	1,200		
(3)	営業費	3,600	現金	3,960
	仮払消費税等	360		
(4)	仮受消費税等	1,800	仮払消費税等	1,560
			未払消費税等	240

解説

消費税等の金額は、次のようになります。

(1) 18,000円×10%=1,800円（仮受消費税等）

(2) 12,000円×10%=1,200円（仮払消費税等）

(3) 3,600円×10%=360円（仮払消費税等）

出題論点

・消費税等（税抜方式）

学習のポイント

・税抜方式では、仮払消費税等と仮受消費税等を別建てで計上する点をおさえましょう。

解答3 消費税等(2)

	日付	時間	学習メモ
1回目	／	／4分	
2回目	／	／4分	
3回目	／	／4分	

（単位：円）

	借方科目	金額	貸方科目	金額
(1)	買掛金	3,520	仕入	3,200
			仮払消費税等	320*1
(2)	売上	800	売掛金	880
	仮受消費税等	80*2		
(3)	仮受消費税等	1,600*3	売掛金	17,600
	貸倒引当金	16,000		

(4)	仮受消費税等	400＊4	売掛金	4,400
	貸倒損失	4,000		
(5)	仮受消費税等	24,000	仮払消費税等	30,400
	未収消費税等	6,400＊5		

＊1　3,520円 $\times \frac{0.1}{1.1}$ = 320円

＊2　880円 $\times \frac{0.1}{1.1}$ = 80円

＊3　17,600円 $\times \frac{0.1}{1.1}$ = 1,600円

＊4　4,400円 $\times \frac{0.1}{1.1}$ = 400円

＊5　30,400円 − 24,000円 = 未収消費税等6,400円

解説

税抜方式を採用しているため、消費税等を別建て（仮払消費税等と仮受消費税等）で把握します。

出題論点

・消費税等（税抜方式）

学習のポイント

・税込金額から消費税等を求める計算式をおさえましょう。

本試験での出題例

・軽減税率が適用される取引が混じることがありますが、問題文の指示に従って解答すれば正答できます。

解答4 消費税等(3)

	日付	時間	学習メモ
1回目	／	／6分	
2回目	／	／6分	
3回目	／	／6分	

(単位：千円)

	借方科目	金額	貸方科目	金額
(1)	減価償却累計額	14,400	車両	30,000
	減価償却費	1,800	仮受消費税等	1,470
	現金預金	16,170	固定資産売却益	900
(2)	減価償却費	3,375	備品	27,000
	固定資産売却損	2,325	仮受消費税等	2,130
	仮払消費税等	6,000	現金預金	42,570
	備品	60,000		

解説 (仕訳の単位：千円)

(1) 売却

(減価償却累計額)	14,400	(車両)	30,000
(減価償却費)	1,800 *1	(仮受消費税等)	1,470 *2
(現金預金)	16,170	(固定資産売却益)	900 *3

＊1　$30{,}000\text{千円} \times 0.9 \times \frac{1\text{年}}{5\text{年}} \times \frac{4\text{カ月}}{12\text{カ月}} = 1{,}800\text{千円}$

＊2　$16{,}170\text{千円} \times \frac{0.1}{1.1} = 1{,}470\text{千円}$

＊3　貸借差額

(2) 買換え

(減価償却費)	3,375 *1	(備品)	27,000
(固定資産売却損)	2,325 *2	(仮受消費税等)	2,130 *3
(仮払消費税等)	6,000 *4	(現金預金)	42,570 *5
(備品)	60,000		

＊1　27,000千円× 0.25 × $\frac{6カ月}{12カ月}$ = 3,375千円

＊2　下取価額（23,430千円× $\frac{1}{1.1}$ ）－買換時簿価（27,000千円－ 3,375千円）

　　＝△ 2,325千円

＊3　23,430千円× $\frac{0.1}{1.1}$ = 2,130千円

＊4　60,000千円× 0.1 ＝ 6,000千円

＊5　60,000千円× 1.1 － 23,430千円＝ 42,570千円

出題論点

・消費税等（税抜方式）

学習のポイント

・固定資産の買換えに係る消費税額の計算は購入取引と売却取引に分けて仕訳を考えましょう。

消費税等(4)

	日付	時間	学習メモ
1回目	／	／6分	
2回目	／	／6分	
3回目	／	／6分	

(単位：円)

	借方科目	金額	貸方科目	金額
(1)	売掛金	19,800*1	売上	19,800
(2)	仕入	13,200*2	買掛金	13,200
(3)	営業費	3,960*3	現金	3,960
(4)	租税公課	240	未払消費税等	240

＊1　18,000円×1.1＝19,800円
＊2　12,000円×1.1＝13,200円
＊3　3,600円×1.1＝3,960円

税込方式（収益認識基準の適用を受ける企業では採用不可）において、未払消費税等は、仮払消費税等や仮受消費税等では処理せず、決算において直接計上します。

出題論点

・消費税等（税込方式）

学習のポイント

・税込方式では、仮払消費税等と仮受消費税等は出てきません。

法人税等

	日付	時間	学習メモ
1回目	／	／4分	
2回目	／	／4分	
3回目	／	／4分	

問1　一勘定制

⑴　X1年11月20日（中間納付時）

（単位：千円）

借方科目	金額	貸方科目	金額
法人税等	4,500	現金預金	4,500

⑵　X2年3月31日（決算時）

（単位：千円）

借方科目	金額	貸方科目	金額
法人税等	10,500*	未払法人税等	10,500

＊　15,000千円－4,500千円＝10,500千円

⑶　X2年5月25日（確定納付時）

（単位：千円）

借方科目	金額	貸方科目	金額
未払法人税等	10,500	現金預金	10,500

問2　二勘定制

⑴　X1年11月20日（中間納付時）

（単位：千円）

借方科目	金額	貸方科目	金額
仮払法人税等	4,500	現金預金	4,500

⑵　X2年3月31日（決算時）

（単位：千円）

借方科目	金額	貸方科目	金額
法人税等	15,000	仮払法人税等	4,500
		未払法人税等	10,500

⑶　X2年5月25日（確定納付時）

（単位：千円）

借方科目	金額	貸方科目	金額
未払法人税等	10,500	現金預金	10,500

解説

問1　一勘定制では、法人税等勘定のみ用いるため、中間納付額は法人税等勘定に計上されます。

問2　二勘定制では、法人税等勘定と仮払法人税等勘定を用いるため、中間納付額は仮払法人税等勘定に計上されます。

出題論点

・法人税等（一勘定制、二勘定制）

学習のポイント

・一勘定制と二勘定制で用いる勘定科目が異なる点に注意しましょう。

解答7 源泉所得税等(1)

	日付	時間	学習メモ
1回目	／	／3分	
2回目	／	／3分	
3回目	／	／3分	

（単位：千円）

	借方科目	金額	貸方科目	金額
(1)	仮払法人税等	1,250	現金	1,250
(2)	現金[*1]	200	受取配当金	250
	仮払法人税等	50		
(3)	法人税等	2,000	仮払法人税等	1,300[*2]
			未払法人税等	700[*3]

＊1　配当金領収証は通貨代用証券に該当するため、現金勘定で処理します。

＊2　仮払法人税等：中間 1,250 千円＋源泉所得税 50 千円＝1,300 千円

＊3　未払法人税等：貸借差額

法人税等の勘定を示すと、次のようになります。

法 人 税 等

	法人税等	
年税額 2,000千円	中間納付額 1,250千円	
	源泉所得税等 50千円	
	確定納付額 700千円	

出題論点

・源泉所得税等

学習のポイント

・源泉所得税等は、法人税等の一部前払いとして法人税等納付額から控除することができます。

解答8 源泉所得税等(2)

	日付	時間	学習メモ
1回目	／	／3分	
2回目	／	／3分	
3回目	／	／3分	

決算整理後残高試算表 （単位：千円）

法人税等	（ 750）	未払法人税等	（ 365）
		受取利息配当金	（ 250）

解説（仕訳の単位：千円）

(1) 中間申告納付

問題文に指示がないので、仮に二勘定制で仕訳を行うと次のようになります。

（仮払法人税等）	335	（仮　払　金）	335

(2) 源泉所得税の修正

源泉所得税等は、法人税等の一部前払いとして、法人税等納付額から控除することができます。そのため、中間申告納付額と同様に仮払法人税等として計上します。

① 適正な仕訳

（現　金　預　金）	200	（受取利息配当金）	250
（仮払法人税等）	50		

② 当社が行った仕訳

（現　金　預　金）	200	（受取利息配当金）	200

③ 修正仕訳（①－②）

（仮払法人税等）	50	（受取利息配当金）	50

(3) 確定申告納付

（法　人　税　等）	750	（仮払法人税等）	385 ＊1
		（未払法人税等）	365 ＊2

＊1　仮払法人税等：中間申告納付額 335 千円＋源泉所得税 50 千円＝ 385 千円

＊2　未払法人税等：貸借差額

出題論点

・源泉所得税等

学習のポイント

・解説は、二勘定制で示しましたが、一勘定制でも決算整理後残高試算表の金額は同じになります。

Chapter 12 税効果会計

解答1 税務調整

	日付	時間	学習メモ
1回目	／	／2分	
2回目	／	／2分	
3回目	／	／2分	

603	千円

解説

1　税務調整

会計上の利益		1,500千円*
加算	商品評価損	750千円
	繰入超過額	390千円
減算	繰入超過額認容	270千円
	受取配当金	360千円
所得金額		2,010千円

＊　会計上の収益15,000千円－会計上の費用13,500千円＝1,500千円

2　法人税等

所得金額：1,500千円＋750千円＋390千円－270千円－360千円＝2,010千円
法人税等：2,010千円×税率30％＝603千円

出題論点

・法人税等の計算
・税務調整

学習のポイント

・損金不算入→会計上の利益に加算します。
益金不算入→会計上の利益から減算します。

本試験での出題例

・本問はあくまで法人税算定のイメージを掴むための問題で、法人税額の算定は簿記論の試験範囲外だと思われます。

解答2 税効果会計(1)

	日付	時間	学習メモ
1回目	／	／2分	
2回目	／	／2分	
3回目	／	／2分	

問1

決算整理前残高試算表　(単位：千円)

繰延税金資産　(13,320)	

問2

決算整理後残高試算表　(単位：千円)

繰延税金資産　(14,640)	法人税等調整額　(1,320)

解説　(仕訳の単位：千円)

1　**前T／Bの繰延税金資産（問1）**

貸倒引当金　6,400千円×30％＝1,920千円
賞与引当金　12,000千円×30％＝3,600千円
商　　品　10,000千円×30％＝3,000千円
未払事業税　16,000千円×30％＝4,800千円
} 合計　13,320千円

2 決算整理仕訳

(繰延税金資産)	1,680 *1	(法人税等調整額)	1,680
(法人税等調整額)	360	(繰延税金資産)	360 *2
(法人税等調整額)	600	(繰延税金資産)	600 *3
(繰延税金資産)	600 *4	(法人税等調整額)	600

＊1　貸倒引当金：12,000千円×30%－前T/B 1,920千円＝1,680千円

＊2　賞与引当金：10,800千円×30%－前T/B 3,600千円＝△360千円

＊3　商　　　品：8,000千円×30%－前T/B 3,000千円＝△600千円

＊4　未払事業税：18,000千円×30%－前T/B 4,800千円＝600千円

本問では、前期末の繰延税金資産と当期末の繰延税金資産の差額が、法人税等調整額として計上されます。

	①前期末の繰延税金資産	②当期末の繰延税金資産	③発生 or 解消(②－①)
貸倒引当金	1,920千円	3,600千円	1,680千円
賞与引当金	3,600千円	3,240千円	△360千円
商品評価損	3,000千円	2,400千円	△600千円
未払事業税	4,800千円	5,400千円	600千円
合計	13,320千円	14,640千円	1,320千円

出題論点

・税効果会計

学習のポイント

・本問では、その他有価証券に係る税効果がないので、前期末と当期末の繰延税金資産の差額が法人税等調整額になります。計算テクニックとして覚えておきましょう。

本試験での出題例

・本試験では「法人税等及び法人税等調整額の合計額は、税引前当期純利益に法定実効税率を乗じて算出した金額とし、法人税等の金額は逆算で計算する」という出題がされています。

解答3 税効果会計(2)

	日付	時間	学習メモ
1回目	／	／8分	
2回目	／	／8分	
3回目	／	／8分	

問1

1　商品評価損　　(単位：千円)

借方科目	金額	貸方科目	金額
繰延税金資産	600	法人税等調整額	600

2　貸倒引当金　　(単位：千円)

借方科目	金額	貸方科目	金額
法人税等調整額	60	繰延税金資産	60

3　賞与引当金　　(単位：千円)

借方科目	金額	貸方科目	金額
繰延税金資産	2,400	法人税等調整額	2,400

4　減価償却費　　(単位：千円)

借方科目	金額	貸方科目	金額
繰延税金資産	1,800	法人税等調整額	1,800

問2

決算整理後残高試算表　(単位：千円)

借方科目	金額	貸方科目	金額
売掛金	120,000	貸倒引当金	(2,400)
繰越商品	(30,000)	賞与引当金	(60,000)
建物	3,000,000	減価償却累計額	(1,860,000)
繰延税金資産	(75,720)	法人税等調整額	(4,740)
仕入	(1,497,000)		
貸倒引当金繰入	(240)		
賞与引当金繰入	(60,000)		
減価償却費	(60,000)		

解説　(仕訳の単位：千円)

1　棚卸資産の期末評価

(1)　売上原価の算定

(仕入)	27,000	(繰越商品)	27,000
(繰越商品)	36,000	(仕入)	36,000

(2)　商品評価損

(仕入)	6,000 *	(繰越商品)	6,000

*　帳簿棚卸高 36,000 千円 − 正味売却価額 30,000 千円 = 6,000 千円

(3)　税効果会計

商品評価損は全額が税務上否認されるため、繰延税金資産を計上します。

(繰延税金資産)	600 *	(法人税等調整額)	600

*　商品評価損 6,000 千円 × 法定実効税率 30% = 1,800 千円
1,800 千円 − 前T/B 1,200 千円 = 600 千円

2　貸倒引当金

(1)　貸倒引当金の設定

(貸倒引当金繰入)	240 *	(貸倒引当金)	240

*　前T/B売掛金 120,000 千円 × 2 % = 2,400 千円
2,400 千円 − 前T/B 2,160 千円 = 240 千円

(2) 税効果会計

貸倒引当金は、限度額を超過する部分のみ、税効果会計を適用します。

(法人税等調整額)	60	(繰延税金資産)	60 *

* (貸倒引当金設定額 2,400 千円 − 繰入限度額 2,000 千円) × 法定実効税率 30% = 120 千円

120 千円 − 前 T/B 180 千円 = △ 60 千円

3 賞与引当金

(1) 賞与引当金の設定

(賞与引当金繰入)	60,000	(賞与引当金)	60,000

(2) 税効果会計

賞与引当金は全額損金不算入となるため、全額について税効果会計を適用します。

(繰延税金資産)	2,400 *	(法人税等調整額)	2,400

* 賞与引当金 60,000 千円 × 法定実効税率 30% = 18,000 千円

18,000 千円 − 前 T/B 15,600 千円 = 2,400 千円

4 建物

(1) 減価償却

(減価償却費)	60,000	(減価償却累計額)	60,000

(2) 税効果会計

減価償却費は償却限度額を超過する部分についてのみ、税効果会計を適用します。

(繰延税金資産)	1,800 *	(法人税等調整額)	1,800

* (減価償却費 60,000 千円 − 償却限度額 54,000 千円) × 法定実効税率 30% = 1,800 千円

または、減価償却累計額と償却限度累計額の差額に注目して、

(減価償却累計額 1,860,000 千円 − 償却限度額累計 1,674,000 千円) × 法定実効税率 30% = 55,800 千円

55,800 千円 − 前 T/B 54,000 千円 = 1,800 千円

本問では、前期末の繰延税金資産と当期末の繰延税金資産の差額が、法人税等調整額として計上されます。

	①前期末の繰延税金資産	②当期末の繰延税金資産	③発生 or 解消（②－①）
商品評価損	1,200千円	1,800千円	600千円
貸倒引当金	180千円	120千円	△60千円
賞与引当金	15,600千円	18,000千円	2,400千円
減価償却	54,000千円	55,800千円	1,800千円
合計	70,980千円	75,720千円	4,740千円

出題論点

・税効果会計

学習のポイント

・貸倒引当金や減価償却費は全額否認されるのではなく、限度額までは認められます。超過した分にのみ税効果会計を適用するということに注意しましょう。

解答4 税効果会計(3)

	日付	時間	学習メモ
1回目	／	／10分	
2回目	／	／10分	
3回目	／	／10分	

決算整理後残高試算表　(単位：千円)

借方	金額	貸方	金額
受取手形	(186,750)	未払法人税等	(99,230)
売掛金	(225,750)	貸倒引当金	(18,250)
繰延税金資産	(13,130)	賞与引当金	(27,000)
破産更生債権等	(10,000)	法人税等調整額	(1,730)
貸倒引当金繰入額	(11,750)		
賞与引当金繰入額	(27,000)		
営業費	(560,500)		
法人税等	(151,730)		

解説 (仕訳の単位：千円)

1 前T／B繰延税金資産の内訳

税務上、賞与引当金は全額損金不算入となるため、全額について税効果会計を適用します。

前T／B賞与引当金28,500千円×40%＝11,400千円

2 貸倒引当金

貸倒引当金は、繰入限度額までは損金として認められるので、限度額を超える部分について税効果会計を適用します。

(1) 破産更生債権等

借方	金額	貸方	金額
(破産更生債権等)	10,000	(売掛金)	6,750
		(受取手形)	3,250
(貸倒引当金繰入額)	10,000 *1	(貸倒引当金)	10,000
(繰延税金資産)	2,000 *2	(法人税等調整額)	2,000

＊1　10,000千円×100%＝10,000千円

＊2　貸倒引当金繰入限度額：10,000千円×50%＝5,000千円

貸倒引当金繰入限度超過額：10,000千円－5,000千円＝5,000千円

繰延税金資産：5,000千円×40%＝2,000千円

(2) 一般債権

(貸倒引当金繰入額)	1,750 *1	(貸倒引当金)	1,750
(繰延税金資産)	330 *2	(法人税等調整額)	330

＊1　(190,000千円＋232,500千円－3,250千円－6,750千円)×2％＝8,250千円
8,250千円－前T／B 6,500千円＝1,750千円

＊2　貸倒引当金繰入限度額：7,425千円
貸倒引当金繰入限度超過額：8,250千円－7,425千円＝825千円
繰延税金資産：825千円×40％＝330千円

(注)　税効果会計

本問において、一般債権における貸倒引当金繰入額が1,750千円であるのに対して、税務上の貸倒引当金繰入限度額が7,425千円であるから繰入限度超過額が生じないという考え方は誤りです。税務上、貸倒引当金は洗替法で規定されています。したがって、貸倒引当金繰入限度額は税務上の貸倒引当金の設定額についての限度額となります。

3　賞与引当金

(1) 当期支給分の修正

① 適正な仕訳

(賞与引当金)	28,500 *1	(現金預金)	68,750
(営業費)	40,250 *2		

＊1　前T／B賞与引当金

＊2　貸借差額

② 当社が行った仕訳

(営業費)	68,750	(現金預金)	68,750

③ 修正仕訳（①－②）

(賞与引当金)	28,500	(営業費)	28,500

(2) 賞与引当金の設定

(賞与引当金繰入額)	27,000 *1	(賞与引当金)	27,000
(法人税等調整額)	600 *2	(繰延税金資産)	600

＊1　支給見込額40,500千円×$\frac{4月}{6月}$＝27,000千円

＊2　27,000千円×40％－11,400千円＝△600千円

4　法人税等

（法　人　税　等）	151,730 *1	（仮 払 法 人 税 等）	52,500
		（未 払 法 人 税 等）	99,230 *2

＊1　法人税等－法人税等調整額 1,730 千円
　　＝（収益 5,000,000 千円－費用 4,625,000 千円）× 40％
　　＝ 150,000 千円
　　法人税等：150,000 千円＋法人税等調整額 1,730 千円＝ 151,730 千円

＊2　貸借差額

本問では、前期末の繰延税金資産と当期末の繰延税金資産の差額が、法人税等調整額として計上されます。

	①前期末の繰延税金資産	②当期末の繰延税金資産	③発生 or 解消（②－①）
貸倒引当金（一般）	―	330 千円	330 千円
貸倒引当金（破産）	―	2,000 千円	2,000 千円
賞　与　引　当　金	11,400 千円	10,800 千円	△ 600 千円
合　　　　計	11,400 千円	13,130 千円	1,730 千円

出題論点

・税効果会計

学習のポイント

・貸倒引当金繰入限度額が税務上の貸倒引当金の設定額についての限度額となる点をおさえましょう。

TAC
出版
TAC PG

この冊子には、問題集の答案用紙がとじこまれています。

別冊ご利用時の注意

この色紙を残したまま冊子をていねいに抜き取り、留め具を外さない状態で、ご利用ください。また、抜き取りの際の損傷についてのお取替えはご遠慮願います。

問題集
みんなが欲しかった！ 税理士
簿記論の教科書&問題集 1
答案用紙
留め具は外さないでください。

なお、答案用紙については、ダウンロードでもご利用いただけます。TAC出版書籍販売サイト・サイバーブックストアにアクセスしてください。

https://bookstore.tac-school.co.jp/

みんなが欲しかった！　税理士

簿記論の教科書＆問題集 1

答案用紙

Chapter 2

一般商品売買1

問題1 原価率(1)

問1

決算整理 (単位：円)

借 方 科 目	金 額	貸 方 科 目	金 額

決算整理後残高試算表 (単位：円)

繰越商品	( )	売上	305,000
仕入	( )		

問2

決算整理 (単位：円)

借 方 科 目	金 額	貸 方 科 目	金 額

決算整理後残高試算表 (単位：円)

繰越商品	( )	売上	305,000
仕入	( )		

問3 [ ] %

問4 [ ] %

問題2 原価率(2)

問1

決算整理後残高試算表　(単位：千円)

繰越商品	(　　　)	売上	540,000
仕入	(　　　)		

問2

決算整理前残高試算表　(単位：千円)

繰越商品	(　　　)	売上	11,800
仕入	(　　　)		

問3

決算整理後残高試算表　(単位：千円)

繰越商品	(　　　)	売上	(　　　)
仕入	(　　　)		

問題3 返品等

決算整理後残高試算表　(単位：千円)

繰越商品	(　　　)	売上	(　　　)
仕入	(　　　)		

割引

(単位：円)

	借方科目	金額	貸方科目	金額
(1)				
(2)				

問題5 返品等と原価率

決算整理後残高試算表　(単位：円)

繰越商品	(　　　)	売上	(　　　)
仕入	(　　　)	仕入割引	(　　　)
販売費	(　　　)		

問題6 他勘定振替(1)

(単位：円)

	借方科目	金額	貸方科目	金額
(1)				
(2)				
(3)				
(4)				

問題7 他勘定振替(2)

(1) 決算整理仕訳　(単位：円)

借方科目	金額	貸方科目	金額

(2) 決算整理後残高試算表

決算整理後残高試算表　(単位：円)

繰越商品	(　　　)	売上	143,000
仕入	(　　　)		
火災損失	(　　　)		

Chapter 3

一般商品売買 2

分記法(1)・売上原価対立法(1)・三分法

問 1

分記法　　　　　　　　　　　　　　　　　　　　(単位：円)

整理前残高試算表	決算整理前残高試算表 商品（　　）｜商品販売益（　　）
決算整理	（　　）（　　）／（　　）（　　）
整理後残高試算表	決算整理後残高試算表 商品（　　）｜商品販売益（　　）

問2

売上原価対立法　　　　　　　　　　　　　　　　(単位：円)

整理前残高試算表	決算整理前残高試算表 商品（　　）｜売上（　　） 売上原価（　　）｜
決算整理	（　　）（　　）／（　　）（　　）
整理後残高試算表	決算整理後残高試算表 商品（　　）｜売上（　　） 売上原価（　　）｜

問3

三分法（売上原価を仕入勘定で算定する方法）　　　　（単位：円）

<table>
<tr><td rowspan="3">整理前
残高試算表</td><td colspan="2">決算整理前残高試算表</td></tr>
<tr><td>繰越商品（　　　）</td><td>売　　上（　　　）</td></tr>
<tr><td>仕　　入（　　　）</td><td></td></tr>
<tr><td rowspan="2">決算整理</td><td>（　　　）（　　　）／（　　　）（　　　）</td><td></td></tr>
<tr><td>（　　　）（　　　）／（　　　）（　　　）</td><td></td></tr>
<tr><td rowspan="3">整理後
残高試算表</td><td colspan="2">決算整理後残高試算表</td></tr>
<tr><td>繰越商品（　　　）</td><td>売　　上（　　　）</td></tr>
<tr><td>仕　　入（　　　）</td><td></td></tr>
</table>

問4

三分法（売上原価を売上原価勘定で算定する方法）　　　　（単位：円）

<table>
<tr><td rowspan="3">整理前
残高試算表</td><td colspan="2">決算整理前残高試算表</td></tr>
<tr><td>繰越商品（　　　）</td><td>売　　上（　　　）</td></tr>
<tr><td>仕　　入（　　　）</td><td></td></tr>
<tr><td rowspan="3">決算整理</td><td>（　　　）（　　　）／（　　　）（　　　）</td><td></td></tr>
<tr><td>（　　　）（　　　）／（　　　）（　　　）</td><td></td></tr>
<tr><td>（　　　）（　　　）／（　　　）（　　　）</td><td></td></tr>
<tr><td rowspan="3">整理後
残高試算表</td><td colspan="2">決算整理後残高試算表</td></tr>
<tr><td>繰越商品（　　　）</td><td>売　　上（　　　）</td></tr>
<tr><td>売上原価（　　　）</td><td></td></tr>
</table>

分記法(2)・売上原価対立法(2)

問1

（単位：千円）

A		B		C		D	

問2

① 分記法　（単位：千円）

借方科目	金額	貸方科目	金額

② 売上原価対立法　（単位：千円）

借方科目	金額	貸方科目	金額

問題3

総記法

商品販売益	円
期首商品棚卸高	円

Chapter 4

一般商品売買３

払出単価の決定方法（先入先出法）

問１

繰　越　商　品　　（単位：円）

前　期　繰　越	（　　）	（　　）	（　　）
（　　）	（　　）	次　期　繰　越	（　　）
	（　　）		（　　）

仕　　入　　（単位：円）

買　掛　金	（　　）	（　　）	（　　）
（　　）	（　　）	（　　）	（　　）
		（　　）	（　　）
		（　　）	（　　）
		損　　益	（　　）
	（　　）		（　　）

問２

（単位：円）

	借　方　科　目	金　　額	貸　方　科　目	金　　額
⑤				
⑥				

問３

(1)	円
(2)	円

問1

(単位：円)

借方科目	金額	貸方科目	金額

問2

繰越商品　(単位：円)

前期繰越	(　　)	(　　)	(　　)
(　　)	(　　)	(　　)	(　　)
		(　　)	(　　)
		次期繰越	(　　)
	(　　)		(　　)

仕入　(単位：円)

決算整理前残高	300,000	(　　)	(　　)
(　　)	(　　)	(　　)	(　　)
	(　　)		(　　)

問3

決算整理後残高試算表　(単位：円)

繰越商品	(　　)	売上	530,000
仕入	(　　)		
商品評価損益	(　　)		
棚卸減耗費	(　　)		

問4

（単位：円）

借方科目	金額	貸方科目	金額

期末商品の評価(2)

問1

①

（単位：円）

借方科目	金額	貸方科目	金額

②

決算整理後残高試算表

（単位：円）

繰越商品	（　　　）	売上	397,500
仕入	（　　　）	商品評価損益	（　　　）
棚卸減耗費	（　　　）		

問2

決算整理後残高試算表

（単位：円）

繰越商品	（　　　）	売上	397,500
仕入	（　　　）		
棚卸減耗費	（　　　）		
商品評価損益	（　　　）		

期末商品の評価(3)・商品有高帳

問1

決算整理仕訳

（単位：円）

借方科目	金額	貸方科目	金額

決算整理後残高試算表　(単位：円)

借方		貸方	
繰越商品	(　　)	売上	(　　)
仕入	(　　)		
棚卸減耗費	(　　)		

問2

方法	期末商品帳簿棚卸高	売上原価	棚卸減耗費
(1) 総平均法	円	円	円
(2) 移動平均法	円	円	円

問題5 期末商品の評価(4)

決算整理後残高試算表　(単位：千円)

借方		貸方	
繰越商品	(　　)	売上	384,250
仕入	(　　)		
商品評価損益	(　　)		
棚卸減耗費	(　　)		

問題6 期末商品の評価(5)・他勘定振替

(1) 決算整理後残高試算表

決算整理後残高試算表　(単位：千円)

借方		貸方	
繰越商品	(　　)	売上	(　　)
仕入	(　　)		
見本品費	(　　)		
棚卸減耗費	(　　)		

(2) 損益計算書（一部）

損益計算書　(単位：千円)

Ⅰ 売上高			(　　)
Ⅱ 売上原価			
	期首商品棚卸高	(　　)	
	当期商品仕入高	(　　)	
	合計	(　　)	
	見本品費振替高	(　　)	
	期末商品棚卸高	(　　)	
	差引	(　　)	
	商品評価損	(　　)	
	棚卸減耗費	(　　)	(　　)
	売上総利益		(　　)
Ⅲ 販売費及び一般管理費			
	見本品費	(　　)	
	⋮		
Ⅴ 営業外費用			
	棚卸減耗費	(　　)	

期末商品の評価(6)

問1

(単位：円)

借方科目	金額	貸方科目	金額

問2

決算整理後残高試算表　(単位：円)

繰越商品	(　　　)	売上	530,000
仕入	(　　　)		
棚卸減耗費	(　　　)		

問3

(単位：円)

借方科目	金額	貸方科目	金額

問題8 売価還元法(1)

(1) 決算整理仕訳　(単位：千円)

借方科目	金額	貸方科目	金額

(2) 決算整理後残高試算表

決算整理後残高試算表　(単位：千円)

繰越商品	(　　　)	売上	228,000
仕入	(　　　)		
棚卸減耗費	(　　　)		

問題9 売価還元法(2)

(1) 決算整理仕訳 （単位：千円）

借方科目	金額	貸方科目	金額

(2) 決算整理後残高試算表

決算整理後残高試算表 （単位：千円）

繰越商品	（　）	売上	228,000
仕入	（　）		
商品評価損	（　）		
棚卸減耗費	（　）		

問題10 売価還元法(3)・他勘定振替

決算整理後残高試算表 （単位：円）

繰越商品	（　）	売上	61,600
仕入	（　）		
見本品費	（　）		
棚卸減耗費	（　）		

問題11 仕入諸掛

問1 決算整理仕訳　　　　(単位：円)

借方科目	金額	貸方科目	金額

問2 決算整理後残高試算表

決算整理後残高試算表　　(単位：円)

繰越商品	(　　　　)	売上	1,200,000
仕入	(　　　　)		
営業費	(　　　　)		

問3 [　　　　] 円

問題12 仕入・売上の計上基準(1)

(1) 決算整理仕訳

① 売上の修正　　(単位：円)

借方科目	金額	貸方科目	金額

② 売上原価の算定　　(単位：円)

借方科目	金額	貸方科目	金額

(2) 決算整理後残高試算表

決算整理後残高試算表 (単位：円)

繰越商品	(　　　)	売上	(　　　)
仕入	(　　　)		

問題13 仕入・売上の計上基準(2)

(1) A品 (単位：千円)

借方科目	金額	貸方科目	金額

(2) B品 (単位：千円)

借方科目	金額	貸方科目	金額

(3) C品 (単位：千円)

借方科目	金額	貸方科目	金額

収益認識基準１

問題1 収益認識基準（５ステップの適用）

ステップ１	顧客との契約を識別する 顧客（Z社）との契約２件（商品甲・商品乙）が識別される
ステップ２	契約における履行義務を識別する 商品甲と商品乙それぞれに（　　　　　　）と （　　　　　　）が識別される
ステップ３	取引価格を算定する 商品甲（　　）円 商品乙（　　）円
ステップ４	履行義務に取引価格を配分する 商品甲： （　　　　）は（　　）円、（　　　　）は（　　）円 商品乙： （　　　　）は（　　）円、（　　　　）は（　　）円
ステップ５	履行義務を充足した時に又は充足するにつれて収益を認識する 商品甲と商品乙の（　　　　　）は、 一時点で充足される履行義務であるから、 （　　）に収益を認識し、 商品甲と商品乙の（　　　　　　）は、 一定期間にわたって充足される履行義務であるから、 当期首からそれぞれ（　）年間にわたって収益を認識する

収益の計上額　：当期（　　　）円
　　　　　　　　翌期（　　　）円

Chapter 6

収益認識基準２

問題1 収益認識基準（収益を認識するための５ステップ）

当期の収益	翌期の収益	翌々期の収益
円	円	円

問題2 収益認識基準（数量値引きの見積り）

⑴　X1年6月30日（第1四半期末）　（単位：円）

借方科目	金額	貸方科目	金額

⑵　X1年9月30日（第2四半期末）　（単位：円）

借方科目	金額	貸方科目	金額

⑶　X1年12月31日（第3四半期末）　（単位：円）

借方科目	金額	貸方科目	金額

問題3 返品権付の販売

（単位：円）

勘　定　科　目	金　　　額	勘　定　科　目	金　　　額
（　　　　　　）	30,000	（　　　　　　）	30,000
（　　　　　　）	[　　　]	（　　　　　　）	[　　　]

問題4 重要な金融要素(1)

(1) X1年4月1日　（単位：円）

借　方　科　目	金　　　額	貸　方　科　目	金　　　額

(2) X2年3月31日　（単位：円）

借　方　科　目	金　　　額	貸　方　科　目	金　　　額

(3) X2年10月31日　（単位：円）

借　方　科　目	金　　　額	貸　方　科　目	金　　　額

問題5 重要な金融要素(2)

① 販売時（商品を引き渡したとき）　　(単位：円)

借方科目	金額	貸方科目	金額
売掛金	(　　)	売上	(　　)
		利息未決算	(　　)

② 掛代金回収時　　(単位：円)

借方科目	金額	貸方科目	金額
利息未決算	(　　)	受取利息	(　　)
現金	(　　)	売掛金	(　　)

③ 早期回収した場合　　(単位：円)

借方科目	金額	貸方科目	金額
利息未決算	(　　)	受取利息	(　　)
現金	(　　)	売掛金	(　　)

重要な金融要素（容認）

(1) 商品販売時

・収益の計上 （単位：円）

借方科目	金額	貸方科目	金額

・原価の計上 （単位：円）

借方科目	金額	貸方科目	金額

(2) 売掛金の早期決済時 （単位：円）

借方科目	金額	貸方科目	金額

問題 7

顧客に支払われる対価（売主が顧客に対価を支払う場合）

① X4年4月1日 （単位：円）

借方科目	金額	貸方科目	金額

② X4年4月10日 （単位：円）

借方科目	金額	貸方科目	金額

問題8 取引価格の配分(1)

売上高の金額	円

問題9 取引価格の配分(2)

問1

	製品売上高
製品A	円
製品C	円
製品D	円

問2

	製品売上高
製品B	円
製品E	円

収益認識基準 3

問題1 契約資産

(1) 商品Aの引渡時　　(単位：円)

借方科目	金額	貸方科目	金額

(2) 商品Bの引渡時（この時点で、代金はまだ支払われていないものとする）　　(単位：円)

借方科目	金額	貸方科目	金額

問題2 本人と代理人（本人の場合）

(単位：円)

借方科目	金額	貸方科目	金額

問題3 本人と代理人（代理人の場合）

(単位：円)

借方科目	金額	貸方科目	金額

問題4 消化仕入（代理人の場合）

（単位：円）

借方科目	金額	貸方科目	金額

問題5 ポイント制度

(1) 当社の商品販売時　（単位：円）

借方科目	金額	貸方科目	金額

(2) X1年度末　（単位：円）

借方科目	金額	貸方科目	金額

(3) X2年度末　（単位：円）

借方科目	金額	貸方科目	金額

特殊商品売買 1

問題 1 割賦販売

(1) 前期末

残　高　(単位：円)

残高	
売　掛　金 (　　　)	
割賦売掛金 (　　　)	
繰越商品 (　　　)	

(2) 仕入時　(単位：円)

借方科目	金額	貸方科目	金額

(3) 一般販売時　(単位：円)

借方科目	金額	貸方科目	金額

(4) 売掛金回収時　(単位：円)

借方科目	金額	貸方科目	金額

(5) 割賦販売時　(単位：円)

借方科目	金額	貸方科目	金額

(6) 割賦売掛金回収時　(単位：円)

借方科目	金額	貸方科目	金額

(7)

決算整理前残高試算表 (単位：円)

売掛金	(　　)	一般売上	(　　)
割賦売掛金	(　　)	割賦売上	(　　)
繰越商品	(　　)		
仕入	(　　)		

(8) 決算時

引渡原価の算定 (単位：円)

借方科目	金額	貸方科目	金額

(9)

決算整理後残高試算表 (単位：円)

売掛金	(　　)	一般売上	(　　)
割賦売掛金	(　　)	割賦売上	(　　)
繰越商品	(　　)		
仕入	(　　)		

問題2 重要な金融要素の調整(1)

(1) 販売時 (単位：円)

借方科目	金額	貸方科目	金額

(2) 割賦代金回収時 (単位：円)

借方科目	金額	貸方科目	金額

問題3 重要な金融要素の調整(2)

⑴ A社のX1年4月1日の販売時の仕訳
債権金額から利息を控除した金額で債権を計上している場合

(単位：円)

借方		貸方	
勘定科目	金額	勘定科目	金額
現金	90,000	(　　　)	[　　　]
(　　　)	[　　　]		

⑵ A社のX3年3月31日の債権回収時の仕訳
債権管理のため、販売時に債権金額で債権を計上し、評価勘定を使っている場合

(単位：円)

借方		貸方	
勘定科目	金額	勘定科目	金額
現金	90,000	(　　　)	[　　　]
(　　　)	[　　　]	(　　　)	[　　　]

問題4 委託販売(1)

決算整理後残高試算表　(単位：円)

繰越商品	(　　　)	一般売上	8,370
積送品	(　　　)	積送品売上	3,150
仕入	(　　　)		

問題5 委託販売(2)

(1) 決算整理仕訳　　(単位：円)

	借方科目	金額	貸方科目	金額
一般				
委託				

(2) 決算整理後残高試算表

決算整理後残高試算表　(単位：円)

繰越商品	(　　)	一般売上	(　　)
積送品	(　　)	積送品売上	(　　)
仕入	(　　)		

委託販売(3)

問1

決算整理仕訳　(単位：円)

	借方科目	金額	貸方科目	金額
一般				
委託				

決算整理後残高試算表　(単位：円)

繰越商品	(　　)	一般売上	548,000
積送品	(　　)	積送品売上	400,000
繰延積送諸掛	(　　)		
仕入	(　　)		
積送諸掛費	(　　)		

問2

繰延積送諸掛 [　　　] 円　　積送諸掛費 [　　　] 円

問題7 受託販売

(1) 受託品受取時　　(単位：円)

借　方　科　目	金　　額	貸　方　科　目	金　　額

(2) 受託品販売時　　(単位：円)

借　方　科　目	金　　額	貸　方　科　目	金　　額

(3) 立替費用支払時　　(単位：円)

借　方　科　目	金　　額	貸　方　科　目	金　　額

(4) 売上計算書送付時　　(単位：円)

借　方　科　目	金　　額	貸　方　科　目	金　　額

(5) 残金送付時　　(単位：円)

借　方　科　目	金　　額	貸　方　科　目	金　　額

特殊商品売買 2

問題1 未着品売買(1)

(1) 期末一括法　　　　　　　　　　　　　　　　　　　　　　　　　　(単位：円)

	借方	金額	貸方	金額
期首残高試算表	期首残高試算表			
	繰越商品	2,400		
	未着品	480		
貨物代表証券購入時	( )	( )	買掛金	( )
現品引取時	( )	( )	( )	( )
貨物代表証券販売時	売掛金	( )	( )	( )
商品仕入時	仕入	21,120	買掛金	21,120
一般販売時	売掛金	30,000	一般売上	30,000
整理前残高試算表	決算整理前残高試算表			
	繰越商品	2,400	一般売上	30,000
	未着品	( )	未着品売上	( )
	仕入	( )		
決算整理	( )	( )	( )	( )
	( )	( )	( )	( )
	( )	( )	( )	( )
整理後残高試算表	決算整理後残高試算表			
	繰越商品	( )	一般売上	30,000
	未着品	( )	未着品売上	( )
	仕入	( )		

(2) その都度法 (単位：円)

期首残高試算表	期首残高試算表 繰越商品 2,400 | 未着品 480 |
貨物代表証券購入時	(　　　)(　　　)／買掛金(　　　)
現品引取時	(　　　)(　　　)／(　　　)(　　　)
貨物代表証券販売時	売掛金(　　　)／(　　　)(　　　) (　　　)(　　　)／(　　　)(　　　)
商品仕入時	仕入 21,120 ／ 買掛金 21,120
一般販売時	売掛金 30,000 ／ 一般売上 30,000
整理前残高試算表	決算整理前残高試算表 繰越商品 2,400 | 一般売上 30,000 未着品(　　　) | 未着品売上(　　　) 仕入(　　　) |
決算整理	(　　　)(　　　)／(　　　)(　　　) (　　　)(　　　)／(　　　)(　　　)
整理後残高試算表	決算整理後残高試算表 繰越商品(　　　) | 一般売上 30,000 未着品(　　　) | 未着品売上(　　　) 仕入(　　　) |

問題2 未着品売買(2)

決算整理後残高試算表 (単位：千円)

繰越商品	(　　　)	一般売上	294,000
未着品	(　　　)	未着品売上	62,400
仕入	(　　　)		

問題3 試用販売(1)

決算整理後残高試算表 (単位：千円)

借方		貸方	
繰越商品	(　　)	一般売上	180,000
繰越試用品	(　　)	試用品売上	102,120
仕入	(　　)	試用仮売上	14,760
試用未収金	14,760		

問題4 試用販売(2)

決算整理後残高試算表 (単位：千円)

借方		貸方	
繰越商品	(　　)	一般売上	154,200
繰越試用品	(　　)	試用品売上	81,960
仕入	(　　)	試用仮売上	11,880
試用未収金	11,880		

問題5 委託買付

(単位：円)

	借方科目	金額	貸方科目	金額
(1)				
(2)				
(3)				

受託買付

(単位：円)

	借　方　科　目	金　　額	貸　方　科　目	金　　額
(1)				
(2)				
(3)				
(4)				
(5)				

Chapter 10

工事契約

工事契約(1)

問1 履行義務の充足に係る進捗度を合理的に見積もることができる場合

(1) 各年度の工事原価および工事収益(単位：千円)

	完成工事原価	完成工事高
X 1 年 度	(　　　　)	(　　　　)
X 2 年 度	(　　　　)	(　　　　)
X 3 年 度	(　　　　)	(　　　　)
合　計	(　　　　)	(　　　　)

(2) X1年度 (工事中)　　　　(単位：千円)

借 方 科 目	金　額	貸 方 科 目	金　額
		現 金 預 金	

(3) X2年度 (工事中)　　　　(単位：千円)

借 方 科 目	金　額	貸 方 科 目	金　額
		現 金 預 金	

(4) X3年度（完成引渡） (単位：千円)

借方科目	金額	貸方科目	金額
		現金預金	

問2 履行義務の充足に係る進捗度を合理的に見積もることができない場合

(1) 各年度の工事原価および工事収益 (単位：千円)

	完成工事原価	完成工事高
X1年度	( )	( )
X2年度	( )	( )
X3年度	( )	( )
合計	( )	( )

(2) X1年度（工事中） (単位：千円)

借方科目	金額	貸方科目	金額
		現金預金	

(3) X2年度（工事中） (単位：千円)

借方科目	金額	貸方科目	金額
		現金預金	

(4) X3年度（完成引渡）　　　　　　　　　　　　　　　　　　（単位：千円）

借　方　科　目	金　　額	貸　方　科　目	金　　額
		現　金　預　金	

問題2 工事契約(2)

(1) X2年度

完成工事高 [　　　　] 千円

完成工事原価 [　　　　] 千円

(2) X3年度

完成工事高 [　　　　] 千円

完成工事原価 [　　　　] 千円

問題3 工事損失引当金

工事損失引当金	千円

税　金

問題1 租税公課

決算整理後残高試算表　（単位：千円）

現金預金（　　　）	
売掛金（　　　）	
貯蔵品（　　　）	
営業費（　　　）	

問題2 消費税等(1)

（単位：円）

	借方科目	金額	貸方科目	金額
(1)				
(2)				
(3)				
(4)				

問題 3

消費税等(2)

(単位：円)

	借 方 科 目	金 額	貸 方 科 目	金 額
(1)				
(2)				
(3)				
(4)				
(5)				

問題4 消費税等(3)

(単位：千円)

	借　方　科　目	金　　額	貸　方　科　目	金　　額
(1)				
(2)				

問題5 消費税等(4)

(単位：円)

	借　方　科　目	金　　額	貸　方　科　目	金　　額
(1)				
(2)				
(3)				
(4)				

問題6 法人税等

問1 一勘定制

(1) X1年11月20日（中間納付時） （単位：千円）

借方科目	金額	貸方科目	金額

(2) X2年3月31日（決算時） （単位：千円）

借方科目	金額	貸方科目	金額

(3) X2年5月25日（確定納付時） （単位：千円）

借方科目	金額	貸方科目	金額

問2 二勘定制

(1) X1年11月20日（中間納付時） （単位：千円）

借方科目	金額	貸方科目	金額

(2) X2年3月31日（決算時） （単位：千円）

借方科目	金額	貸方科目	金額

(3) X2年5月25日（確定納付時） （単位：千円）

借方科目	金額	貸方科目	金額

問題7 源泉所得税等(1)

（単位：千円）

	借方科目	金額	貸方科目	金額
(1)				
(2)				
(3)				

問題8 源泉所得税等(2)

決算整理後残高試算表　（単位：千円）

法人税等	（　　）	未払法人税等	（　　）
		受取利息配当金	（　　）

Chapter 12

税効果会計

問題1 税務調整

千円

問題2 税効果会計(1)

問1

決算整理前残高試算表　　　　(単位：千円)

繰延税金資産　(　　　　　)	

問2

決算整理後残高試算表　　　　(単位：千円)

繰延税金資産　(　　　　　)	法人税等調整額　(　　　　　)

問題3 税効果会計(2)

問1

1　商品評価損　　　　(単位：千円)

借方科目	金額	貸方科目	金額

2　貸倒引当金　　　　(単位：千円)

借方科目	金額	貸方科目	金額

3　賞与引当金　　(単位：千円)

借方科目	金額	貸方科目	金額

4　減価償却費　　(単位：千円)

借方科目	金額	貸方科目	金額

問2

決算整理後残高試算表　(単位：千円)

借方科目	金額	貸方科目	金額
売掛金	120,000	貸倒引当金	(　　)
繰越商品	(　　)	賞与引当金	(　　)
建物	3,000,000	減価償却累計額	(　　)
繰延税金資産	(　　)	法人税等調整額	(　　)
仕入	(　　)		
貸倒引当金繰入	(　　)		
賞与引当金繰入	(　　)		
減価償却費	(　　)		

問題4　税効果会計(3)

決算整理後残高試算表　(単位：千円)

借方科目	金額	貸方科目	金額
受取手形	(　　)	未払法人税等	(　　)
売掛金	(　　)	貸倒引当金	(　　)
繰延税金資産	(　　)	賞与引当金	(　　)
破産更生債権等	(　　)	法人税等調整額	(　　)
貸倒引当金繰入額	(　　)		
賞与引当金繰入額	(　　)		
営業費	(　　)		
法人税等	(　　)